D0504825

Le mouvement des Alcooliques anonymes devient adulte

Le mouvement des Alcooliques anonymes devient adulte

LA GENÈSE DU MOUVEMENT DES A.A.

ALCOHOLICS ANONYMOUS WORLD SERVICES, INC.,
NEW YORK

Titre original de l'ouvrage

ALCOHOLICS ANONYMOUS COMES OF AGE
A Brief History of A.A.

Traduit et édité par
Le Service des Publications Françaises du Québec
1390, rue Fleury est,
Montréal, Qué.
Canada, H2C 1R5

Dépôt légal – 4e semestre 1983
Bibliothèque nationale du Québec

Bibliothèque nationale du Canada
ISBN – 2-920203-03-7

15M-10-83 (1ere éd.)

Imprimé au Canada

L-1

Table des matières

Faits saillants dans l'histoire des Alcooliques Anonymes

DATE		PAGE
Été 1934	Le Dr William D. Silkworth déclare que Bill W. est un alcoolique incorrigible.	64
Août 1934	Grâce aux Groupes d'Oxford,[1] Ebby T., un ami de Bill, acquiert la sobriété.	71
Novembre 1934	Ebby rend visite à Bill et lui raconte son histoire.	71
Décembre 1934	Lors d'un séjour au Towns Hospital, Bill vit une expérience spirituelle.	77
Décembre 1934 à mai 1935	Bill travaille, sans succès, au rétablissement de d'autres alcooliques.	79
Mai 1935	Rencontre de Bill et du Dr Bob à Akron.	82
10 juin 1935	Le Dr Bob prend son dernier verre d'alcool. Naissance du mouvement des Alcooliques anonymes.	87
1937	Les Alcooliques anonymes de New York se détachent des Groupes d'Oxford.	91
Novembre 1937	Nouvelle rencontre du Dr Bob et de Bill à Akron. Ils dressent le bilan des premiers succès: 40 alcooliques sont sobres.	93

(1) Note du traducteur:
Ne pas confondre le Groupe d'Oxford (Oxford Group) et le Mouvement d'Oxford (Oxford Movement).
Le Groupe d'Oxford, fondé par Frank Buchman en 1921, préconisait la recherche de l'absolu dans la pratique des vertus morales, publiques et privées.
Le Mouvement d'Oxford prit naissance en 1933 et mettait en valeur les principes de la Haute Église d'Angleterre.
Dans ce volume, on fait référence au Groupe d'Oxford.

DATE		PAGE
Mars 1941	Un article paru dans le *saturday Evening Post* favorise l'acceptation du Mouvement et son essor au plan national. À la fin de l'année, le nombre des membres est passé de 2,000 à 8,000.	233
1942	Fondation d'un premier groupe en institution carcérale, à San Quentin, en Californie.	109
Juin 1944	Lancement du A.A. GRAPEVINE.	246
1945	Le Dr Silkworth et Teddy R. commencent à traiter des patients alcooliques à l'hôpital Knickerboker de New York. Ils traiteront 10,000 patients en dix ans.	252
1946	Première rédaction et publication des Douze Traditions.	118, 248
1949	L'Association américaine de Psychiatrie reconnaît les mérites des A.A.	250, 297
Juillet 1950	Premier Congrès international à Cleveland. La Fraternité accepte les Douze Traditions.	259
Novembre 1950	Décès du Dr Bob.	11, 261
Avril 1951	Réunion de la première Conférence des Services généraux: début d'un plan quinquennal, sur une base expérimentale, liant les Syndics du Mouvement à l'ensemble de la Fraternité.	265
Octobre 1951	L'Association américaine de la Santé publique décerne aux A.A. le Trophée Lasker, à San Francisco.	301
Juin 1953	Publication du livre, *Twelve Steps and Twelve Traditions.*	267
Octobre 1954	*Alcoholic Foundation;* devient le Conseil des Services généraux des A.A. L'idée d'une fondation polyvalente est abandonnée.	

DATE	
Juillet 1955	Congrès du 20e anniversaire à St-Louis. Deuxième édition du livre, *Alcoholics Anonymous.*
3 juillet	Les pionniers du Mouvement confient à l'ensemble de la Fraternité les trois Legs de Rétablissement, d'Unité et de Service.
1956	Création d'un Comité d'Information publique chargé des relations avec le monde extérieur. Dans le passé, cette tâche était assumée par Bill W.
1957	Formation en Grande-Bretagne et en Irlande du premier Conseil des Services généraux outremer. En octobre, publication de *A.A. Comes of Age.* Le Mouvement compte plus de 200,000 membres et 7,000 groupes répartis dans 70 pays et possessions américaines.
1958	Les A.A. collaborent à la production de *Days of Wine and Roses*, d'abord sous forme d'un long métrage pour la télévision, puis comme film pour le cinéma.
1959	*A.A. Publishing Inc.* devient *A.A. World Services Inc.* (Les Services mondiaux des A.A. Inc.)
1960	En juillet, Congrès du 25e anniversaire à Long Beach, en Californie. En France, la publication du livre de Joseph Kessel, *Avec les Alcooliques*, favorise le développement du Mouvement des A.A. en France et en Allemagne.
1961	Échange de correspondance entre Bill W. et le Dr Carl Jung. Le secours apporté par le Dr Jung à un alcoolique en 1930 fait figure d'un premier pas dans la formation du Mouvement des A.A.
1962	Rédaction par Bill W. et publication de *Twelve Concepts for World Services.*

DATE	
1963	Élection au Conseil des Services généraux des premiers syndics territoriaux. Ceux-ci remplacent le Syndic régional, jusqu'alors choisi dans un seul État. Selon les nouveaux règlements, les États-Unis sont maintenant divisés en six territoires.
1963-1967	La croissance rapide du Mouvement des A.A. dans les pays étrangers constitue le fait essentiel de cette période. Ce développement accéléré est dû à l'activité accrue des Services mondiaux: multiplication des lettres de suggestions, fondation de nouveaux centres de littérature pour A.A., publication de plusieurs nouvelles traductions, enseignement plus soigné des Traditions, etc.
1965	Congrès du 30e anniversaire à Toronto, au Canada. Plus de 10,000 participants. Le thème du congrès, qui sera largement utilisé par la suite: «Si quelqu'un, quelque part, tend la main en quête d'aide, je veux que celle des A.A. soit là. Et de cela, je suis responsable». Publication, à Toronto, d'une édition-cadeau de *Twelve Steps and Twelve Traditions*, format livre de poche. Dans un documentaire filmé en couleurs, Bill et Lois racontent les débuts du Mouvement des A.A.
1966	Tournant historique: on décide que les deux-tiers des Syndics formant le Conseil des Services généraux seraient des membres alcooliques. Alors, la Fraternité obtient la majorité au Conseil et accepte pleine responsabilité pour la conduite de ses affaires. Désormais, il y aura huit Syndics territoriaux; six pour les États-Unis et deux pour le Canada.

DATE	
1967	Publication de *As Bill Sees It*, sous son titre original, *The A.A. Way of Life.* Ce volume regroupe des extraits de divers messages de Bill W.
1955-1967	Durant cette période, le nombre des groupes passe de 5,927 à 13,279, 20% de ces groupes se trouvant hors des États-Unis.
1969	Du 9 au 11 octobre, première réunion des Services mondiaux, à New York, regroupant des représentants de 14 pays. (Depuis 1972, ces réunions se tiennent à tous les deux ans.)
1970	Congrès du 35e anniversaire, à Miami en Floride. 11,000 membres y participent. Dernière apparition publique de Bill W. Le point culminant du congrès: la Déclaration d'Unité.
1971	Décès de Bill W., le 24 janvier à Miami Beach en Floride. Pour la première fois, la presse mondiale publie son nom, sa photo et son histoire. Le 14 févirer, des services commémoratifs sont célébrés dans le monde entier par des groupes du Mouvement.
1973	Publication du livre, *Came to Believe*, contenant un vaste éventail des convictions spirituelles des membres.
Avril 1973	La distribution du livre, *Alcoholics Anonymous*, atteint un million d'exemplaires.
1975	Congrès du 40e anniversaire à denver au Colorado. 19,000 personnes unissent leur voix à celle de Lois pour scander le thême du congrès, *Let it Begin with Me*. (Que ça commence par moi).

DATE

1975

Publication de *Living Sober* (Vivre Sans Alcool). Dans ce livre, plusieurs membres expliquent les méthodes pratiques qu'ils ont utilisées pour s'abstenir d'alcool.

1976

Le Mouvement compte un million de membres, répartis dans 28,000 groupes à travers le monde.
Publication de la troisième édition de *Alcoholics Anonymous*.

1978

La circulation du *A.A. Grapevine* dépasse 100, 000 copies.
La distribution de *Alcoholics Anonymous* dépasse les deux millions de copies.

1980

Congrès international du 45e anniversaire à la Nouvelle-Orléans.
25,000 participants sont inscrits.
Le thème du congrès, *The Joy of Living* (La Joie de Vivre).
Durant le congrès, on présente le livre, *Dr. Bob and the Good Oldtimers*, contenant une biographie de Bob et l'histoire du Mouvement des A.A. dans le Midwest américain.

Avant-propos

Ce livre est destiné aux Alcooliques anonymes et à leurs amis. Il s'adresse également à toute personne désireuse de mieux connaître l'histoire du Mouvement des A.A.: ses débuts, l'évolution des principes de Rétablissement, d'Unité et de Service, ainsi que les moyens qui ont permis à notre Fraternité de se développer et de propager son message aux quatre coins de la terre. Ce volume trace une esquisse du Mouvement vu de l'intérieur et jette un vaste coup d'œil sur l'ensemble des Alcooliques anonymes.

Dans la première partie de ce livre, nous brossons un tableau panoramique de l'historique congrès de St-Louis, durant lequel la Fraternité devint adulte et assuma pleine responsabilité dans la conduite de ses affaires.

La deuxième partie contient trois discours sur l'évolution historique de Rétablissement, de l'Unité et du Service chez les A.A. Il s'agit de trois exposés que Bill W. présenta au congrès de St-Louis et qu'il publie, en les développant.

La troisième partie est consacrée à des allocutions prononcées par plusieurs amis des A.A., tous des sommités dans divers domaines: le Dr Tiebout, psychiatre; le Dr W.W. Bauer de l'Association médicale américaine; le Père Edward Dowling, Jésuite; le Dr Samuel M. Shoemaker, membre du clergé épiscopalien; M. Bernard B. Smith, avocat de New York et ancien président du Conseil des Services généraux des A.A. Ces amis décrivent les contacts qu'ils ont eus avec les A.A., le rôle qu'ils ont joué dans le développement de notre Fraternité et leur façon de percevoir l'avenir du Mouvement.

Chers amis,

Vous constaterez, à la lecture de ces pages, que leur contenu historique n'est pas présenté de façon conventionnelle, selon un ordre strictement chronologique.

Afin de respecter l'objectif précis de ce livre, nous avons préféré porter toute notre attention sur les legs de Rétablissement, d'Unité et de Service, en racontant séparément l'évolution de chacun de ces concepts. Ce procédé nous permet de concentrer toute notre réflexion sur une de ces réalités à la fois. Cependant, certains membres préfèreront sans doute aborder la lecture à partir du deuxième chapitre qui établit rapidement un lien entre les débuts du Mouvement des A.A. et notre programme actuel de rétablissement.

Le titre même du volume, «Le Mouvement des Alcooliques Anonymes Devient Adulte», porte parfois à confusion, en suggérant à certaines personnes l'idée que nous, les membres des A.A., prétendons avoir atteint notre développement complet et une parfaite maturité sur le plan émotif.

En réalité, l'expression «Devient Adulte» prend à nos yeux une signification très différente. Nous estimons tout simplement que nous avons atteint cet âge de la vie où de véritables adultes assument leurs responsabilités au meilleur de leurs connaissances. À cette fin, nous essayons de nous en remettre à nous-mêmes et à Dieu.

Sincèrement vôtre,
Bill W.

mars 1967

I

Lorsque le mouvement des A.A. devint adulte

PAR BILL W.

co-fondateur des Alcooliques Anonymes

DURANT les trois premiers jours de juillet 1955, la Fraternité des Alcooliques Anonymes se réunit en congrès à St-Louis, dans le Missouri, pour célébrer le vingtième anniversaire de sa fondation. C'est alors que notre Association se déclara prête à assumer toutes ses responsabilités. C'est au moment de ces assises, qu'elle reçut de ses fondateurs et de ses pionniers la garde permanente de ses trois legs de Rétablissement, d'Unité et de Service.

Ces trois journées évoqueront toujours dans ma mémoire les plus belles expériences de ma vie.

Nous étions au dernier jour du congrès. Il était seize heures. Environ 5,000 membres des A.A., leurs familles et amis se trouvaient rassemblés dans l'auditorium Kiel de St-Louis. Tous les États américains et toutes les parties du Canada y étaient représentés. Certains participants étaient venus de très loin. Sur la scène de l'auditorium, se trouvaient les membres de la Conférence des Services généraux des Alcooliques Anonymes, comprenant soixante-quinze délégués américains et canadiens, sans compter les directeurs et le personnel de nos Services mondiaux de New York, mon épouse Lois, ma mère et moi.

La Conférence des Services généraux des Alcooliques anonymes allait assumer la garde des Douze Traditions des A.A. et assurer la bonne marche des Services mondiaux. Elle allait être officiellement reconnue comme le successeur permanent des fondateurs du Mouvement. Au nom du co-fondateur, le Dr Bob, et de tous les pionniers dispersés dans le monde, je confiai les trois legs des Alcooliques Anonymes à notre Fraternité entière et à la Conférence qui la représentait. Dès cet instant, le Mouvement des A.A. assuma ses responsabilités au service de Dieu, aussi longtemps que la Providence lui accorderait son soutien.

Plusieurs événements survenus au cours des jours précédents, avaient contribué à préparer cet apogée. L'ensemble de ces faits procura aux 5,000 participants une image du Mouvement des A.A. comme ils n'en avaient jamais vu auparavant. Ils assistèrent à une évocation des faits saillants de l'histoire de la Fraternité. Grâce à la coopération de quelques pionniers, ils purent revivre des expériences émouvantes rappelant l'élaboration des Étapes de rétablissement et la publication du livre, «Alcooliques Anonymes». Ils apprirent comment les Douze Traditions avaient été forgées sur cet enclume qui s'appelle l'expérience du groupe. Ils ont entendu raconter l'établissement de têtes de ponts dans 70 pays étrangers. Alors, quand ils réalisèrent que tout le patrimoine des A.A. venait d'être déposé dans leurs propres mains, ils éprouvèrent une nouvelle prise de conscience de la responsabilité de chaque individu envers l'ensemble du Mouvement.

Durant ce congrès, on se rendit compte, pour la première fois, que personne n'avait inventé Alcooliques Anonymes, mais que de nombreux courants d'influence et d'innombrables personnes, parfois même non alcooliques, avaient coopéré avec la grâce de Dieu pour que le Mouvement des A.A. réalise son dessein.

Plusieurs de nos amis non alcooliques, des médecins, des représentants du clergé et des membres de notre Conseil de Syndics, n'avaient pas reculé devant les difficultés du voyage pour venir à St-Louis afin de partager avec nous ce joyeux événement et de nous raconter leur participation à la croissance des A.A. Nous remarquions parmi eux des personnalités comme le Révérend Sam Shoemaker qui, dès le début, avait été une source de profonde inspiration pour le Dr Bob et moi-même. Il y avait aussi notre cher Père Dowling (décédé en 1960) qui, par son soutien personnel dans les affaires internes et son appui dans les relations avec le monde extérieur, a largement contribué à façonner le visage actuel des A.A. Puis, nous apercevions le Dr Harry Tiebout, notre premier ami dans le monde de la psychiatrie (décédé en 1966), qui utilisa très tôt les principes des A.A. dans la pratique de sa profession. Comment exprimer l'ensemble des richesses qu'il nous a apportées grâce à son humour, à son humilité, à son intelligence profonde et à son courage.

C'est également le Dr Tiebout qui, avec l'aide du Dr Kirby Collier de Rochester et Dwight Anderson de New York, persuada d'abord la Société médicale de l'État de New York en 1944 et plus tard l'Association américaine de Psychiatrie en 1949 de m'autoriser, moi un profane, à prononcer lors de leurs réunions annuelles des conférences sur les A.A., accélérant du fait même l'acceptation de notre modeste Mouvement par la profession médicale du monde entier.

Il est impossible d'évaluer à sa juste valeur la contribution du Dr Tiebout à cette époque et dans les années qui suivirent. Lors de notre première rencontre, Harry occupait le poste de psychiatre en chef à l'un des meilleurs sanatoriums américains. Ses collègues, aussi bien que ses patients, reconnaissaient sa compétence professionnelle remarquable. À cette époque, la science moderne de psychiatrie était encore à ses débuts et commençait lentement à s'imposer sur la scène mondiale comme l'un des plus formidables progrès de notre temps. Les méthodes pour explorer les mystères et les forces du subconscient de l'être humain étaient déjà bien à la mode.

Il est bien évident que tous les chercheurs de l'époque, issus de diverses écoles de psychiatrie, différaient considérablement d'opinions quant aux conclusions à tirer de leurs nouvelles découvertes. Alors que les disciples de Carl Jung reconnaissaient la valeur, le sens et la réalité de la foi, la plupart des psychiatres d'alors refusaient cet enseignement. Ils partageaient plutôt l'opinion de Freud qui prétendait que la religion constituait pour les êtres immatures une sorte de fantasme réconfortant dont ils se débarrasseraient grâce à la lumière des connaissances modernes.

C'est devant cette toile de fond qu'en 1939 le Dr Harry assista au rétablissement spectaculaire en A.A. de deux de ses patients. Martie et Grennie, à la fois alcooliques et névrosés, s'étaient avérés deux patients des plus difficiles. Mais lorsque le Dr Harry remarqua qu'après un court séjour chez les A.A. ses deux clients délaissaient la bouteille pour de bon et commençaient à afficher un rapide changement de mentalité et d'attitudes, il en fut sidéré. Il fut aussi agréablement surpris de constater qu'il pouvait maintenant communiquer avec eux comme psychiatre, alors que toutes ses démarches précédentes avaient achoppé devant la muraille de leur résistance obstinée. Pour Harry, ce fut une révélation. Il l'affronta carrément avec toutes ses ressources de scientifique et d'homme de courage. D'ailleurs cette nouvelle découverte ne demeura pas dans l'intimité de son cabinet de médecin. Dès qu'il fut pleinement convaincu, il ne cessa de se faire le promoteur des A.A. devant les membres de sa profession et le public en général.(1) Au risque de perdre toute crédibilité au sein de sa profession, le Dr Tiebout ne cessa jamais d'appuyer, devant les autres psychiatres, le travail merveilleux du Mouvement des A.A.

Lors du Congrès, le Dr Tiebout faisait partie du panel médical avec le Dr W.W. Bauer, de l'Association médicale américaine, qui offrit sa collaboration amicale à notre Fraternité et endossa largement notre démarche.

---

(1) Vous trouverez, dans l'Annexe E:b, la liste de ses conférences et articles.

Ces deux amis ne furent aucunement surpris par le témoignage du Dr Earl M., représentant des A.A. sur le panel. Bien connu dans les cercles médicaux à travers les États-Unis, le Dr Earl déclara sans ambage que malgré ses connaissances médicales, incluant la psychiatrie, il avait dû avec humilité découvrir les principes des A.A. par l'intermédiaire d'un simple boucher. Il confirmait ainsi tout ce que le Dr Harry nous avait enseigné sur la nécessité de dégonfler l'égo de l'alcoolique aussi bien avant qu'après son entrée dans le Mouvement.

Les témoignages réconfortants de ces médecins nous rappelèrent toute l'assistance que nous avions reçue, au cours des années, de nos amis au sein de la profession médicale. Plusieurs congressistes, membres des A.A., avaient déjà été témoins, à la Maison d'Opéra de San Francisco en 1951, de la remise aux Alcooliques Anonymes du trophée Lasker, don d'Albert et de Mary Lasker, au nom des 12,000 médecins de l'Association Américaine de la Santé Publique.(2).

Les témoignages du Révérend Samuel Shoemaker (décédé en 1963), du Père Edward Dowling, du Dr Harry Tiebout et du Dr W.W. Bauer sont reproduits à la fin de ce livre, tout comme celui d'un autre ami, Bernard B. Smith, cet avocat newyorkais qui a servi notre cause durant ces dernières années, avec fidélité et distinction, à titre de président du Conseil des Syndics. Nous nous souviendrons toujours de lui comme de l'ami non alcoolique qui, avec son intelligence et son habileté à créer un consensus à partir des opinions les plus divergentes, joua un rôle prépondérant dans la formation de la Conférence des Services généraux dont dépend largement l'avenir des A.A. À l'exemple des autres orateurs, Bernard Smith souligna non seulement l'importance des principes du Mouvement pour les alcooliques et le monde en général, mais de l'enrichissement personnel qu'il avait puisé dans la pratique de ces principes.

Plusieurs autres amis de vieille date apportèrent leur contribution à ce congrès. Leurs exposés, tout comme l'ensemble des

---

(2) Voir en annexe D.

réunions du congrès, furent enregistrés et sont disponibles. (Ces enregistrements ne sont plus disponibles). Nous regrettons que le format de ce volume nous empêche de les reproduire dans leur entier.

Dès le premier jour du congrès, par exemple, M. Leonard V. Harrison, l'un de nos amis les plus anciens et les plus respectés, présida une session intitulée: «Les A.A. et l'industrie». Léonard, qui est toujours l'un de nos Syndics, s'est mérité notre amitié et notre respect durant ses dix années de service au sein du Conseil. Il fut le prédécesseur de Bernard Smith à la présidence du Conseil et vécut avec nous la période tourmentée de l'adolescence du Mouvement, alors que personne ne pouvait prédire si notre Fraternité s'en sortirait ou éclaterait. Nous ne parviendrons jamais à décrire avec précision les bienfaits de sa sagesse et de son solide leadership au cours de ces années orageuses.

M. Harrison nous présenta un nouvel ami, Henry A. Mielcarek, responsable chez Allis Chalmers du dossier de l'alcoolisme au sein du personnel. Secondé de façon compétente par Dave, un membre des A.A., qui occupe un poste similaire à la compagnie Du Pont, M. Mielcarek provoqua l'étonnement des congressistes en leur révélant les applications pratiques des principes des A.A. dans le monde de l'industrie. Le dernier conférencier, le Dr John L. Norris d'Eastman Kodak, fit progresser encore davantage notre vision du Mouvement dans le monde du travail. Le Dr Harris se trouvait parmi nous pour une double raison: il représentait les pionniers de l'utilisation des principes des A.A. dans l'industrie et il travaillait depuis longtemps, avec constance et générosité, comme Syndic dans le Conseil général de Service. Alors que nous étions assis parmi les congressistes, nous nous demandions encore une fois: «Qu'aurions-nous fait sans de tels amis?»

Lors de la deuxième journée du congrès, il y eut une session sur «les A.A. et les Institutions». Les conférenciers nous entraînèrent dans un voyage à travers les gouffres les plus sombres où des alcooliques avaient déjà été la proie des pires souffrances, la prison de l'hôpital pour malades mentaux. On nous révéla comment une nouvelle source de lumière et d'espérance avait commencé à s'infiltrer dans ces anciens donjons d'obscurantisme. La plupart d'entre nous furent surpris d'apprendre la pénétration que le Mouvement avait faite avec ses groupes dans 265 hôpitaux et dans 335 prisons à travers le monde.[3] Autrefois, seulement 20% des alcooliques libérés des institutions et des prisons retrouvaient une vie normale. Depuis l'avènement des A.A., 80% de ces personnes ont connu la vraie liberté.

Deux membres des A.A. animaient ce panel et, de nouveau, nos fidèles amis non alcooliques furent représentés. Le Dr O. Arnold Kilpatrick, directeur de l'Institution pour malades mentaux de l'État de New York, décrivit les progrès remarquables du Mouvement dans son hôpital. M. Austin MacCormick, autrefois Commissaire des institutions pénitentiaires de New York, devenu professeur de criminologie à l'Université de Californie, un véritable ami lui aussi et un collaborateur d'une grande bonté et d'un grand dévouement, lui succéda à la tribune des conférenciers. Il avait longtemps servi comme Syndic aux jours de ALCOHOLIC FOUNDATION. Son départ pour l'ouest du pays avait été considéré comme une belle acquisition pour la Californie et une grande perte pour nos Quartiers généraux. Il était de retour parmi nous pour nous révéler comment il avait gardé contact avec les directeurs de prisons à travers toute l'Amérique. Si le Dr Kilpatrick avait démontré les progrès des A.A. dans les institutions pour malades mentaux, le Dr Austin MacCormick, avec une compétence puisée dans l'expérience, signala le rôle de plus en plus important du Mouvement dans le milieu carcéral. De nouveau, notre horizon s'élargissait et notre esprit s'éclairait.

Pendant le congrès, les membres des A.A. se réunirent aussi à plusieurs reprises en assemblées ordinaires. Lors de ces collo-

(3) Ces statistiques datent de 1957. En 1980, nous comptons plus de 1,000 groupes dans les institutions pénales et au-delà de 1,100 dans les centres de traitement à travers les États-Unis et le Canada.

ques, ou encore dans les corridors, les restaurants et les chambres d'hôtel, nous ne cessions de penser avec reconnaissance à tous nos amis et aux merveilles que la Providence avait accomplies par leur entremise. Et nous songions aux absents: ceux qui étaient décédés, ceux qui étaient malades et ceux qui étaient retenus ailleurs. Dans ce dernier groupe nous regrettions particulièrement l'absence des syndics Jack Alexander, Frank Amos, Dr Leonard Strong, Jr et Frank Gulden.

Évidemment, nous avons surtout parlé de notre co-fondateur, le Dr Bob et de son épouse, Anne. Quelques-uns parmi nous se rappelaient cet embryon qui devait donner naissance au premier groupe des A.A. à Akron en 1935. Certains pouvaient évoquer les épopées qui avaient été racontées dans le salon familial du Dr Bob, sur l'avenue Ardmore. Nous avions encore l'impression d'apercevoir Anne, assise dans le coin de la pièce près du foyer, en train de nous lire la mise en garde de Saint Jacques dans la Bible: «La foi sans les œuvres est une foi morte». Le jeune Bob et sa sœur, Sue, étaient évidemment avec nous au congrès, de même que Ernie, l'époux de Sue et le quatrième membre dans l'histoire des A.A. Notre vieux Bill D., troisième membre dans l'histoire des A.A. était représenté par sa veuve, Henriette.

Comme nous étions heureux de retrouver Ethel, notre championne chez la gent féminine pour le plus grand nombre d'années de sobriété. Son émouvante histoire est reproduite dans la seconde édition du livre, «Alcooliques Anonymes». Elle évoqua devant nous le souvenir de ces dix-huit pionniers d'Akron, qui occupaient une partie essentielle de la première édition de ce même livre et qui, avec le Dr Bob, avaient formé le premier groupe des A.A. au monde.

Au milieu des souvenirs, nous apercevions l'hôpital Saint-Thomas qui s'ouvrait pour l'arrivée du Dr Bob et allait devenir la première institution religieuse à recevoir comme patients réguliers des candidats éventuels pour le mouvement des A.A. C'est dans cet hôpital que se développa la grande collaboration entre le Dr Bob et l'incomparable Sœur Ignatia,* * (décédée en 1966) de la Congrégation de la Charité de Saint-Augustin. En prononçant le nom de cette religieuse, nous nous rappelons l'histoire du premier alcoolique qu'elle et le Dr Bob traitèrent. La directrice de Sœur Ignatia n'éprouvait aucune sympathie pour les alcooliques, surtout dans le délire, alors que le Dr Bob s'amenait de nuit et demandait une chambre privée pour son premier patient. Sœur Ignatia lui dit: «Docteur, nous n'avons plus un seul lit disponible, encore moins une chambre privée; mais je vais voir ce que je peux faire». Alors, discrètement, elle camoufla dans la salle réservée pour les fleurs ce patient tout tremblant, le premier candidat au Mouvement à être admis dans l'hôpital. Si l'enfance du Mouvement a été marquée par une aussi bizarre admission à l'hôpital, nous assistons par la suite à une procession toujours grandissante de pitoyables victimes de l'alcoolisme, qui entrent à l'hôpital St-Thomas comme patients et reprennent plus tard leur place dans la société. La plupart d'entre eux ne retourneront à l'hôpital qu'à titre de visiteurs. À compter de 1939 jusqu'à la mort du Dr Bob en 1950, plus de 5,000 alcooliques furent traitée de cette manière. Aussi, l'œuvre du Dr Bob, de son épouse, Anne, de Sœur Ignatia et des pionniers d'Akron constitue pour nous et nos successeurs un modèle de la façon de pratiquer la Douzième Étape des A.A.

Cette grande tradition est toujours personnifiée d'une façon exemplaire par Sœur Ignatia. Aujourd'hui encore, elle continue son œuvre d'amour à l'Hôpital St-Vincent-de-la-Charité de Cleveland. Des A.A. reconnaissants ont contribué travail et argent pour restaurer une vieille section de cet hôpital qu'ils ont appelée l'Aile du Rosaire et qu'ils ont mise à la disposition de Sœur Ignatia et de ses collaborateurs. En 1957, on évaluait déjà à 5,000 le nombre de personnes traitées dans ce service.

Plusieurs membres des A.A., prétendent qu'un séjour dans l'un de ces hôpitaux dirigés par des religieux ou religieuses qui coopèrent avec nous constitue l'une des meilleures façons d'acquérir la sobriété. Nul doute que les anciens patients de St-Thomas à Akron et de St-Vincent à Cleveland abonderont dans ce sens. Et nous espérons que, le moment venu, les autres hôpitaux affiliés à diverses églises suivront l'exemple de ces pionniers. Le travail déjà accompli par Sœur Ignatia et ses associés apparaît comme une œuvre héroïque. Mais l'histoire les honorera sans doute encore plus pour ce vaste mouvement que leur exemple aura déclenché.

En 1949, dix ans après le début des travaux du Dr Bob et de Sœur Ignatia, les membres A.A. de l'Ohio réalisèrent toute l'importance de l'œuvre de ces pionniers. Ils formèrent un comité pour assurer la réalisation et la mise en place, dans le service pour alcooliques à l'hôpital St-Thomas, d'une plaque commémorative décrivant les pensées et les sentiments de la plupart d'entre nous. On me chargea de rédiger l'inscription et de présider la cérémonie du dévoilement de la plaque. Anne était décédée depuis peu, mais le Dr Bob était toujours parmi nous. Selon ses habitudes, Sœur Ignatia s'opposa à ce que son nom soit mentionné dans le texte commémoratif. C'est le 8 avril 1949 que nous avons dévoilé et présenté la plaque à la direction de l'hôpital. L'inscription se lisait comme suit:

EN RECONNAISSANCE

LES AMIS DU DR BOB ET DE ANNE S.
DÉDIENT CETTE PLAQUE

AUX RELIGIEUSES ET AU PERSONNEL
DE L'HÔPITAL ST-THOMAS
À AKRON, OÙ LE MOUVEMENT DES
ALCOOLIQUES
ANONYMES PRIT NAISSANCE.
L'HÔPITAL ST-THOMAS DEVINT LA
PREMIÈRE INSTITUTION RELIGIEUSE
À OUVRIR SES PORTES À NOS MEMBRES.

PUISSENT LE DÉVOUEMENT ET L'AMOUR DE CETTE ÉQUIPE DEVENIR LE SYMBOLE MERVEILLEUX ET TANGIBLE DE TOUTES LES GRÂCES QUE DIEU NOUS RÉSERVE.

Nous nous souvenons tous de la dernière recommandation du Dr Bob aux membres de A.A.: «Ne gâchons pas cette œuvre; gardons-la simple». Et je me rappelle l'hommage que je rendais, dans le *A.A. Grapevine*, à cette grande simplicité qui faisait sa force...

«Il était midi, le 16 novembre 1950. En toute sérénité, le Dr Bob dit à la personne qui l'assistait: «Je crois que c'est fini», et il expira. La maladie avait fait son œuvre, cette maladie au cours de laquelle il nous avait démontré qu'une foi très vivante peut nous supporter dans les souffrances les plus atroces. Il est mort, comme il avait vécu, avec la conviction qu'il existe plusieurs demeures dans la maison du Père.

Pour ceux qui l'avaient connu, c'était une avalanche de souvenirs. Mais qui pourrait décrire les pensées et les sentiments de ces 5,000 patients qu'il avait soignés et à qui il avait prodigué sa science médicale? Qui pourrait imaginer les réflexions secrètes de ces concitoyens qui, après l'avoir vu sombrer dans un oubli presque total, avaient assisté au rayonnement de sa réputation anonyme dans le monde entier? Qui pourrait exprimer la reconnaissance des dizaines de milliers de familles d'alcooliques anonymes qui avaient si souvent entendu parler de lui, mais ne l'avaient jamais rencontré? Quels étaient les sentiments de ses proches, alors qu'ils méditaient sur le mystère de son rétablissement déjà vieux de quinze ans et sur toutes ses conséquences. Nous ne pouvons concevoir qu'une infime parcelle de cette merveilleuse grâce. Et nous n'avons qu'une chose à dire: «Les voies de Dieu sont insondables».

Le Dr Bob n'aurait jamais accepté d'être considéré comme un saint ou un surhomme. Il n'aurait pas voulu non plus que nous abondions en louanges ou que nous sombrions dans la tristesse après sa mort. Nous avons l'impression de l'entendre nous dire: «Il me semble, les amis, que vous exagérez. Il ne faut pas me prendre trop au sérieux. Je n'ai été qu'un des premiers maillons dans cette œuvre divine qu'on appelle A.A. Par chance et par la grâce de Dieu, mon maillon ne s'est pas brisé, malgré mes faiblesses et mes erreurs. Je n'ai été qu'un autre alcoolique qui essayait de progresser avec l'aide de Dieu. Oubliez-moi, mais allez et faites comme moi. Ajoutez votre maillon à notre chaîne. Grâce à Dieu, forgez une belle chaîne solide». Si nous ne reconnaissons pas dans ces phrases les expressions exactes du Dr Bob, nous y retrouvons certainement sa façon de s'évaluer et de nous conseiller.

Quelques mois après la mort du Dr Bob, la première Conférence des Services généraux des A.A. décida, en 1951, de lui rendre un hommage ultime en présentant un parchemin à chacun de ses deux héritiers, le jeune Bob et Sue. On y lisait:

À LA MÉMOIRE
DU Dr BOB

Le Mouvement des Alcooliques Anonymes désire consigner dans cet écrit l'expression de son immuable reconnaissance pour la vie et l'œuvre du Dr Robert Holbrook S., un Co-Fondateur.

Le «Dr Bob», comme on l'appelait dans l'intimité, se rétablit de l'alcoolisme le 10 juin 1935 et, la même année, contribua à la fondation du premier groupe des Alcooliques Anonymes. Avec sa merveilleuse épouse, Anne, il garda si bien ce phare que la lumière de ce flambeau s'est répandue à travers le monde. Au moment de son décès, le 16 novembre 1950, il avait aidé spirituellement et médicalement un nombre incalculable de compagnons d'infortune.

Son humilité le poussait à fuir les honneurs; son sens de l'honnêteté lui interdisait les compromis; son dévouement au service de l'homme et de Dieu brillera sans cesse comme un exemple radieux. La Fraternité mondiale des Alcooliques Anonymes présente ce témoignage de gratitude aux héritiers du Dr Bob et de Anne S.

Nous ne pouvions évoquer les premières années à Akron, sans nous rappeler du même coup la naissance du Mouvement dans l'est du pays et tout particulièrement les difficultés que nous avons rencontrées, à New York en 1935, lors de la fondation du deuxième groupe des A.A. dans le monde. Au début de l'année, avant ma rencontre avec le Dr Bob, j'avais travaillé avec plusieurs alcooliques, mais au moment de mon retour à la maison, en septembre, nous n'avions encore enregistré aucun succès à New York. J'ai raconté aux membres du Congrès comment notre Mouvement commençait à se répandre: j'ai parlé de ces premières réunions dans notre salon, au 182 de la rue Clinton à Brooklyn; j'ai décrit nos incursions à la Mission Newyorkaise du Calvaire et à l'Hôpital Towns, avec notre impatience fébrile de découvrir de nouveaux candidats; j'ai dressé l'inventaire des quelques exceptions qui avaient abandonné l'alcool et de cette armée d'alcooliques qui avaient échoué. Mon épouse Lois raconta aux membres du Congrès comment, durant trois années, notre demeure de la rue Clinton avait été remplie, de la cave au grenier, d'alcooliques de toutes conditions qui, à notre grand désespoir, retournèrent à la bouteille. Notre mission semblait un échec complet. (Plus tard, quelques-uns de ces alcooliques trouvèrent la sobriété, peut-être en dépit de notre intervention!)

Pendant ce temps, à Akron, le traitement à domicile semblait connaître beaucoup plus de succès dans la maison du Dr Bob et dans celle de Wally. En fait, Wally et son épouse ont probablement établi un record de tous les temps pour le nombre de traitements à domicile et le pourcentage de rétablissement chez les nouveaux arrivants au Mouvement. À cause de ce succès, plusieurs autres membres d'Akron suivront leur exemple, du moins pendant un certain temps. Pour employer l'expression de Lois, ces expériences constituaient un merveilleux laboratoire où nous faisions un pénible apprentissage.

Je rappelai aux congressistes du New Jersey les premières réunions à Upper Montclair et à South Orange, ainsi qu'à

Monsey dans l'État de New York où Lois et moi nous étions installés, au moment de la parution du Gros Livre au printemps de 1939, alors que la maison de mes beaux-parents à Brooklyn venait d'être saisie. La température était merveilleuse et nous vivions dans un chalet au bord d'un lac tranquille dans la partie ouest du New Jersey, grâce à la générosité d'un ami membre des A.A. et de sa mère. Un autre ami mettait sa voiture à notre disposition. J'ai passé tout l'été, je m'en souviens trop bien, à essayer de réparer les effets de la faillite du Gros Livre qui, financièrement, ne s'était pas avéré une affaire rentable. Et il ne fut pas facile d'empêcher le shérif de poser les scellés sur notre minuscule bureau du 17, rue William, à Newark, où nous avions rédigé la plus grande partie du volume.

Durant l'été 1939, nous sommes allés à Upper Montclair pour assister à la première réunion des A.A. dans le New Jersey, assemblée qui se tenait dans la maison de Henry P. mon partenaire dans cette chancelante entreprise d'édition. Nous y avons rencontré Bob et Mag V. qui allaient devenir nos grands amis. Lorsque, vers le Jour d'Actions de Grâces, la neige se mit à tomber sur notre camp d'été, ils nous invitèrent à passer l'hiver avec eux à leur résidence de Monsey dans l'État de New York.

Cet hiver, passé avec Bob et Mag, fut dur, mais combien excitant. Nous étions tous sans le sou. Leur maison, autrefois un manoir, était devenue un vétitable taudis. Tour à tour, le système de chauffage et la pompe à eau tombèrent en panne. Un des ancêtres de Mag avait ajouté deux chambres à la maison, l'une au rez-de-chaussée et l'autre à l'étage. Il nous était impossible de chauffer ces deux pièces. Et comme celle de l'étage était particulièrement froide, nous l'avions baptisée «Sibérie». Pour corriger quelque peu cette situation, nous y avons installé un vieux poêle à bois de seconde main que nous avions payé $3,75. Il était si peu solide qu'aujourd'hui encore nous nous demandons comment nous n'avons pas mis le feu à la maison. Mais ce fut tout de même une période heureuse. En plus de partager avec nous leur avoir matériel, Bob et Mag nous communiquaient leur gaieté entraînante.

Nous avons connu nos premières émotions fortes au moment de la fondation du premier groupe des A.A. dans un hôpital psychiatrique. À plusieurs reprises, Bob en avait parlé au Dr Russell E. Blaisdell, directeur du New York Rockland State Hospital, une institution avoisinante pour malades mentaux. Sans exiger d'enquêtes plus approfondies, le Dr Blaisdell accepta d'essayer la solution des A.A. pour ses patients alcooliques. D'abord il nous confia l'organisation de leur salle, puis nous permit de fonder un groupe, à l'intérieur de l'hôpital. Les résultats furent remarquables. Alors, quelques mois plus tard, il nous autorisait à remplir des autobus d'alcooliques, engagés dans notre programme, pour les conduire à des réunions des A.A. à South Orange dans le New Jersey ou dans la ville de New York. Ce directeur d'institution faisait vraiment tout en son pouvoir pour nous aider. Et nous pouvons dire que les alcooliques le lui rendaient bien. Durant cette même période, le groupe de Rockland fonctionnait d'une façon régulière. Les patients les plus difficiles commençaient à se rétablir et continuaient à progresser après leur sortie de l'hôpital. C'est ainsi que s'effectua notre première expérience de réhabilitation dans un hôpital pour malades mentaux, expérience qui devait se répéter plus de 200 fois par la suite. Le Dr Blaisdell venait d'écrire une page lumineuse dans les annales de l'alcoolisme.

À ce sujet, nous devons mentionner que trois ou quatre alcooliques, sur recommandation de médecins sympathiques à notre Mouvement, avaient pu quitter les asiles de Graystone et d'Overbrooke, au New Jersey, à cause de leur adhésion au Mouvement. Mais l'Hôpital Rockland du Dr Blaisdell fut vraiment la première institution à établir une collaboration régulière avec les A.A.

De nouveau, Lois et moi-même traversions la rivière Hudson pour nous établir dans la ville de New York. De modestes réunions se tenaient alors dans la boutique d'un nouveau venu, le tailleur Bert. Plus tard, ce groupe se transporta dans une petite salle de Steinway Hall, pour enfin s'établir de façon permanente dans le premier club des A.A., «Le Vieux Vingt-Quatre», qui devint aussi notre résidence familiale.

Alors que nous évoquions ces scènes de nos débuts à New York, nous apercevions l'image de ce petit médecin, d'une douceur remarquable, qui aimait les alcooliques, le Dr William Duncan Silkworth. Il remplissait alors les fonctions de médecin-chef à l'Hôpital Charles B. Towns de New York et nous pouvons à juste titre le considérer comme l'un des fondateurs du Mouvement. C'est lui qui nous dévoila la nature de notre maladie. Il nous a fourni des outils dont nous avions besoin pour dégonfler le pire «moi alcoolique», ces phrases transparentes avec lesquelles il décrivait notre maladie: «cette obsession mentale qui nous force à consommer de l'alcool et cette allergie physique qui nous condamne à la folie ou à la mort». Nous tenions là les mots de passe indispensables. Le Dr Silkworth nous enseigna comment extraire de notre situation désespérée chaque réveil spirituel surgi dans et grâce à notre Fraternité. En décembre 1934, cet homme de science était demeuré humblement assis au pied de mon lit, pour me rassurer, à la suite de mon expérience spirituelle soudaine et accablante. «Non, Bill», me dit-il, «tu n'es pas victime d'une hallucination. Peu importe ce qui t'arrive, tu dois t'y accrocher. Ce qui t'arrive est certainement préférable à ce que tu vivais il y a à peine une heure». Ces paroles devaient avoir une grande influence sur l'avenir des A.A. Qui d'autre aurait pu les prononcer?

Alors que je désirais travailler au sein des alcooliques, le Dr Silkworth m'en fournit l'occasion dans son hôpital même, au risque d'abîmer sa réputation professionnelle. Alors que j'avais essayé pendant six mois, sans résultat, d'amener des alcooliques vers la sobriété, le Dr Silkworth me rappela cette observation du Professeur William James: les expériences spirituelles qui modifient réellement notre comportement sont presque toujours fondées sur le désastre et la catastrophe. «Cesse de leur prêcher», me dit le Dr Silkworth, «et communique leur, avant toute autre chose, le terrible diagnostic médical. Ils peuvent en être si profondément touchés qu'ils seront désireux de tenter n'importe quoi pour se rétablir. Alors, ils seront peut-être disposés à accepter tes principes spirituels, et même une Puissance supérieure».

Quatre ans plus tard, grâce à l'intervention du Dr Silkworth, M. Charles B. Towns, propriétaire de l'hôpital, était devenu un admirateur enthousiaste du Mouvement des A.A. et accepta de nous prêter $2,500. pour commencer la préparation du livre, *Alcoholics Anonymous.* Plus tard, cette somme fut portée à plus de $4,000. Et comme le Dr Silkworth se trouvait alors notre seul ami chez les médecins, il n'hésita pas à écrire pour notre livre un avant-propos que nous avons conservé jusqu'à ce jour et que nous entendons toujours maintenir.

Nous ne rencontrerons sans doute jamais un autre médecin capable d'accorder la même attention et le même dévouement que le Dr Silkworth a déployé envers un si grand nombre d'alcooliques. On évalue à 40,000 le nombre de patients alcooliques qu'il a traités au cours de sa carrière. Durant les dix dernières années de sa vie, au seul hôpital Knickerbocker de New York, avec l'aide de notre infirmière rousse, Teddy, et en étroite collaboration avec les A.A., il prodigua ses soins à presque 10,000 patients alcooliques. Aucun de ceux-là ne pourra jamais oublier cette expérience mémorable, d'autant plus qu'ils sont encore sobres aujourd'hui. Silky et Teddy s'inspiraient largement du Dr Bob et de Sœur Ignatia qui œuvraient à Akron. Ils étaient leurs sosies dans l'est des États-Unis. Ces quatre personnes nous léguèrent un exemple éclatant, tout en établissant les bases de ces excellentes relations que nous entretenons aujourd'hui avec la profession médicale.

Nous ne pourrions quitter New York sans offrir un témoignage de reconnaissance à ces personnes qui ont rendu possible la création des Services mondiaux: ces valeureux pionniers de *Alcoholic Foundation*, l'ancêtre de notre Conseil des Services généraux actuel.

Saluons d'abord mon beau-frère, le Dr Leonard V. Strong Jr. Lorsque nous nous sommes retrouvés, Lois et moi-même, seuls et abandonnés, il fut, avec ma mère, notre seul secours durant ma pire période d'alcoolisme actif. C'est lui qui me présenta à M. Willard Richardson, l'un des plus merveilleux serviteurs de Dieu et de l'homme que j'aie jamais eu la chance de rencontrer. Cette rencontre conduisit directement à la création de *Alcoholic Foundation.* La foi indéfectible de Dick Richardson, sa sagesse et la qualité de sa vie spirituelle nous permirent de naviguer jusqu'à bon port à travers les violentes bourrasques qui secouèrent notre jeune Mouvement, ainsi que notre centre de service encore à ses débuts. Cet homme remarquable sut également communiquer sa conviction et son enthousiasme à beaucoup d'autres personnes qui nous ont aidés grandement. Le Dr Strong fut le secrétaire de notre Comité des Syndics, de l'origine de cet organisme en 1938 jusqu'à sa propre retraite en 1955.

Dick Richardson était un vieil ami et un confident de John D. Rockefeller, père et fils. C'est par son entremise que John D. Rockefeller Jr en vint à s'intéresser vivement au Mouvement des A.A. Il s'assura que nous puissions recueillir juste assez d'argent pour lancer notre projet de service, sans pour autant avoir les moyens de devenir professionnels. En 1940, il organisa un dîner pour permettre à plusieurs de ses amis de nous rencontrer et de connaître personnellement des A.A. Grâce aux discours que prononcèrent le Dr Harry Emerson Fosdick et le neurologue Foster Kennedy, ce dîner devint un endossement public très important pour notre Fraternité encore peu répandue et bien peu connue. Le fait de patronner un tel dîner risquait de couvrir M. Rockefeller de ridicule. Ce danger ne l'arrêta pas et il continua à donner peu de sa fortune, mais beaucoup de sa personne.

M. Richardson convia aussi d'autres de ses amis à nous aider. Il y avait M. Albert Scott, responsable d'une firme d'ingénieurs et président du Conseil des Syndics de l'église Riverside de New York, qui présida, vers la fin de l'année 1937, cette fameuse rencontre que nous avons eue avec nos nouveaux amis dans le bureau de M. Rockefeller. C'est à cette occasion que M. Scott posa cette difficile question, désormais historique: «Est-ce que l'argent ne pourrait pas devenir néfaste à ce Mouvement»? Le Dr Bob, le Dr Silkworth et moi-même assistions à la réunion, de même que deux autres amis de M. Richardson, qui allaient jouer un rôle prépondérant dans la conduite de nos affaires.

Au printemps de 1938, nos amis nous aidèrent à mettre sur pieds *Alcoholic Foundation* et M. A. LeRoy Chipman en fut le trésorier durant plusieurs années. En 1940, il nous a semblé préférable que la Fondation prenne l'entière gouverne de Works Publishing, Inc., cette modeste compagnie que nous avions formée pour gérer la publication du Gros Livre. Deux ans plus tard, M. Chipman réussit, à lui seul, à recueillir les $8,000 dont nous avions besoin pour rembourser les actionnaires, ainsi que M. Charles B. Towns. Du même coup, la Fondation devenait propriétaire unique du Gros Livre et en assurait la gestion au nom de la Fraternité. Tout récemment, M. Chipman s'est vu contraint d'abandonner ses fonctions de syndic à cause de maladie et nous connaissons sa déception de ne pouvoir nous accompagner à St-Louis. Nous regrettons aussi l'absence de M. Richardson, décédé plusieurs années auparavant.

Frank Amos, directeur d'un journal et d'une compagnie de publicité, un autre ami de M. Richardson, se trouvait également présent à cette réunion de 1940. Il fit partie de notre groupe de syndics jusqu'à sa démission toute récente. En 1938, Frank s'était rendu chez le Dr Bob à Akron pour étudier ce qui s'y passait. Son rapport sur les activités du Dr Bob et l'esprit du premier groupe des A.A. impressionna profondément M. Rockefeller et favorisa la création de *Alcoholic Foundation*. Cet organisme allait devenir l'embryon du Centre des Services mondiaux des A.A., un facteur essentiel d'unité et de progrès pour toute la Fraternité. Que ce soit à son bureau ou à sa résidence de New York, de jour ou de nuit, Frank Amos était toujours disponible. Sa confiance et sa sagesse nous furent d'un précieux secours.

Alors que nous, les Newyorkais, continuions jusqu'aux petites heures du matin à raconter aux congressistes de St-Louis les souvenirs de nos premiers pas, nous avons pensé à Ruth Hock, cette amie non alcoolique, mais d'une fidélité à toute épreuve, qui mois après mois ne cessa de prendre la dictée, de copier et de recopier à la machine les textes du livre, *Alcoholics Anonymous.* À défaut d'un chèque de paie, elle se contentait souvent d'actions sans valeur de notre compagnie moribonde. Ses conseils toujours sages, sa bonne humeur et sa patience, nous nous en souvenons avec reconnaissance, nous ont souvent permis de résoudre des problèmes inhérents au contenu du livre. Plusieurs pionniers, réunis à St-Louis, se rappelaient avec émotion la chaleur de ces lettres que Ruth leur avait adressées au moment de leurs premières luttes vers la sobriété.

Ruth fut notre première secrétaire nationale. Elle nous quitta au début de 1942. Bobbie B. lui succéda et pendant plusieurs années, presque seule, elle dut faire face aux problèmes qui surgirent dans les groupes à la suite d'un article sur les A.A. par Jack Alexander dans le *Saturday Evening Post.* Elle écrivit des milliers de lettres à des membres tourmentés et à des nouveaux groupes chancelants. Elle fut vraiment notre inspiration, à une époque où l'on se demandait si l'unité des A.A. était possible.

Alors que j'évoquais le souvenir de nos débuts à New York, les noms de plusieurs autres amis alcooliques me vinrent à l'esprit. Je me rappelai Henry P., mon collaborateur dans la rédaction du Gros Livre et mon partenaire de *Works Publishing.* Parmi tous les candidats que m'avait présentés le Dr Silkworth à l'Hôpital Towns, Henry fut le premier à conquérir la sobriété. Il avait connu une brillante carrière de vendeur et de directeur. Il canalisa son enthousiasme prodigieux vers la formation de notre groupe à New York. Les membres de New Jersey se souviennent aussi de son influence dans leur milieu. Lorsque la Fondation se rendit compte, en 1938, qu'elle ne pourrait recueillir les sommes d'argent nécessaires à la publication du Gros Livre,

Henry nous convainquit de lancer *Works Publishing, Inc.* Pendant que nous rédigions le livre, Henry se lança à la recherche des souscriptions et réussit à trouver juste assez d'argent pour nous permettre de terminer le travail.

Vers la même époque, apparut sur la scène des A.A. à New York l'un des êtres les plus charmants à s'associer avec nous, Fitz M. Il était le fils d'un pasteur et, comme en témoigne le chapitre du Gros Livre, «*Our Southern Friend*», il était profondément religieux. Dès son arrivée dans nos rangs, Fitz se lança dans une vive discussion avec Henry au sujet du contenu religieux du futur Gros Livre. Jimmy B. qui, comme Henry, était un ancien vendeur et un ancien athée, entra dans la mêlée. Fitz voulait que le Gros Livre devienne un document profondément religieux, alors que Jimmy et Henry ne voulaient pas en entendre parler. Ils préféraient donner au livre une saveur de psychologie pour attirer le lecteur, se réservant pour plus tard, lorsque le lecteur serait devenu membre des A.A., le soin de lui révéler le caractère spirituel de notre Fraternité. Le travail fébrile de rédaction se poursuivait et Fitz multipliait les voyages entre le Maryland et New York pour nous inciter à donner au Gros Livre une orientation toujours plus spirituelle. De cette discussion devaient naître le fond et la forme spirituels du document et, en particulier, cette expression qui constitue un vrai coup de maître: «Dieu, tel que nous Le concevons». À titre d'arbitre, je me devais de garder le juste milieu, en rédigeant un texte spirituel à mi-chemin entre le religieux et le psychologique.

Fitz et Jimmy manifestaient la même ardeur à transmettre le message. Jimmy fonda le groupe de Philadelphie en 1940, pendant que Fitz s'occupait de Washington. À Philadelphie, la première réunion eut lieu dans la résidence de George S., qui avait été l'un des premiers membres des A.A. à conquérir la sobriété tout seul. Il avait cessé de lever le coude après la lecture de l'article, «Les alcooliques et Dieu», écrit en 1939, par Morris Markey et publié dans l'édition de septembre de la revue Liberty dont Fulton Oursler était l'éditeur. Celui-ci allait nous aider considérablement par la suite. Même en cette période «d'alcooliques-à-la-dernière-extrémité», la situation de George était considérée comme très grave. Lorsqu'il reçut le magazine, il était alité, buvant du whisky pour sa dépression et prenant du laudanum pour sa colite. Il fut tellement impressionné par l'article de Markey qu'il abandonna sur la champ alcool et médicaments. Il écrivit à notre groupe de New York et Jimmy, un vendeur qui couvrait le territoire de George, se chargea de le contacter. C'est ainsi que notre Mouvement vit le jour dans la Cité de l'Amour fraternel.

Très bientôt, notre groupe de Philadelphie attira l'attention de trois éminents médecins: les docteurs A. Wiese Hammer, C. Dudley Saul et John F. Stouffer, ce dernier étant rattaché à l'Hôpital général de Philadelphie. L'intérêt que nous portèrent ces trois médecins assura de meilleurs soins aux patients alcooliques et devait favoriser l'ouverture d'une clinique. Et c'est grâce à l'amitié entre le Dr Hammer et M. Curtis Bok, propriétaire du Saturday Evening Post, que fut publié, en 1941, l'article de Jack Alexander. Ces amis auraient pu difficilement nous aider davantage.

Fitz, qui vivait près de Washington, n'eut pas la même veine. Il se dévoua pendant des années sans connaître vraiment le succès. Avec persévérance, il jeta la semence et finalement, un peu avant sa mort en 1943, il put contempler les premières fleurs, puis les premiers fruits de son labeur. Sa sœur, Agnès, partagea sa joie. C'est elle qui nous avait prêté, à Fitz et à moi, la somme de $1,000, puisés à même ses maigres revenus, au moment de l'échec financier du Gros Livre, à un moment où l'avenir nous paraissait des plus sombres. Je lui renouvelle l'expression de notre éternelle reconnaissance.

L'année 1939 marqua l'arrivée parmi nous d'une femme inoubliable, une alcoolique que plusieurs parmi nous connaissent sous le nom de Marty. Elle avait été un patient du Dr Harry Tiebout au Sanatorium Blythewood de Greenwich au Connecticut. Il lui avait remis en primeur une copie du Gros Livre. À la première lecture, elle se révolta, mais fut conquise à la deuxième. Un peu plus tard, elle prit part à une réunion tenue dans notre salon au 182 de la rue Clinton et s'en retourna au sanatorium où elle transmit à un autre patient alcoolique ce message classique: «Maintenant, Grennie, nous ne sommes plus seules».

Nous n'étions qu'au tout début de 1939 lorsque Marty posa les fondations de notre groupe à Greenwich que plusieurs considèrent comme le troisième groupe des A.A. dans le monde. Grâce à la coopération du Dr Harry et de Mme Wylie, propriétaire du sanatorium, les premières réunions eurent lieu dans une salle de l'institution. Marty fut donc l'une des premières femmes à faire l'essai du Mouvement. Par la suite, elle devint l'un de nos meilleurs apôtres, jouant un rôle de précurseur dans les domaines de l'éducation alcoolique et du rétablissement des alcooliques... Aujourd'hui, elle détient le record, parmi les femmes, pour le plus grand nombre d'années de sobriété chez les A.A. Marty avait été précédée chez nous par une autre femme, Florence R. qui nous était arrivée en 1937. Son histoire est racontée dans la première édition du Gros Livre. Avec beaucoup de mérite, Florence tenta de seconder Fitz à Washington, mais elle fut entraînée par la vague de nos premiers échecs et mourut d'alcoolisme.

Plusieurs anciens membres du Midwest, présents au congrès, pouvaient se rappeler qu'au moment même où ces activités se déroulaient à Akron et à New York, la ville de Cleveland voyait s'allumer les premiers flambeaux des A.A., qui illuminent maintenant le pays tout entier. Certains membres de Cleveland se souvenaient de leurs visites à Akron et des réunions auxquelles ils avaient assisté dans les maisons de T. Henry et de Clarace Williams, deux membres du Groupe d'Oxford. Ils y avaient rencontré le Dr Bob, ainsi que Anne, et avaient été émerveillés de voir des membres qui avaient réussi à accumuler deux ou même trois années de sobriété. Ils y avaient connu et écouté Henrietta Sieberling, cette non-alcoolique qui m'avait permis de rencontrer le Dr Bob trois ans plus tôt. Henrietta avait bien compris le problème et elle s'en occupait. Elle nous apparaissait déjà comme un maillon important dans cette chaîne d'événements que la Providence était en train de forger. D'autres soirs, les membres de Cleveland s'étaient rendus chez le Dr Bob à Akron et avaient tenu des réunions avec Bob et Anne autour de la table de cuisine, tout en dégustant des tasses de café. Avec ferveur, ils avaient pris conscience de leur problème et de sa solution, alors qu'ils respiraient le parfum de spiritualité qui inondait cette maison. Ils se lièrent d'amitié avec le vieux Bill D., le troisième membre des A.A. dans le monde. En d'autres occasions, le Dr Bob les amena à l'Hôpital St-Thomas. Ils y rencontrèrent Sœur Ignatia; ils purent admirer son travail et eurent l'occasion de s'entretenir avec des patients alités. De retour à Cleveland, ils se mirent à la recherche de candidats éventuels et firent l'expérience de la souffrance, de la joie et des bénéfices inhérents à la mise en pratique des Douze Étapes.

Clarence S. et son épouse, Dorothy, faisaient partie du premier contingent qui avait effectué le voyage de Cleveland à Akron. Dès le début de l'été 1939, un groupe commençait à se former autour d'eux à Cleveland. À l'automne, ils comptaient déjà plus d'une vingtaine de membres en voie de rétablissement.

À cette époque, le *Cleveland Plain Dealer* publia une série d'articles qui fit entrer le Mouvement dans une nouvelle période, une ère de production en masse de sobriété.

L'auteur de ces articles, Elrick B. Davis, un écrivain fort compréhensif, avait bien saisi le problème. Ses articles étaient imprimés au beau milieu de la page éditoriale du *Cleveland Plain Dealer* et se trouvaient accompagnés, deux ou trois fois la semaine, d'appels vibrants de la part des éditeurs eux-mêmes. En résumé, le *Plain Dealer* ne cessait de répéter: «Alcooliques Anonymes est un mouvement efficace. Venez et servez-vous».

La centrale téléphonique du journal fut inondée d'appels. Jour et nuit, les S.O.S. étaient retransmis à Clarence et à Dorothy, puis aux membres de leur petit groupe. Plus tôt durant l'année, grâce à la coopération d'une infirmière, Edna McD. et de l'administrateur, le Révérend Kitterer, le mouvement des A.A. avait déjà fait son entrée à l'Hôpital Deaconess. Mais cette institution ne pouvait plus maintenant faire face à la nouvelle situation qui prévalait à Cleveland. Semaine après semaine, les membres essayèrent, sans répit, d'apporter les bienfaits d'une Douzième Étape à cette interminable liste de candidats qui ne cessaient de se multiplier. Bon nombre de patients alcooliques durent être transportés dans d'autres hôpitaux de Cleveland: le Post Shaker, l'East Cleveland Clinic et bien d'autres. On ne saura jamais avec certitude qui paya la note.

Inspirés par Clarence et Dorothy, médecins et membres du clergé apportèrent leur concours. Le Père Nagle et Sœur Victorine, à l'Hôpital de la Charité de St-Vincent, se montrèrent très compréhensifs, tout comme Sœur Merced à l'Hôpital St. John. Le Dr Dilworth Lupton, pasteur protestant très réputé, prononça des sermons et écrivit des articles élogieux à notre sujet. Cet homme merveilleux avait déjà essayé, sans succès, d'amener Clarence à la sobriété. Il fut donc estomaqué d'apprendre que les A.A. avaient réussi là où il avait échoué. C'est alors qu'il écrivit une brochure intitulée: «M. X et les Alcooliques Anonymes». Il s'agissait évidemment de Clarence.

Très bientôt, le groupe de Cleveland comprit la nécessité d'instituer un système de parrainage personnel pour les nouveaux membres. Chaque candidat éventuel était assigné à un membre relativement sobre qui le visitait à la maison ou à l'hôpital, lui apprenait les principes fondamentaux du Mouvement et le conduisait à sa première réunion chez les Alcooliques Anonymes. Les demandes d'aide étaient tellement nombreuses que les membres les plus anciens ne pouvaient suffire à la tâche. Les pionniers furent donc contraints de suggérer à des membres sobres depuis un mois ou une semaine de parrainer des alcooliques en réhabilitation dans les hôpitaux.

Pour les réunions, on se servait des résidences privées. Le premier groupe de Cleveland commença à se réunir en 1939 dans la maison de Abby G. et de son épouse, Grace. Il se composait de Abby et d'une douzaine d'autres personnes qui avaient déjà effectué le voyage à Akron pour participer à des réunions chez les Williams. Mais on manqua bientôt d'espace chez Abby. Sur l'invitation de M. T.E. Borton, une partie du groupe commença à se rencontrer à la résidence de ce généreux financier de Cleveland. Un autre groupe se forma dans le secteur de Lakewood et fut connu sous le nom de Orchard Grove. D'autres membres de l'équipe originale organisèrent le groupe Lee Road.

À cause de la prolifération des groupes, on manqua bientôt d'espace dans les résidences privées. Il fallut donc utiliser de modestes salles publiques et les sous-sol d'églises. Par chance, le Gros Livre avait été publié six mois plus tôt et la Fraternité pouvait aussi compter sur quelques brochures. Ces outils leur permirent de sauver beaucoup de temps et les empêchèrent sans doute de sombrer dans la confusion et l'anarchie.

Nous, les pionniers à New York et à Akron, demeurions perplexes devant le phénomène d'un progrès si fulgurant. N'avions-nous pas peiné durant quatre longues années, ponctuées par d'innombrables échecs, avant de pouvoir réunir une centaine de membres sobres. Et voilà qu'à Cleveland une vingtaine de membres, pratiquement sans expérience, se voyaient entourés de centaines d'adeptes à la suite des articles parus dans le *Plain Dealer.* Comment pourraient-ils tenir le coup? Nous l'ignorions.

Mais, un peu plus tard, nous avions notre réponse. Cleveland comptait alors une trentaine de groupe et plusieurs centaines de membres. Ils avaient traversé les terrifiantes difficultés de la croissance et des problèmes épouvantables dans les groupes. Pourtant, ces querelles familiales n'arrivaient pas à éteindre leur soif collective de sobriété. En vérité, les résultats observés à Cleveland étaient excellents. Leur bilan était si merveilleux et le cheminement des A.A. était si lent dans le reste du pays que plusieurs membres de Cleveland crurent que leur ville avait réellement été le berceau de la Fraternité.

Les pionniers de Cleveland avaient démontré trois points essentiels: la valeur du parrainage personnel; l'efficacité du Gros Livre dans la formation des nouveaux membres et le fait remarquable que la transmission du message pouvait permettre au Mouvement d'atteindre son plein développement.

Dès 1939, les groupes d'Akron, New York et Cleveland possédaient déjà tous les éléments susceptibles d'assurer le succès du Mouvement. Mais il nous restait encore beaucoup de chemin à parcourir et beaucoup de réponses à trouver. Nous nous demandions, par exemple, si beaucoup de nos membres pourraient s'éloigner de leur groupe original et tenir le coup dans d'autres villes ou dans d'autres milieux. Déjà, nos premiers messagers itinérants se trouvaient sur la route et bien d'autres allaient suivre leur exemple.

Nous avions suivi, avec intérêt, les efforts d'un certain Earl T. qui, après une période de formation à l'école du Dr Bob et du groupe d'Akron, retourna à sa ville natale de Chicago, en 1939. Pendant deux ans, il travailla d'arrache pied pour fonder un premier groupe. Il n'y réussit pas, malgré l'aide de sa première recrue, Dick R. et celle de Ken A. qui avait quitté Akron en 1938 pour s'installer à Chicago. Puis, au milieu de 1939, deux médecins locaux entrèrent en scène. Un ami de Earl, le Dr Dan Craske, lui confia deux cas désespérants. L'un d'eux, Sadie, commença à devenir sobre.

Un peu plus tard, un certain Dr Brown, d'Evanston dans l'Illinois, confia à Earl plusieurs patients parmi lesquels on retrouvait Sylvia, Luke, Sam et son épouse, Tee. Ces quatre membres sont toujours sobres. Mais Sylvia connut un début plutôt lent. En désespoir de cause, elle se rendit à Akron et à Cleveland, les deux berceaux des A.A. dans l'Ohio. Elle y rencontra le Dr Bob et Henrietta, ainsi que Clarence et Dorothy, les pionniers de Cleveland. Mais elle continua à prendre de l'alcool. Alors elle décida de retourner à Chicago. Tout à coup, pour des raisons connues d'elle seule et de Dieu, elle abandonna complètement la bouteille et demeura sobre.

Chicago disposait maintenant d'une solide équipe capable d'assurer sa pleine croissance. Soutenu fidèlement par le Dr Brown, largement aidé par la secrétaire non-alcoolique de Sylvia, Grace Cultrice, et encouragé par Katie, l'épouse de Earl, le groupe de Chicago se lança à la recherche de candidats éventuels. Des réunions ne tardèrent pas à s'organiser chez Earl et chez Sylvia.

Le groupe de Chicago continua à grandir et à faire son chemin. Pendant tout ce temps, Grace ne cessa de répondre aux appels qui arrivaient au téléphone chez Sylvia et elle devint la première secrétaire du groupe. Avec la publication de l'article dans le *Saturday Evening Post* en 1941, les demandes de secours se multiplièrent. La résidence de Sylvia ressemblait à la Gare centrale de Chicago et on pourrait en dire autant de la maison de Earl et de Katie. Il fallait trouver une solution. On loua donc un bureau dans le «Loop». C'est à partir de cette modeste salle que Grace, la secrétaire, essayait de coordonner les activités de Douzième Étape, d'organiser des admissions dans les hôpitaux et de répondre aux autres demandes d'aide. Cette structure constituait pour A.A. le premier centre de service local, le précurseur de toutes ces Associations d'Intergroupes que nous connaissons aujourd'hui dans nos grandes villes. C'est grâce au travail effectué dans ce bureau que plusieurs groupes des A.A. ont vu le jour dans un rayon de 150 kilomètres de Chicago, notamment nos plus anciens groupes de Green Bay dans le Wisconsin et de Minneapolis dans le Minnesota.

Pendant ce temps, Katie réalisait que les familles des alcooliques éprouvaient un aussi grand besoin de notre programme que les alcooliques eux-mêmes. Elle s'inspira donc du travail d'Anne et de Lois qui, dans leurs voyages avec le Dr Bob et moi-même ou à l'étage supérieur de notre vieux Club de la Vingt-quatrième rue, avaient exhorté les époux et les épouses non-alcooliques à puiser dans la pratique des Douze Étapes les moyens de restaurer leur vie familiale.

Personne ne peut retracer de façon certaine l'origine du premier Groupe familial. L'un des plus importants, des plus efficaces et des mieux acceptés par les centres familiaux du temps se développa à Toronto, au Canada. Ses membres y démontrent une telle efficacité que plusieurs groupes des A.A. de cette région invitent des conférenciers du Groupe familial à leurs propres réunions. En 1950, le Groupe familial de Toronto s'était mérité une telle réputation d'excellence que certains de ses membres se retrouvèrent sur la liste des conférenciers au Congrès international des A.A. à Cleveland. Le phénomène que l'on a pu observer à Toronto se manifesta également à Long Beach en Californie et à Richmond en Virginie. En fait, il n'est pas impossible que certains de ces groupes aient débuté avant celui de Toronto. Quoi qu'il en soit, nous reconnaissons, comme un fait évident, que la semence déposée par Anne, Lois et Katie a produit des centaines de Groupes familiaux d'Al-Anon. Ce développement constitue l'une des manifestations les plus encourageantes dans la vie du Mouvement des A.A. ces dernières années.

Archie T. fut un autre de nos premiers messagers. Il avait retrouvé la sobriété grâce à l'affection du Dr Bob et à celle de Anne, dans leur maison à Akron. N'ayant pas encore recouvré la santé, frêle, un peu craintif, il retourna dans sa ville natale de Détroit, où sa réputation personnelle et sa situation financière étaient désastreuses. Il se lança, avec discernement, dans une série d'amendes honorables. Il devint, dans sa vieille bagnole, livreur pour une entreprise de nettoyage à sec, contraint d'utiliser l'entrée de service des résidences de ses riches amis d'autrefois à Grosse Pointe. Il fonda un groupe dans le sous-sol d'une maison appartenant à Sarah Klein, une non-alcoolique dévouée, qui lui apporta beaucoup d'aide. Avec Sarah, Archie travailla au rétablissement de Mike, un manufacturier, et à celle de Anne K., une dame de la haute société. Cette équipe de pionniers était l'embryon de ce groupe impressionnant qui se forma à Détroit dans les années suivantes.

Puis, il y eut Larry J., un journaliste qui avait survécu de justesse à des crises de délirium tremens et à l'épuisement. En dépit d'une maladie pulmonaire, qui le contraignait à de longues sessions sous la tente d'oxygène, il ressembla son courage et partit de Cleveland pour se rendre à Houston au Texas. Sur le train, il vécut l'expérience d'un réveil spirituel qui lui donna l'impression, comme il dit, de retrouver l'unité de son être. Dès son arrivée à Houston, il rédigea pour le *Houston Press* une série d'articles qui éveillèrent l'attention de nombreux citoyens et de l'évêque Quinn. Puis, après maintes tentatives infructueuses, il contribua à la fondation du premier groupe des A.A. au Texas. Parmi les premiers compagnons de Larry, il faut mentionner Ed., un vendeur qui devait par la suite transmettre le message des A.A. à Austin; le sergent Roy de l'armée, qui lança le Mouvement à Tampa en Floride et par la suite aida grandement à Los Angeles; finalement Esther qui s'installa à Dallas où elle utilisa son enthousiasme et son énergie remarquables à la promotion du Mouvement. Aujourd'hui, Esther fait figure de doyenne parmi nos membres féminins dans ce merveilleux État du Texas.

Pendant ce temps, le groupe des A.A. de Cleveland avait contribué à la sobriété d'un athlète célèbre, Rollie H. La presse s'empara de la nouvelle et l'exemple de Rollie incita plusieurs alcooliques à venir chez les A.A. Mais ce rapide développement faisait naître, pour la première fois, notre profond souci pour l'anonymat des personnalités notoires.

Un autre de nos messagers itinérants fut sans contredit Irwin M. Membre du groupe des A.A. de Cleveland, il était devenu vendeur de commerce dans le sud des États Unis pour un fabricant de stores vénitiens. Son territoire s'étendait de Jacksonville et Atlanta d'un côté à Indianapolis, Birmingham et la Nouvelle-Orléans de l'autre. Plein d'énergie et de dynamisme, Irwin était un colosse pesant plus de 120 kilos. Mais la perspective d'avoir à nous en remettre à Irwin comme émissaire nous rendait passablement perplexes. Nous possédions, à nos quartiers généraux de New York, une longue liste d'alcooliques du sud, qui n'avaient encore jamais été visités. Comme notre ami Irwin avait depuis longtemps brisé toutes les règles de diplomatie et de souplesse avec de nouveaux candidats, c'est avec réticence que nous lui remettions la liste de ces candidats éventuels. Et nous étions décidés à attendre. Mais les résultats ne tardèrent pas à se faire sentir. Comme une vraie tornade, Irwin visita le foyer de tous les candidats, sans exceptions, que nous lui avions confiés. De plus, il leur écrivait, la nuit comme le jour, et les habitua à correspondre entre eux.

Abasourdis, mais heureux, ces nouveaux membres du sud commencèrent à manifester leur reconnaissance aux Quartiers généraux. Et comme le disait Irwin lui-même, les premiers contacts avec plusieurs de ces familles du sud avaient été faciles. Il avait fait une brèche dans le territoire; et il avait fondé ou stimulé des nouveaux groupes.

Alors que notre pensée voyageait dans le sud du pays, nous évoquions le souvenir de ces membres de Richmond qui se croyaient autorisés à délaisser leurs épouses et à ne boire que de la bière, mais qui devinrent plus orthodoxes grâce aux semonces de Jack W., un juge de paix de la Virginie, et aux avertissements de d'autres membres itinérants. Dans cette évocation du passé, nous pensions aussi à Dave R., cet infatigable inspecteur de bouilloires du New Jersey, qui se rendit jusqu'à Charlotte dans la Caroline du nord; nous songions à Frank K., également du New Jersey, qui s'avéra le levain dans la pâte à Miami; et nous nous rappelions Bruce H., ce super-animateur dans la région de Jacksonville, qui fut le premier à utiliser la radio pour transmettre le message des A.A.

Peu après la naissance du Mouvement à Atlanta, ce groupe chancelant se trouva raffermi par l'arrivée de Sam, un remarquable prédicateur de New York, qui avait temporairement déposé la robe et se trouvait sans salaire. Ses allocutions, à l'église aussi bien que dans les réunions des A.A., firent du bruit. Il propagea une façon assez particulière de pratiquer le programme des A.A., s'attirant ainsi la désapprobation des uns et l'admiration des autres. Il est aujourd'hui décédé, mais son œuvre demeure et mérite notre reconnaissance.

Beaucoup d'autres noms et plusieurs autres anecdotes nous revinrent à l'esprit durant ce congrès de St-Louis, alors que nous passions en revue les faits saillants de l'évolution du Mouvement. Nous avons alors évoqué une foule d'événements: la formation d'un groupe, par courrier postal, à Little Rock dans l'Arkansas; la fondation des premiers groupes canadiens, d'abord à Toronto, puis à Windsor et Vancouver; la naissance du Mouvement en Australie et à Hawaï, des initiatives qui seront par la suite imitées dans 72 pays étrangers et plusieurs possessions américaines; la touchante histoire de ce jeune Norvégien de Greenwich au Connecticut, qui vendit tous ses biens afin de voler au secours de son frère à Oslo et qui y prépara la fondation d'un groupe des A.A.; l'aventure de ce prospecteur qui, perdu dans une région inexplorée de l'Alaska, découvrit un livre des A.A. dans un vieux baril d'huile et fonda un groupe; l'expérience de ces alcooliques du Utah, qui trouvèrent la sobriété avec les A.A. et plus tard trouvèrent une mine d'uranium; la propagation du Mouvement en Afrique du Sud, au Mexique, à Porto Rico, dans l'Amérique du Sud, en Angleterre, en Écosse, en Irlande, en France, en Hollande, et plus tard au Japon et même au Groenland et en Islande; la vie du capitaine Jack qui profitait des voyages sur le pétrolier de la Standard Oil pour faire connaître les A.A. À ce congrès de St-Louis, nous étions remplis de joie, en songeant à l'abolition de toutes ces barrières de distances, de races, de croyances, de langues et applaudissant à la pénétration de notre Mouvement dans tous les continents du monde.

Toutes ces histoires nous rappelaient, à Lois et à moi-même, ce merveilleux périple de six semaines que nous avions effectué outremer en 1950.

Nous avions l'impression d'entendre encore les Suédois de Stockholm et ceux de Göteborg échanger leurs arguments passionnés afin de décider si le Mouvement des A.A. devait se bâtir sur les «Sept Étapes» de Stockholm ou sur les «Douze» d'Amérique. Nous pouvions aussi revivre notre rencontre avec le fondateur du merveilleux groupe de Helsinki en Finlande. Comment aurions-nous pu oublier les Danois de Copenhague, qui se demandaient si la réponse se trouvait dans le Mouvement des A.A. ou dans l'antabuse. Nous nous souvenions de Henk Krauweel qui fut notre hôte durant notre séjour en Hollande. Travailleur social et non-alcoolique, Henk fut chargé par les autorités municipales d'Amsterdam de trouver une solution à leur problème d'alcoolisme. Il chercha en vain, jusqu'au jour où il découvrit les Douze Étapes. Il les traduisit en hollandais et les distribua à ses protégés. À son grand étonnement, des alcooliques qu'on avait jugés irrécupérables devinrent sobres. Lors de notre visite, il nous parla de plusieurs autres merveilleux résultats. Le Mouvement était solidement établi dans les Pays-Bas et son succès ne faisait aucun doute. Depuis cette date, notre bon ami Henk Krauweel est devenu l'une des personnalités les plus respectées en Europe dans le domaine de l'alcoolisme.

À Paris, nous avons rencontré, dispersés dans la ville, des Alcooliques anonymes qui s'occupaient des membres en voyage, parfois sobres, parfois dans le trouble. Quant aux Français, ils se montraient toujours réticents à notre sujet, victimes de ce vieux préjugé que le vin n'est pas réellement de l'alcool et qu'il ne pourrait par conséquent être dommageable!

À Londres et à Liverpool, nous avons rencontré des Anglais vraiment anonymes. À cette époque, ils avaient conservé dans leurs réunions l'atmosphère des sessions du parlement, y compris l'habitude de rappeler à l'ordre au moyen d'un maillet. Chez les A.A. d'Irlande, la situation était exactement comme nous l'avions supposé, peut-être même meilleure. Les relations entre les Irlandais du nord et les Irlandais du sud étaient des plus cordiales, même s'il leur arrivait parfois de se mêler à leurs compatriotes dans la rue pour lancer des cailloux à l'autre clan. Nous avons assisté à l'éveil du Mouvement en Écosse et l'hospitalité dont nous avons bénéficié nous a convaincus que les membres des A.A. en Écosse ne sont ni pingres, ni austères.

Ce voyage outremer nous avait donné, à Lois et à moi-même, l'impression de remonter dans le temps et de revivre les expériences que nous avions connues dans les premières années du Mouvement chez-nous. Selon le degré de leur croissance, les groupes des pays étrangers fonçaient aveuglement dans l'inconnu, défrichaient le terrain avec confiance, ou bien se morfondaient dans les redoutables querelles de l'adolescence. Ils revivaient les expériences que nous, les Américains, avions traversés cinq, dix ou quinze ans plus tôt. Nous sommes revenus à la maison, convaincus qu'aucun obstacle ne pourrait arrêter leur progrès et qu'ils seraient capables de surmonter les embûches dues aux préjugés sociaux ou aux différences de langage. Sept années se sont écoulées depuis cette visite et les progrès accomplis durant ce temps ont dépassé nos plus belles espérances.

J'ai gardé nos impressions de la Norvège jusqu'à la fin du récit de notre voyage à l'étranger, parce que la naissance du Mouvement dans ce pays constitue une histoire très caractéristique. L'aventure débuta à Greenwich, au Connecticut, dans un café appartenant à un petit Norvégien bien tranquille et à son épouse dynamique. Notre ami était devenu sobre grâce au groupe de Greenwich et les membres se réunissaient fréquemment dans son établissement.

Notre petit Norvégien avait coupé, depuis vingt ans, tous les liens avec sa famille en Norvège, parce qu'on le considérait comme une épave. Ayant repris confiance en lui-même, il écrivit à sa famille pour leur raconter sa vie et, tout particulièrement, sa libération de l'alcool grâce au Mouvement des A.A.

Il reçut bientôt une réponse chaleureuse. Mais cette lettre devenait suppliante lorsqu'elle décrivait la condition déplorable dans laquelle se débattait un de ses frères, un typographe pour un journal d'Oslo. Au dire des parents, ce frère n'était pas loin de perdre son emploi ou de se retrouver au cimetière. Comment pouvait-on l'aider?

Notre ami de Greenwich consulta son épouse. Ils vendirent leur café et tout ce qu'ils purent monnayer. Munis de billets aller et retour, mais avec peu d'argent en poche, ils s'envolèrent vers la Norvège. Quelques jours plus tard, ils se retrouvaient dans leur pays natal. De l'aéroport, ils se hâtèrent sur la rive est du fjord d'Oslo jusqu'à la maison du frère alcoolique. On ne leur avait pas menti. Il était presque moribond.

Mais il était têtu. Son frère de Greenwich lui raconta maintes fois comment il s'en était sorti avec l'aide des A.A. Il traduisit les Douze Étapes, ainsi qu'une brochure qu'il avait apportée. Rien à faire; le frérot alcoolique ne voulait rien entendre. Nos voyageurs lui dirent: «Est-ce en vain que nous nous sommes imposés ce long voyage à Oslo? Nous serons bientôt sans le sou et il nous faudra retourner en Amérique». Le frère ne répondit pas.

Notre ami de Greenwich se mit à solliciter l'aide des pasteurs et des médecins d'Oslo. Ils se montrèrent polis, mais ne manifestèrent aucun intérêt. La mort dans l'âme, le couple planifia son retour en Amérique.

Alors, l'impossible se produisit. Brusquement, le frère alcoolique lança un appel à notre ami de Greenwich et lui dit: «Parle-moi davantage de ces Alcooliques anonymes d'Amérique. Explique-moi encore leurs Douze Étapes». Il cessa de boire presque sans délai et fut capable d'assister au décollage de l'avion qui ramenait son frère à New York. Il avait compris le message, mais il se retrouvait seul maintenant. Que pouvait-il faire?

Dès son retour au travail, tous les jours pendant un mois, il publia une modeste annonce dans son propre journal. Rien ne se produisit, si ce n'est au dernier jour. Alors, l'épouse d'un fleuriste ambulant d'Oslo lui écrivit pour lui demander de l'aide en faveur de son mari. Lorsque le fleuriste eut entendu le message et étudié les Douze Étapes, il devint sobre. Nos deux hommes continuèrent à utiliser le journal pour annoncer cette grande nouvelle: «Le Mouvement des A.A. est parmi nous». Bientôt, un troisième membre se joignit à eux. Puis il en vint d'autres, parmi lesquels se trouvait le patient du plus célèbre psychiatre d'Oslo, le Dr Gordon Johnson. Profondément religieux, ce médecin comprit tout de suite la portée des Douze Étapes et endossa largement les efforts du petit groupe.

Trois ans plus tard, Lois et moi pouvions apercevoir, à travers les barrières de la douane, une imposante délégation ravie de nous souhaiter la bienvenue. Ils ne pouvaient pratiquement pas parler l'anglais, mais cela n'avait aucune importance. Nous pouvions voir et sentir ce qu'ils avaient trouvé. Alors que nous faisions route vers l'hôtel, nous avons appris que la Norvège comptait déjà des centaines de membres des A.A., répartis en plusieurs groupes. Nous avions peine à le croire. Pourtant, ils étaient tous là.

Pendant ce temps, qu'advenait-il de notre petit Norvégien de Greenwich? Il revint au Connecticut et ouvrit un autre café. Quatre ans plus tard, il fut victime d'une crise cardiaque et mourut. Il avait tout de même vécu assez longtemps pour observer la croissance formidable du Mouvement en Norvège.

Un dernier mot au sujet de la Norvège. Alors que le groupe d'Oslo prenait son essor, un autre groupe naissait à Bergen sans que le reste du pays n'en soit informé. Un américain d'origine scandinave, Hans H., était revenu à sa ville natale, emportant avec lui une copie du livre *Alcoholics Anonymous.* Grâce à sa maîtrise de l'anglais, il pouvait le traduire oralement en norvégien, alors qu'il le lisait à haute voix pour un petit groupe d'alcooliques qui s'étaient, on ne sait trop comment, assemblés autour de lui. Ce préambule favorable permit donc à plusieurs d'entre eux d'acquérir la sobriété. Cette équipe se mit à répandre le message des A.A. dans leur ville avec une telle efficacité qu'aujourd'hui Bergen est fière de ses seize groupes.

Durant ce congrès, on se pencha sur les différentes facettes de l'activité des A.A. Alors que nous sommes impliqués dans des centaines de clubs sociaux pour nos membres, nous avons étudié leurs problèmes spécifiques et soupesé leurs avantages aussi bien que leurs désavantages. Nous avons aussi longuement partagé nos expériences sur la meilleure façon de venir en aide à nos frères et à nos sœurs dans les établissements psychiatriques ou dans les prisons, pendant leur stage ou à leur sortie. Plusieurs d'entre eux ont repris une place normale dans la société. Ils sont devenus des amis sûrs et d'excellents collaborateurs dans leur milieu. Nous avons alors compris le ridicule de cette peur que nous ressentions, au début, à l'égard de ces alcooliques doublement marqués. Dans un autre atelier, les secrétaires et les membres d'un grand nombre d'associations locales de services, nos associations d'intergroupes, parlèrent ouvertement de leurs problèmes et sollicitèrent l'avis des autres membres. Nous y avons perçu un désir d'aider à corriger des lacunes dans le fonctionnement d'organismes encore en gestation.

Lors d'une autre assemblée, l'épineuse question de l'argent chez les A.A. fut longuement débattue d'une façon très salutaire. Le principe des A.A., selon lequel nous n'exigeons «ni cotisations, ni droits d'entrée», peut être déformé et rationalisé au point de signifier «aucune acceptation de responsabilité individuelle ou de groupe». Cette erreur fut corrigée de façon très catégorique. Dans un geste unanime, les membres proclamèrent que nous devons financer les opérations des groupes, des régions et du Mouvement entier à l'aide de nos contributions volontaires, si nous désirons transmettre le message des A.A. d'une façon adéquate. Nous avons admis qu'aucune trésorerie chez les A.A. ne devrait accumuler des réserves ou de l'abondance. Cependant, nous avons insisté sur le fait qu'il serait dangereux et même stupide d'éliminer des services essentiels, requérant un peu de temps, d'efforts et d'argent, sous le prétexte que nous devons garder notre Mouvement «simple» et «spirituel». D'ailleurs, l'assemblée nous rappela que nous ne pourrions qualifier de «simple» et de «spirituelle» une simplification exagérée qui nous forcerait à restreindre les activités des A.A. au plan régional ou mondial.

À St-Louis encore, nous avons pu assister à cette impressionnante rencontre de tous ces membres isolés qui étaient accourus d'endroits éloignés et difficiles d'accès, pour partager avec nous le spectacle extraordinaire de la Fraternité réunie en assemblée générale. Pour eux, ce congrès prenait une signification beaucoup plus profonde que pour tous les autres participants. Ils y découvrirent un nouveau sentiment d'appartenance et comprirent que leur isolement n'était jamais aussi complet qu'ils avaient pu l'imaginer. Ils savaient déjà, mieux que les autres, comment la littérature des A.A. et les Services mondiaux pouvaient leur apporter une aide salutaire, puisque leur sobriété s'était longtemps nourrie du Gros Livre, des lettres expédiées par nos quartiers généraux et de leur correspondance avec d'autres membres isolés. Ils avaient développé tout un arsenal de procédés et de techniques pour assurer leur protection personnelle et leur contact conscient avec Dieu. Ils avaient fait la preuve que l'on peut tout aussi bien ressentir la présence de Dieu et entendre Sa voix sur un bateau traversant l'équateur que sur les glaces polaires.

Voici l'histoire typique de l'un de nos membres isolés. Un Australien, éleveur de moutons, vivait à 3,200 kilomètres de la ville la plus proche, où il se rendait chaque année pour vendre sa laine. Afin d'en tirer le meilleur prix, il devait se rendre à ce marché durant un certain mois de l'année. Quand il apprit q'une grande réunion des A.A. devait avoir lieu un peu plus tard, à un moment où les prix auraient baissé, il accepta de bon gré d'enregistrer une perte importante pour se rendre à la ville à cette occasion. Voilà ce que la réunion des A.A. représentait pour lui. Ce récit renferme un message que tous nos membres isolés pouvaient fort bien comprendre.

Lors d'une autre réunion intéressante, les fondateurs de plusieurs groupes discutèrent des meilleurs moyens à prendre pour implanter le Mouvement dans une nouvelle localité. Si l'on tient compte du fait que la Fraternité compte 200,000 membres répartis dans 7,000 groupes à travers le monde et si l'on considère que ces chiffres augmentent à chaque jour, on imagine facilement le nombre d'expériences que les participants avaient à se partager.[(4)]

(4) En 1980, on comptait environ 1,000,000 de membres répartis dans 40,000 groupes à travers le monde.

À l'occasion de ce congrès, nous avons également appris beaucoup de renseignements sur le *A.A. Grapevine* dont la circulation mensuelle s'établit à 40,000 copies.[5]. Cette publication s'est avérée notre meilleur véhicule de la pensée actuelle des A.A. et de notre méthode pour conserver la sobriété, sauvegarder notre unité et perfectionner nos services. Plusieurs membres de l'équipe de rédaction se trouvaient parmi nous: Don, l'éditeur; trois assistants éditorialistes, un photographe, plusieurs artistes et spécialistes. Ils s'employèrent à nous démontrer, non seulement avec leurs discours mais aussi à l'aide de pièces justificatives, comment les pages bien illustrées du *A.A. Grapevine* pouvaient devenir un excellent moyen d'atteindre un nouveau ou futur membre et offrir des sujets sérieux pour les sessions d'étude et les groupes de discussion. LE *GRAPEVINE* semblait nous présenter un tableau mensuel du Mouvement en action, toujours inspiré par les mêmes principes, mais essayant sans répit de découvrir des façons spéciales de penser et d'agir dans les nouvelles facettes de notre vie et de notre travail en commun.

Puis, il y eut la «Présentation du Personnel des Quartiers généraux». L'équipe, dirigée par le gérant Hank G., réunissait ses collaborateurs aux finances, aux relations publiques et dans les autres services, y compris cinq membres féminins des A.A. Une vaste collection de documents illustrait la grande variété des activités de ces organismes supérieurs. Les participants au congrès pouvaient réaliser que les Services mondiaux des Alcooliques Anonymes n'étaient pas simplement la source de statistiques sèches au sujet de la littérature, des milliers d'appels au secours ou des lettres de réponses, des problèmes de groupes, de l'information publique et des demandes de contributions volontaires. Les Services mondiaux, c'est d'abord et avant tout des êtres humains, qui accomplissent toutes ces tâches. Et ils se trouvaient devant nous, en chair et en os, formant une équipe compétente, dynamique et dévouée, à l'instar de celle du *Grapevine*.

---

(5) En 1979, la circulation dépassait les 115,000 copies.

Les congressistes eurent l'opportunité de faire la connaissance de nos syndics, alcooliques et non alcooliques, qui nous avaient servis depuis si longtemps. Plusieurs membres purent bavarder avec Archie Roosevelt et découvrir que cet homme exhubérant et génial venait de se joindre au Conseil pour remplir les fonctions harassantes et ingrates de trésorier. Alors, tout le monde commença à se dire: «Si Archie, notre nouvel ami non-alcoolique, peut consacrer des années aux finances générales des A.A., peut-être pourrions-nous trouver, deux fois par année, le temps de mettre la main au gousset pour en retirer les deux dollars dont il a besoin afin de balancer le budget des A.A.»

Les plus grandes révélations du congrès nous furent sans doute faites lors de nos sessions avec les groupes familiaux Al-Anon qui avaient choisi comme thèmes: «Rencontre avec les responsables», «Les enfants des alcooliques», «Compréhension entre les époux» et «Les Douze Étapes». Plusieurs membres des A.A., qui étaient encore sceptiques, eurent à St-Louis leur premier contact avec ce mouvement à l'intérieur du Mouvement et découvrirent avec étonnement que le nombre des Groupes familiaux était passé de 70 à 700 en trois ans et que chaque jour une nouvelle équipe naissait dans le monde. Lois et d'autres membres des Al-Anon nous apprirent que les Groupes familiaux bénéficiaient d'un centre mondial, semblable à nos Quartiers généraux, qui assurait la distribution de leur propre littérature, d'un embryon de magazine et même d'un nouveau livre.

Plusieurs membres des A.A. s'interrogeaient sur la nature et l'orientation des Groupes familiaux. Étaient-ils des cellules de commérage, des associations d'apitoiement? Étaient-ils des comités chargés de la préparation du café et des gâteaux? Ne détournaient-ils pas les A.A. de leur objectif primordial, la sobriété? Des rencontres avec les Groupes familiaux nous apportèrent les réponses à ces questions. Ces nouveaux groupes ne constituaient ni des comités de surveillance pour le Mouvement des A.A., ni des centres de papotage. Les familles des alcooliques, épouses, époux, pères, mères et enfants cherchaient à utiliser les principes du Mouvement dans la conduite de leurs propres vies et non dans la gestion des affaires d'autrui.

Les représentants des Groupes familiaux posèrent une foule de questions et y répondirent. «N'étions-nous pas aussi impuissants devant l'alcool que l'alcoolique lui-même? Oui, nous l'étions». «Lorsque nous avons découvert cette réalité, n'avons-nous pas ressenti autant d'amertume et d'apitoiement que l'alcoolique lui-même? Oui, nous avons connu ces réactions». «Si la fondation du Mouvement des A.A. nous a procuré un profond sentiment de soulagement et de joie, n'avons-nous pas par la suite ressenti une grande douleur intérieure en réalisant que les A.A. avaient réussi là où nous avions échoué? Plusieurs d'entre nous peuvent répondre oui». «Alors que nous n'avions pas encore découvert que l'alcoolisme est une maladie, n'avons-nous pas formé avec les enfants une ligue contre le membre alcoolique? Oui, nous l'avons fait et nous avons causé beaucoup de dégâts. Il ne faut pas s'étonner alors si, une fois la sobriété installée à la maison, les conflits émotifs ne se sont pas résorbés, mais se sont souvent aggravés».

Les A.A. écoutaient, les porte-parole des Al-Anon continuaient. «Pouvions-nous trouver des solutions à tous ces problèmes? Certainement pas au premier abord. Les réunions des A.A. nous aidaient, mais pas suffisamment. Nous y gagnions une meilleure compréhension du problème alcoolique, mais non de notre propre condition. Nous admettions que les Douze Étapes étaient des outils merveilleux pour les alcooliques, mais nous pensions que nous n'avions pas à les prendre trop au sérieux pour nous-mêmes. Après tout, n'avions-nous pas fait notre gros possible? Et puis, nous n'avions pas tellement de choses à nous reprocher. Nous rationalisions et nous lamentions parce que la vie familiale continuait à se détériorer. Si nous connaissions des accalmies, nous tombions dans la suffisance, ou bien encore nous regrettions que nos conjoints se croient obligés de consacrer une si grande partie de leur vie au Mouvement».

«Mais, avec la fondation des Groupes familiaux, ces idées et ces attitudes commencèrent à changer. Et le changement s'opéra surtout en nous-mêmes. La vraie transformation s'effectua lorsque nous avons commencé à pratiquer les Douze Étapes dans nos vies quotidiennes, dans tous les domaines de nos vies, en compagnie de personnes capables de comprendre nos problèmes mieux que ne pouvaient le faire nos partenaires alcooliques».

«Dans les Groupes familiaux, nous rencontrons des hommes et des femmes qui ont réussi à secouer leurs misères et à atteindre une certaine sérénité dans laquelle le blâme et la récrémination n'ont pas place, et cela même si l'alcoolisme fait encore ses ravages dans la famille. Il arrive parfois que des alcooliques trouvent la sobriété chez les A.A., mais conservent des travers qui les rendent toujours insupportables. Même dans ces cas, plusieurs membres des Groupes familiaux sont parvenus à modifier complètement leurs façons de penser. Finalement, nous avons vu des enfants, fort débalancés, retrouver respect et amour pour leurs parents. Notre fidélité à mettre les Douze Étapes en application dans la vie familiale a fait fondre, comme glace au soleil, diverses formes d'orgueil, de crainte, de domination, de hargne et de jalousie maladive. À l'instar des A.A., nous des Groupes familiaux commençons à retirer les bénéfices que procure «la diffusion du message» dont il est question dans la Douzième Étape. Notre message se résume de la façon suivante: Vous pouvez avoir plus que l'abstinence d'alcool dans votre famille; vous pouvez atteindre la sobriété émotive. Même si les autres membres de la famille n'ont pas encore trouvé l'équilibre, vous pouvez quand même développer personnellement cette harmonie intérieure. Alors, votre sobriété émotive provoquera sans doute un changement plus rapide dans la vie des autres.»

Après avoir observé l'activité des Groupes Familiaux durant le Congrès de St-Louis, plusieurs membres des A.A. déclarèrent: «Voilà l'une de nos plus belles réalisations depuis la fondation du Mouvement».

Par ailleurs, c'est en visitant la salle de presse du congrès que plusieurs visiteurs découvrirent l'importance primordiale d'un système efficace de communication, entre les membres et avec le monde extérieur, pour que le Mouvement puisse continuer à nous infuser la vie et à la donner aux alcooliques qui souffrent encore à travers le monde. Nous ne pouvions pas nous contenter de cette recette du bouche-à-oreille. Il est bien évident que nos activités de Douzième Étape demeuraient impossibles, tant et aussi longtemps que l'alcoolique malheureux et son entourage n'avaient pas été rejoints et qu'on ne leur avait pas présenté le Mouvement comme une source d'espoir pour eux. Une telle diffusion du message requérait souvent la collaboration volontaire des membres du clergé, des médecins, des employeurs, des amis et aussi la bonne volonté du public en général. Depuis des années, nos Quartiers généraux avaient exploré tous les moyens susceptibles de provoquer cette coopération. De plus, grâce à nos efforts, nos amis de la presse avaient fidèlement raconté notre histoire à plusieurs reprises et avaient couvert les événements importants de la Fraternité dans les journaux, les revues et, plus tard, à la radio et à la télévision. Ils ont donc contribué, et contribuent encore, à l'acheminement de milliers d'alcooliques vers le Mouvement.

Ce travail ne s'est pas fait sans notre implication. Nous avons découvert, il y a longtemps, qu'on n'improvise pas une publicité adéquate et efficace au sujet des A.A. En ce qui concerne les relations publiques d'envergure, nous ne pouvions nous en remettre à des rencontres fortuites entre des journalistes et des membres qui, souvent, ne possédaient pas une vue d'ensemble du Mouvement. Cette sorte de «simplicité désorganisée» faussa souvent la véritable histoire des A.A. et nous empêcha d'atteindre le public. Des communiqués mal conçus ont parfois été la cause d'un prolongement inutile de la souffrance ou même de morts prématurées.

Lorsqu'en 1941 le *Saturday Evening Post* demanda à Jack Alexander de partir en reconnaissance afin de rédiger un article sur le Mouvement des A.A., nous avions déjà appris notre leçon. Rien ne fut laissé au hasard. Si Jack avait été en mesure de participer au congrès, il aurait pu nous décrire lui-même le scepticisme qu'il avait ressenti à l'annonce de cette mission. Il venait de terminer un article sur les fraudes du New Jersey et ne se sentait aucunement disposé à accepter les témoignages de qui que ce soit, même s'il avait la garantie de serments sur des amoncellements de bibles.

Lorsque Jack s'annonça aux Quartiers généraux, nous l'avons pris en charge durant presque tout un mois. Pour lui permettre d'écrire son article retentissant, nous nous devions de lui accorder toute notre attention et de lui fournir une collaboration soigneusement orchestrée. Nous avons mis nos archives à sa disposition; nous lui avons ouvert nos livres; nous l'avons présenté à nos syndics non alcooliques; nous l'avons aidé à rencontrer des membres de tous les milieux; nous lui avons finalement donné l'occasion de vérifier sur place les activités du Mouvement de New York et Philadelphie jusqu'à Chicago, en passant par Akron et Cleveland. Bien que non alcoolique, Jack fut bientôt gagné à notre façon de penser. Lorsqu'il commença la rédaction de son article, il était enthousiasmé. Il n'apportait pas le témoignage d'un étranger qui aurait cherché à épier le Mouvement par le trou de la serrure. Il venait révéler au monde extérieur ce qu'il avait expérimenté au milieu des A.A. Dès la publication de son article, notre boîte postale de New York fut inondée de 6,000 demandes d'information. L'article de Jack faisait de nous une institution nationale. Jack était devenu l'un de nos meilleurs amis et plus tard il servira comme l'un de nos syndics.

L'aide que nous avons fourni à Jack Alexander, c'est-à-dire notre service bien organisé de relations publiques, constitue l'élément vital de nos relations avec le public, un secteur inconnu à la plupart des membres. Mais à St-Louis, les congressistes découvrirent l'un des aspects de ce service, en visitant la salle de presse organisée pour la promotion du congrès. Entouré d'appareils téléphoniques, de dactylographes, d'amoncellements de communiqués, de télégrammes reçus ou à expédier, Ralph veillait aux relations avec la presse. Que faisait-il exactement? Était-il un figurant dans un montage tapageur pour dramatiser un message publicitaire, contraire à l'esprit de nos Traditions?

Pas du tout. Ralph s'efforçait tout simplement d'aider nos amis de la presse, de la radio et de la télévision. Notre vingtième anniversaire suscitait de l'intérêt dans le monde entier. Les revues et les journaux nous demandaient des entrevues et des communiqués de presse. Les gens de la radio et de la télévision sollicitaient des interviews. On voulait connaître le sens de notre affirmation: «Le mouvement des A.A. devient adulte».

Il nous incombait de répondre à l'attente de nos amis les A.A. et de ces millions d'autres personnes qui désiraient lire, entendre et voir. Il n'était pas toujours question d'aller vers eux. Beaucoup de personnes, surtout des alcooliques actifs et leurs familles, voulaient venir à nous. Le conseil municipal de St-Louis nous adressa un témoignage de félicitations. Ce geste nous rappela la générosité qu'ils avaient manifestée en nous permettant d'utiliser gratuitement l'auditorium Kiel et nous fit songer à l'accueil si cordial que nous avions reçu des groupes locaux, des clubs sociaux et des autres associations de la ville, qui nous avaient offert leur hospitalité.

Des membres et des groupes du monde entier nous adressèrent des télégrammes. Un des faits saillants du congrès fut certainement la réception du texte suivant:

Provenance: La Maison Blanche
Expéditeur: Le Président des États-Unis.
«Je vous pris de transmettre à tous les participants au congrès de votre vingtième anniversaire mes meilleurs vœux pour que cette rencontre soit fructueuse. Le développement de votre association et les services qu'elle a rendus sont une source d'inspiration pour tous ceux qui, grâce à leur recherche, à leur persévérance et à leur foi, apportent des solutions à de sérieux problèmes de santé personnelle et publique.»
Signé: Dwight D. Eisenhower.

La proclamation de ce télégramme durant le congrès nous procura un grand sentiment d'exaltation et nous plongea également dans une profonde humilité. Le Mouvement des A.A. était vraiment devenu adulte. Nous étions redevenus, pour la société, des citoyens responsables et à part entière.

Le dernier jour du congrès débuta le matin dans un crescendo pour se terminer dans l'apothéose de l'après-midi. À 11 h 30, nous commençions la réunion qui avait pour thème: «Dieu tel que nous Le concevons». À la faveur d'un silence complet, le Dr Jim S., un messager des A.A., nous raconta l'histoire de sa vie et nous parla de son sérieux problème d'alcoolisme qui avait occasionné cette débâcle dans laquelle il avait connu un réveil spirituel. Il reconstitua pour nous ses luttes pour la fondation du premier groupe parmi ses frères et sœurs noirs. Avec l'aide d'une épouse infatigable et courageuse, il transforma sa résidence en clinique et en salle de réunion pour les A.A. Tout y était gratuit. Alors qu'il racontait comment les premiers échecs s'étaient transformés, par la grâce de Dieu, en un succès étonnant, nous avons compris que le Mouvement peut franchir non seulement les mers, les montagnes et les barrières linguistiques, mais aussi les frontières de races et de croyances.

Le Père Ed Dowling reçut un chaleureux accueil alors que, sans se soucier de sa sérieuse claudication, il se frayait un chemin jusqu'au lutrin. Membre de l'Ordre des Jésuites, le Père Ed était fort bien connu des A.A. dans la région de St-Louis où il exerçait son ministère. Plusieurs congressistes évoquaient avec reconnaissance l'aide qu'il leur avait apportée sur le plan spirituel. Les vétérans de la ville de St-Louis se rappelaient comment le Père Dowling avait contribué à la fondation de leur groupe. La majorité des membres étaient protestants, mais leur foi n'avait aucunement gêné le prêtre. Quelques-uns parmi nous se souvenaient de son premier article à notre sujet dans le *Queen's Work.* Il fut le premier à établir un parallèle entre nos Douze Étapes et les Exercices de Saint-Ignace, une discipline fondamentale dans la spiritualité des Jésuites. Avec une audace rare, il avait pris l'initiative d'écrire à tous les alcooliques, spécialement à ceux de sa propre religion: «Mes amis, le mouvement des A.A.

est bon. Venez et servez-vous en». Le message fut bien reçu. Ses premiers écrits eurent pour le Mouvement une influence bénéfique dont on ne peut mesurer la portée.

Le message du Père Ed, en ce dimanche matin, fut à la fois humoristique et très profond. Pendant que je l'écoutais, le souvenir de sa première apparition dans ma vie personnelle me revint à l'esprit avec autant de vivacité que s'il se fût agi d'un événement de la veille. C'était en 1940, par un soir d'hiver dans notre vieux club de la trente-quatrième rue à New York. Je m'étais couché vers 22 h 00, accablé par une bonne crise d'apitoiement et mon ulcère chimérique. Lois était sortie. La grèle et le grésil tambourinaient sur la toiture juste au-dessus de ma tête. C'était une nuit affreuse. Il n'y avait personne dans le club, sauf le vieux Tom, notre pompier à la retraite, une sorte de diamant brut récemment récupéré de l'asile Rockland. La sonnette de la porte extérieure se fit entendre. Quelques instants plus tard, Tom ouvrit la porte de ma chambre. «Un clochard de St-Louis est en bas et veut te voir», me dit-il. Ma réplique ne se fit pas atteindre: «Seigneur! Pas encore un autre! Et à cette heure de la nuit! Bien, Tom, fais-le entrer».

J'entendis des pas lourds dans l'escalier. Puis, je vis entrer dans ma chambre une forme humaine qui essayait tant mieux que mal de se garder en équilibre à l'aide d'une canne. Mon visiteur gardait à la main un vieux chapeau noir tout usé qui ressemblait à une feuille de chou couverte de givre. Il se laissa tomber sur ma seule chaise et, lorsqu'il ouvrit son manteau, j'aperçus son collet romain. Il repoussa vers l'arrière une mèche de cheveux blancs et me regarda avec les yeux les plus extraordinaires que j'aie jamais vus. Nous avons parlé d'une foule de sujets. Je me sentais de mieux en mieux. Et je réalisais qu'une grâce irradiait de cet homme et remplissait la chambre. Ce fut une sensation très intense, une expérience à la fois émouvante et mystérieuse. Par la suite, il m'est arrivé souvent de revoir ce grand ami et, à chacune de nos rencontres, que j'aie été joyeux ou triste, il m'apporta cette sensation de grâce et de présence divine. Et je ne suis pas un cas unique. Bien des gens éprouvèrent, face au Père Ed, cet avant-goût de l'éternité. Il n'est donc pas étonnant qu'il ait réussi, en ce dimanche matin, à imprégner de sa pensée tous les congressistes réunis dans l'auditorium Kiel.

L'épiscopalien Sam Shoemaker lui succéda au lutrin. Plusieurs membres des A.A. ne l'avaient jamais vu auparavant. Dès la naissance du Mouvement, il fut la source où le Dr Bob et moi-même avons puisé la presque totalité des principes qui furent par la suite enchâssés dans les Douze Étapes des Alcooliques Anonymes, étapes qui constituent l'essence même de notre mode de vie. Le Dr Silkworth nous révéla la nature de notre maladie, mais Sam Shoemaker nous enseigna les moyens pratiques pour nous en sortir. Le premier nous montra les mystères du verrou qui nous gardait en prison; le second nous procura les clés spirituelles de notre libération.

Le Dr Sam ne semblait pas avoir vieilli d'une journée depuis notre première rencontre, vingt et un an auparavant, au presbytère de la paroisse du Calvaire à New York. Dès ses premières paroles, les congressistes réunis dans l'auditorium Kiel ressentirent le même choc que Lois et moi-même avions éprouvé plusieurs années auparavant. Selon son habitude, le Dr Sam désigna les choses par leur nom et son étincelante ardeur, son sérieux, son verbe clair comme du crystal donnèrent à son message l'impact voulu. Malgré tout son brio et son éloquence, il demeurait au niveau de son auditoire. Il se montrait aussi empressé à parler de ses propres fautes qu'à discuter les erreurs d'autrui. Il fut un témoin de la puissance et de l'amour de Dieu, comme tout membre des A.A. peut le faire.

La présence de Sam au congrès nous apportait une preuve additionnelle que la Providence avait utilisé des moyens variés pour créer le Mouvement des Alcooliques anonymes. Et aucun de ces moyens ne fut aussi vital pour nous que la voie tracée par le Dr Sam Shoemaker et ses compagnons des groupes d'Oxford de la génération précédente. Les principes de base enseignés par les groupes d'Oxford étaient anciens, universels et appartenaient à l'humanité entière. Quelques-unes des anciennes attitudes prônées par les groupes d'Oxford et leurs applications se révélèrent peu appropriées aux buts des A.A. Même le Dr Sam modifia par la suite ses convictions au sujet de ces éléments secondaires du Mouvement d'Oxford et adopta plutôt les positions préconisées par les A.A. Mais il ne faut pas oublier l'essentiel: nous devons à Sam et à ses compagnons d'Oxford l'idée de l'inventaire moral de soi-même, de la reconnaissance de ses défauts de caractère, de la réparation des torts envers ceux que nous avons lésés, et du travail en équipe. Nous avons puisé ces éléments de notre programme directement dans le patrimoine des Groupes d'Oxford et dans la pensée de Sam Shoemaker, leur ancien leader en Amérique. Nous ne les avons trouvés nulle part ailleurs. Le Dr Sam figurera toujours dans notre histoire comme le modèle inspiré et le professeur qui a le plus largement contribué à la création de ce climat spirituel dans lequel nous, les alcooliques, pouvons survivre et progresser. Les A.A. auront toujours une dette de reconnaissance pour tout ce que Dieu a accompli par l'entremise de Sam et de ses compagnons durant l'enfance du Mouvement.

Alors que nous approchions de notre dernière réunion du congrès, plusieurs questions importantes demeuraient latentes dans l'esprit des congressistes. Qu'arriverait-il au Mouvement après le départ des fondateurs et des pionniers? Est-ce que le Mouvement pourrait continuer à vivre et à se développer? Pourrions-nous fonctionner dans l'unité, malgré les périls de l'avenir? Le Mouvement était-il vraiment adulte, c'est-à-dire capable d'assumer toutes ses responsabilités? Est-ce que les membres et les groupes du monde entier étaient en mesure de guider et de contrôler la bonne marche du Mouvement? Est-ce que les A.A. étaient maintenant prêts à prendre la relève des pionniers, du Dr Bob et de Bill? Si oui, au moyen de quelle agence et selon quelles modalités?

Il y avait longtemps que nous nous posions ces questions. Et je peux affirmer que durant les cinq dernières années nous avions ardemment cherché les solutions à ces problèmes. Ces sujets intéressaient tout particulièrement les pionniers du Mouvement qui, comme moi, devraient bientôt mettre un terme à leur vingt années de gestion des affaires de la Fraternité et remettre leurs pouvoirs à l'ensemble de la famille devenue adulte. Nous avions atteint l'heure des décisions.

Sous le plafond de l'auditorium Kiel, on avait suspendu une bannière sur laquelle tout le monde pouvait admirer le nouveau symbole des Alcooliques anonymes, le triangle au milieu d'un cercle. Sur l'estrade, loin en dessous de cette bannière, à 16 h 00, en ce dimanche après-midi, notre Fraternité devait être déclarée adulte. Les membres élus de la Conférence des Services deviendraient les successeurs des fondateurs du Mouvement, en assumant la garde permanente de nos Traditions et la direction de nos Services mondiaux. Nous étions là quelques milliers, unis dans un même esprit, mais tourmentés par une certaine impatience, alors que nous prenions nos sièges pour le début de cette session finale. Une seule personne peut difficilement décrire les pensées et les émotions qui nous envahirent tous en ce moment inoubliable. Si quelqu'un pouvait se faire l'interprète de tous les participants...

Tous les jours, depuis le début du congrès, je m'étais entretenu avec des membres appartenant à toutes les classes de la société et à plusieurs familles religieuses: ils venaient de la plaine ou de la montagne, des grandes villes ou de petits centres; ils étaient ouvriers, hommes d'affaires, professeurs, médecins, membres du clergé, agents de publicité, journalistes, artistes, constructeurs, commis de bureau, banquiers, vagabonds, femmes de carrière ou reines du foyer. J'avais aussi conversé avec des personnes venues de pays étrangers, qui s'exprimaient avec de curieux accents ou dans d'autres langues que l'anglais. Et puis, j'avais rencontré des Catholiques, des Protestants, de Juifs et des gens qui n'appartenaient à aucun groupe religieux.

Je posais les mêmes questions à presque tout le monde: «Que penses-tu du congrès? Comment entrevois-tu l'avenir des A.A.?»

Il est évident que chacun me répondait selon son point de vue personnel. Mais je fus étonné de constater l'unanimité des sentiments et des opinions à travers la diversité des expressions. J'étais et je suis encore tellement convaincu de cette unanimité que je me crois autorisé à vous présenter un porte-parole qui parlerait au nom de tous les congressistes, un personnage à caractère multiple, qui pourrait cependant exprimer ce que tout le monde vit, entendit et ressentit à St-Louis. Appelons-lê M. Le Membre Ordinaire. Il habite Centreville aux États-Unis. Voici l'essentiel de son message.

«Je me suis rendu à l'auditorium Kiel longtemps avant l'heure fixée pour notre dernière rencontre. Pendant que j'attendais, j'ai réfléchi à toutes les expériences que j'avais vécues depuis trois jours. Je viens d'une petite ville. C'est là que je suis né, que j'ai fait mes études, que j'ai bu et que j'ai connu mes problèmes. Je me sentais complètement battu, lorsque le Mouvement des A.A. fit son apparition dans notre milieu. Un voyageur nous lança l'idée il y a quelques années et maintenant nous sommes une douzaine d'alcooliques à Centreville, qui avons saisi cette bouée de sauvetage.

«Dans notre État, les groupes sont plutôt petits et dispersés. On ne se fréquente pas beaucoup. Nous n'avons jamais organisé de rencontres régionales. Notre groupe de Centreville représentait pour moi toute la vie du Mouvement. Et nous suivions fidèlement les principes des A.A. Nous avions évidemment le Gros Livre, des brochures, The Grapevine, et parfois nous recevions la visite d'un voyageur qui nous racontait les activités des A.A. dans d'autres milieux. Nous étions heureux d'apprendre que d'autres personnes bénéficiaient de la même chance que nous. Mais nous concentrions la majeure partie de notre intétêt sur la vie de notre petit groupe et sur tous les alcooliques de Centreville, qui continuaient à boire. Le reste du Mouvement nous semblait une affaire très lointaine. D'ailleurs, il nous semblait bien que nous n'avions pas grand chose à lui apporter, même si nous avions essayé. J'en étais là avant mon voyage à St-Louis.

«Le congrès fut pour moi une expérience formidable. J'ai croisé des centaines de membres et leurs familles dans les hôtels. J'en ai vu des milliers dans le vaste auditorium. Je suis timide, mais j'ai surmonté ce handicap. Je me suis mêlé à des gens qui vivaient les plus belles heures de leur vie, des gens qui venaient de cinq cents, de mille et même de cinq mille kilomètres, des gens qui provenaient d'endroits dont je ne connaissais que les noms pour les avoir aperçus dans les journaux. Très bientôt, je me suis mis à leur raconter la vie du Mouvement à Centreville, avec enthousiasme et fierté.

«Ces personnes n'étaient pas des étrangers pour moi. J'avais l'impression de me trouver en présence d'êtres humains que j'avais connus, que j'avais aimés et à qui j'avais accordé ma confiance toute ma vie. J'avais déjà éprouvé ce sentiment à l'égard de notre groupe local, mais maintenant je nourrissais les mêmes sentiments pour chaque membre des A.A. et pour le Mouvement tout entier. Je ne puis vous décrire l'enrichissement que cette expérience m'apportait. C'était énorme. Je découvrais la vraie fraternité. Je me trouvais au milieu des miens, de mes parents, de mes semblables. Je leur appartenais et ils m'appartenaient. Toute idée de barrière, de différence de race, de croyance, de nationalité disparut à l'instant de mon esprit. Cette formidable transformation dans mon être se produisit en l'espace de quelques heures à peine.

«J'ai assisté à toutes les réunions possibles. J'ai entendu des médecins nous raconter comment leur profession pouvait nous aider. J'ai assisté à une réunion des groupes Al-Anon et j'ai découvert que notre Mouvement s'adresse à toute la famille. Au cours des sessions sur les hôpitaux psychiatriques et les prisons, j'ai compris que mon alcoolisme m'avait fait courir des risques épouvantables et que, par ailleurs, il n'existe pas de désastres tellement catastrophiques que le Mouvement ne puisse réparer. Durant d'autres sessions, j'ai appris que nous avions résolu des problèmes dont je ne soupçonnais même pas l'existence. J'ai réalisé qu'il existait encore des imperfections dans notre Mouvement, mais je demeurais persuadé que nous règlerions les problèmes actuels comme nous avions résolu ceux du passé.

«Le vendredi soir, j'ai découvert comment notre Mouvement avait débuté, combien de personnes, alcooliques et non alcooliques, s'étaient impliquées, quelles embûches ils avaient dû surmonter pour éviter la destruction complète, comment ils avaient su manœuvrer pour bien prendre les virages et s'engager dans les bonnes directions. Nul doute que la main d'une Puissance supérieure tenait le volant.

«Durant la soirée du samedi, j'ai failli sombrer de nouveau dans l'inquiétude, alors que Bill nous racontait comment lui et le Dr Bob n'avaient cessé de se demander, de 1939 à 1945, si le Mouvement pourrait survivre aux difficultés qui provenaient des membres, des groupes ou de sa rapide expansion dans le monde. J'ai sursauté en apprenant que le Gros Livre et les Quartiers généraux de New York avaient été la source des plus violentes querelles de notre histoire. Les mêmes situations n'allaient-elles pas se reproduire? Mais je retrouvai mon calme lorsqu'on me fit comprendre que cette crise et ce tumulte avaient été salutaires pour le Mouvement et avaient constitué une étape nécessaire dans la rédaction des Traditions. Et je me sentis encore plus rassuré lorsque j'appris qu'en 1950 tous ces malheurs étaient choses du passé et que les Douze Traditions avaient été acceptées à l'unanimité durant le Congrès international de Cleveland, alors que le Dr Bob, à sa dernière apparition en public, exprima son entière confiance dans l'avenir des Alcooliques anonymes.

«Le dimanche matin, à l'aube du dernier jour du congrès, les Douze Traditions se trouvaient encore au centre de mes pensées. Je voyais dans chacune d'elles une source d'humilité susceptible de guider le Mouvement dans sa marche quotidienne et de nous protéger contre nous-mêmes. Aussi longtemps que les Douze Étapes inspireraient la Fraternité, nous demeurerions à l'abri des divisions issues de questions politiques, religieuses ou financières, et nous ne serions pas touchés par le «gros bonnetisme» de quelques anciens. Puis, il est bien certain que si aucun membre n'essaie de jouer à la vedette en public, personne ne pourra exploiter le Mouvement en vue de gains personnels. Pour la première fois, j'ai compris le vrai sens de l'anonymat. Le but de l'anonymat n'est pas simplement de nous éviter la honte et les stigmates de l'alcoolisme; il tend surtout à empêcher nos malheureux égos personnels de se lancer à la poursuite du prestige ou d'avantages pécuniaires au détriment de la Fraternité. L'anonymat consiste réellement à sacrifier les intérêts des individus et des groupes au profit du Mouvement tout entier. Je pris alors la décision de mémoriser les Douze Traditions, comme je l'avais fait pour les Douze Étapes. Si chacun de nous posait le même geste et s'imprégnait de ces principes, les alcooliques que nous sommes assureraient pour toujours leur unité.

«Les congressistes envahissaient l'auditorium pour l'assemblée générale de clôture. Mes nouveaux amis arrivaient par milliers. J'aperçus le Père Ed, alors qu'il prenait siège dans la section voisine de la mienne. Sa présence me rappelait la merveilleuse séance de la matinée sur l'aspect spirituel de notre programme. Je n'oublierai jamais les impressions ressenties durant son message.

«J'avais toujours nourri des préjugés à l'égard des églises, du clergé et de leurs conceptions de Dieu. À l'instar d'un grand nombre de A.A., je conservais des notions assez vagues sur la nature de Dieu.

«Mais en écoutant les allocutions du Père Ed et du Dr Sam Shoemaker, j'avais enfin compris que la plupart de nos principes spirituels nous étaient parvenus par l'entremise des membres du clergé. Sans eux, le Mouvement n'aurait sans doute jamais vu le jour. Le Père Ed et le Dr Sam étaient déjà à l'œuvre, alors que je nourrissais encore mes préjugés envers la religion. Ce fut une révélation. J'ai soudainement saisi qu'il était grand temps que je commence à les aimer comme eux nous avaient aimés, moi et mes semblables.

«Cette découverte me fit chaud au cœur. Et je me laissai pénétrer par cette conviction que l'amour est une force personnelle. Puis, je ressentis l'impression que peut-être mon Créateur m'aimait et me connaissait. Alors, je pouvais, moi aussi, L'aimer à mon tour. Cette découverte fut sans doute le plus beau cadeau que je reçus à St-Louis et je ne doute pas qu'un grand nombre de membres aient fait la même expérience.

«Finalement ce fut le début de la cérémonie de clôture, qui s'ouvrit par une période de silence tout rempli de foi et d'espérance. Nous savions que notre Fraternité était habitée par l'Esprit et que Dieu agissait parmi nous.»

Ce sont là des paroles que nous avons inspirées à notre personnage fictif, M. Le Membre Ordinaire, mais elles traduisent fidèlement l'esprit et la vérité qui vibraient dans le cœur d'un grand nombre de membres des A.A., alors que le congrès allait atteindre son point culminant.

«De mon siège, sur l'estrade, je regardais la mer de visages tournés vers nous et j'étais profondément ému à la pensée de toutes les merveilles qui s'étaient produites au cours de ces vingt dernières années formidables qu'il fallait maintenant couronner. Même si l'auditorium avait été cent fois plus grand, il n'aurait pu contenir tous les membres des A.A., leurs familles et leurs amis.

Qui pourrait faire le bilan de toutes les misères qui avaient été les nôtres et qui pourrait mesurer les sentiments de délivrance et d'allégresse que ces dernières années nous avaient apportées? Qui pourrait véritablement évaluer les immenses résultats du travail entrepris par Dieu, par l'intermédiaire des A.A.? Et qui pourrait déchiffrer le mystère encore plus profond de notre totale délivrance de l'esclavage, de l'enchaînement à une obsession fatale et désespérée qui, pendant des siècles, avait dominé le corps et l'esprit d'hommes et de femmes comme nous?

Il est peut-être possible de trouver des explications à des expériences spirituelles semblables à la nôtre. J'ai souvent essayé d'expliquer la mienne et n'ai réussi qu'à en faire le récit. Je connais l'impression qu'elle a faite sur moi et les résultats qu'elle m'a apportés, mais je me rends compte que je ne pourrai jamais en pénétrer les raisons profondes: le pourquoi et le comment.

Nous, les Alcooliques anonymes, avions décidé de guider nos vies à la lumière d'une formule ancienne, maintenant passée de mode, et nous avons réussi. «Nous avons admis que nous étions impuissants et que nos vies étaient devenues incontrôlables» et «nous avons décidé de confier nos volontés et nos vies au soin de Dieu tel que nous Le concevions». Tout membre des A.A. capable de prendre et de maintenir une telle attitude d'humilité et une décision aussi radicale venait de se libérer de l'obsession et avait déjà commencé à vivre une existence totalement différente, mais combien merveilleuse, sur le plan mental, physique et spirituel.

Le souvenir du Dr Foster Kennedy me revint à l'esprit. Plusieurs années auparavant, ce réputé médecin nous avait demandé si l'un de nos premiers amis psychiatres accepterait de venir expliquer le Mouvement des A.A. à la section neurologique de l'Académie de médecine de New York. Étant donné que plusieurs médecins nous avaient accordé publiquement leur appui, quelques-uns dans l'article du SATURDAY EVENING POST en 1941, je ne prévoyais aucune difficulté. Tous nos amis médecins refusèrent cette opportunité unique.

Voici, en substance, ce qu'ils déclarèrent: «Nous constatons que, chez les A.A., un nombre exceptionnel de forces sociales et psychologiques combinent leurs efforts pour trouver une solution au problème de l'alcoolisme. Même en admettant l'avantage de ces conditions, nous nous sentons incapables d'expliquer la rapidité des résultats obtenus. Votre Mouvement réussit en quelques semaines ou quelques mois, ce que nous pourrions accomplir en quelques années. Non seulement l'alcoolique cesse-t-il de boire, chez les A.A., mais il connaît en quelques semaines ou quelques mois un grand changement dans sa motivation. Nous constatons chez les A.A. la présence d'une force sans cesse agissante, mais que nous ne pouvons comprendre. Nous l'appelons le facteur X. Vous l'appelez Dieu. Vous ne pouvez expliquer Dieu. Nous ne le pouvons pas non plus, surtout en présence de l'Académie de Médecine de New York.»

Tel est le paradoxe de la réhabilitation dans le mouvement des A.A.: la force surgissant d'une défaite complète et d'une impuissance totale; la perte de son ancien style de vie pour en trouver un nouveau. Mais nous, les membres, ne sommes pas obligés de comprendre ce paradoxe; nous devons simplement nous contenter de l'accepter avec reconnaissance.

Ma mère était à mes côtés sur l'estrade de l'auditorium. Elle m'avait mis au monde cinquante-neuf ans auparavant. Durant les longues années de ma déconfiture, elle n'avait cessé de croire en un heureux dénouement. À ses côtés se tenait Lois, qui était demeurée inébranlable lorsque ma cause semblait désespérée, qui avait attendu ma seconde naissance et qui avait partagé avec moi toutes les joies et toutes les peines de notre merveilleuse vie des vingt dernières années.

Mon parrain, Ebby, (décédé en 1966) était également là. Il avait été le premier à me transmettre le message qui devait me sortir des ténèbres de l'alcoolisme. Avec tous les congressistes, je me réjouissais de le voir parmi nous. Et je pensais à plusieurs de nos amis non alcooliques des premières heures, sans qui le Mouvement n'aurait jamais vu le jour. Ils nous avaient donné de merveilleux exemples d'un dévouement inlassable. Ils étaient les prototypes de milliers d'hommes et de femmes de bonne volonté, qui ont contribué à faire de notre Fraternité ce qu'elle est maintenant.

Puis, je jetai un regard à chacun de mes amis et collègues des Quartiers généraux, les syndics, les directeurs, les membres du personnel, des gens qui depuis des années consacraient leurs efforts au perfectionnement de la structure qui allait être remise entre les mains de la Fraternité entière.

Je pouvais distinguer plusieurs pionniers dans la grande salle Kiel. On aurait dit une réunion de vétérans. Ils avaient été les premiers porteurs de notre flambeau et je ressentais ces liens de fraternité très spéciale qui nous attachera toujours les uns aux autres. Je remarquai également que leurs rangs étaient clairsemés et ne puis m'empêcher de réaliser que bientôt nous tous, les pionniers, appartiendrions au passé du Mouvement. Tout à coup, j'ai éprouvé le désir d'effectuer un voyage en arrière. La nostalgie des jours anciens se mêla de façon étrange à la gratitude de l'heure exceptionnelle que j'étais en train de vivre.

Notre président, Bernard Smith, (décédé en 1970) m'invita à prendre la parole. Je racontai de nouveau, en la revivant dans mon esprit, cette période de dix-sept ans que nous avions consacrée à édifier la structure des Services mondiaux. Vous trouverez plus loin dans ce livre le texte de mon discours ainsi que la narration des autres événements de cette journée historique.

Des milliers de congressistes, représentant de façon adéquate la grande variété d'opinions au sein des A.A., se trouvaient réunis devant nous en assemblée générale. Sur la scène de l'auditorium, on avait regroupé la Conférence des Services des Alcooliques anonymes, une centaine de personnes choisies et désignées pour représenter la Fraternité entière. Ayant traversé avec succès une période de cinq années d'essai, la Conférence avait cessé d'être considérée comme un organisme expérimental. Elle constituait maintenant l'instrument destiné à devenir le cœur des services, ce troisième legs des A.A. et la conscience du Mouvement à l'échelle mondiale.

Au cours de la cérémonie très sobre qui suivit, je proposai que la Fraternité prenne en main la conduite de ses propres affaires et que la Conférence assume la succession permanente des fondateurs des Alcooliques anonymes.

Au milieu d'un tonnerre d'applaudissements, le Congrès endossa ma proposition. Puis, le silence se fit. Alors, le président Smith demanda aux membres de la Conférence de confirmer cette acceptation. Un simple vote, à mains levées, exprima le consentement de la Conférence et détermina le moment exact de l'accession du Mouvement à l'âge adulte. Il était 16 h 00.

Alors, Bernard Smith s'adressa aux congressistes. C'est son habilité et son dévouement qui avaient fait pencher la balance, alors que la majorité des syndics n'étaient guère en faveur d'une remise des pouvoirs à la Conférence. Nous savions donc que ce jour était aussi précieux dans la vie de Bernard Smith qu'il pouvait l'être dans la nôtre.

Cette journée historique touchait à sa fin. Nous n'avions plus, Lois et moi-même, qu'à adresser quelques paroles d'adieu.

C'est dans un silence chargé d'émotions que les congressistes écoutèrent le témoignage de Lois. Elle évoqua des souvenirs et exprima sa gratitude pour les merveilleuses années que nous venions de traverser. Elle était comme le symbole de toutes les familles qui avaient souffert de l'alcoolisme, mais elle était aussi le symbole de toutes ces richesses que les familles réunifiées avaient trouvées dans le Mouvement. Ses paroles nous procurèrent une profonde sensation de bien-être.

Alors que je me trouvais au lutrin, devant les congressistes, pour la dernière fois, j'éprouvai les mêmes émotions que doivent connaître tous les parents au moment où leurs grands enfants commencent à prendre leurs propres décisions et à assumer leur autonomie. Je n'aurais plus à agir au nom du Mouvement; je n'aurais plus à décider pour lui; je n'aurais plus à le protéger. Je réalisais le dommage immense causé par des parents qui s'accrochent trop longtemps à leur autorité. Nous, les pionniers, ne pouvons nous permettre d'agir de la sorte avec la famille des A.A. Si notre coopération devient nécessaire et souhaitée dans des situations cruciales, nous serons certainement heureux d'apporter notre contribution. Mais nous ne devrons pas nous impliquer davantage. Cette nouvelle relation découlait logiquement des événements qui venaient de marquer cette séance finale.

À l'exemple de la plupart des parents en pareille occasion, je n'ai pu m'empêcher de lancer quelques recommandations. Vous les trouverez dans le troisième chapitre de ce livre.

Alors que je m'adressais aux congressistes, j'éprouvai le désir de reculer dans le temps et, pour un moment, j'ai craint autant que n'importe qui le changement qui s'annonçait. Mais ce sentiment s'est vite évanoui. Je savais qu'il me fallait mettre un terme à cette inquiétude de parent. La conscience des A.A., guidée par Dieu, pouvait assurer l'avenir du Mouvement. Mon devoir devint alors très clair: laisser aller et permettre à Dieu d'agir. Les Alcooliques anonymes se trouvaient, finalement, à l'abri de tout danger; ils n'avaient même plus à me craindre.

II

Le triple héritage des Alcooliques Anonymes

L'EXPÉRIENCE acquise par le Mouvement des Alcooliques anonymes au cours des vingt premières années de son existence constitue un patrimoine composé de trois legs: le Rétablissement, l'Unité, et le Service. Grâce au premier, nous contrôlons l'alcoolisme; par le deuxième, nous assurons notre unité; et à l'aide du troisième, notre Fraternité garantit son bon fonctionnement et se dispose à réaliser son but essentiel, de transmettre le message des A.A. à tous ceux qui en ont besoin et qui le désirent.[1]

Dans la prochaine section de ce volume, nous reproduisons trois messages que Bill W., co-fondateur des A.A., prononça lors de la célébration du vingtième anniversaire du Mouvement. Le premier raconte la vie de certains personnages et décrit l'ensemble des influences qui ont donné son efficacité à notre programme de Rétablissement. Le second discours livre la somme des diverses expériences qui ont façonné nos Traditions, source d'Unité pour le Mouvement des A.A. Le troisième dévoile de quelle manière notre Fraternité a réussi à créer cette variété de Services pour diffuser son message aux quatre coins de la terre.

---

(1) Voir: Le rétablissement, p. 63; l'Unité, p. 97; le Service, p. 171.

LES DOUZE ÉTAPES

1. Nous avons admis que nous étions impuissants devant l'alcool – que nous avions perdu la maîtrise de nos vies.
2. Nous en sommes venus à croire qu'une puissance supérieure à nous-mêmes pouvait nous rendre la raison.
3. Nous avons décidé de confier notre volonté et nos vies aux soins de Dieu tel que nous Le concevions.
4. Nous avons courageusement procédé à un inventaire moral, minutieux de nous-mêmes.
5. Nous avons avoué à Dieu, à nous-mêmes et à un autre être humain la nature exacte de nos torts.
6. Nous avons pleinement consenti à ce que Dieu éliminât tous ces défauts de caractère.
7. Nous Lui avons humblement demandé de faire disparaître nos déficiences.
8. Nous avons dressé une liste de toutes les personnes que nous avions lésées et consenti à leur faire amende honorable.
9. Nous avons réparé nos torts directement envers ces personnes partout où c'était possible, sauf lorsqu'en ce faisant, nous pouvions leur nuire ou faire tort à d'autres.
11. Nous avons cherché par la prière et la méditation à améliorer notre contact conscient avec Dieu, tel que nous Le concevions, Lui demandant seulement de connaître Sa volonté à notre égard et de nous donner la force de l'exécuter.
12. Ayant connu un réveil spirituel comme résultat de ces étapes, nous avons alors essayé de transmettre ce message à d'autres alcooliques et de mettre en pratique ces principes dans tous les domaines de notre vie.

LE PREMIER LEGS: LE RÉTABLISSEMENT

Nous sommes réunis ici à St-Louis pour célébrer le vingtième anniversaire du Mouvement des A.A. Nous sommes venus remercier Dieu d'avoir délivré un grand nombre d'entre nous de leur esclavage. Nous sommes ici pour exprimer aux innombrables amis des A.A. notre gratitude pour leur importante contribution à ce miracle collectif de rétablissement, et pour nous réjouir avec eux, et entre nous, de la grâce évidente de Dieu parmi nous.

Plusieurs d'entre nous ont à leurs côtés ce soir une épouse, un époux, une mère, un père, des fils, des filles, victimes de nos sombres années d'alcoolisme, témoins confiants qui ont toujours gardé l'espoir d'un éventuel matin clair. Leur foi et leur constance ont enfin trouvé leur récompense; elles ont même rendu cette réunion possible. Aucun de nous ne peut trouver les mots pour exprimer notre gratitude, mais nous espérons que tous ces êtres qui nous entourent, et qui nous sont chers, comprendront toute la reconnaissance qui nous anime.

Nous désirons rendre hommage à nos amis du monde de la médecine et de la religion, dont les connaissances, la foi et l'assistance ne nous ont jamais fait défaut dans la formation de notre Fraternité et tout au long de sa croissance au cours des vingt dernières années.

Et nous ne pourrons jamais oublier ces messagers des A.A., les hommes et les femmes de la presse et de tous les moyens de communications, qui ont transmis le message du Mouvement aux alcooliques qui souffraient et à leurs familles. Dieu seul connaît les souffrances et les deuils qu'ils ont pu éviter en racontant l'histoire de notre Mouvement au monde entier.

Nous sommes aussi réunis à St-Louis pour proclamer que le Mouvement des A.A. a atteint l'âge adulte. Nous ne prétendons pas avoir atteint notre pleine maturité. Mais nous sommes ici pour considérer les leçons que ces vingt ans d'expérience nous ont enseignées, le patrimoine qui découle de cette expérience et les responsabilités émanant de ce précieux héritage. Nous sommes ici pour passer en revue les connaissances que nous avons acquises sur la façon de nous rétablir de notre maladie, de demeurer ensemble dans l'unité et de transmettre le message des A.A. à tous ceux qui souffrent encore de cette maladie étrange et mortelle qu'est l'alcoolisme.

Chez les A.A., la tradition demande que nous ne fassions pas de discours. Nous nous contentons de parler de nos propres expériences et de celles de notre entourage. Ma causerie ne fera pas exception.

Vers la mi-été de 1934, je faisais un séjour à l'hôpital Charles B. Towns de Central Park West. J'y étais déjà allé. C'est là que j'avais fait la connaissance du cher vieux Dr Silkworth. Il avait cru, à un moment donné, que je me rétablirais. Mais j'avais régulièrement descendu la pente, au point de me retrouver alité à l'hôpital, réalisant pour la première fois que mon état ne laissait aucun espoir.

Lois se trouvait en bas où le Dr Silkworth s'efforçait, avec sa gentillesse coutumière, de lui annoncer la mauvaise nouvelle que tant d'épouses et d'époux ont dû entendre. Il tentait de lui expliquer la nature de ma maladie et son peu d'espoir de me guérir. Et Lois s'exclamait: «Mais Bill a une volonté de fer. Vous n'avez jamais vu un homme aussi obstiné lorsqu'il s'est mis une idée en tête. Il a désespérément essayé de se réhabiliter. Nous avons tout essayé. Docteur, pourquoi ne peut-il pas arrêter?» L'aimable petit homme lui expliqua que ma façon de boire, d'abord une habitude, était devenue une obsession, une vraie démence qui me condamnait à boire contre ma volonté. Lois lui dit: «Docteur, que pouvons-nous faire?» Alors, il fut obligé de lui dire qu'il faudrait m'interner, car autrement je deviendrais fou ou je mourrais.

Et moi, en haut, je connaissais le diagnostic. J'étais au bout d'un long chemin. Pour le bénéfice de nos amis qui ne savent peut-être pas encore comment les alcooliques en viennent là, permettez-moi de revenir au temps de mon enfance, alors que j'ai cultivé certains traits de caractère qui ont joué un grand rôle dans mon insatiable besoin d'alcool.

Je suis né dans une petite ville Yankee d'environ une cinquantaine de maisons, East Dorset, Vermont. J'ai grandi à l'ombre d'une montagne appelée le Mont Aeolus. Je me souviens d'avoir un jour de mon enfance, longuement contemplé cette vaste et mystérieuse montagne, m'interrogeant sur sa signification et me demandant si je pourrais jamais grimper si haut. Mais, cette méditation prit fin, lorsque ma tante m'offrit un plat de bonbons pour mon anniversaire de naissance: j'avais quatre ans. Durant les trente-cinq années qui ont suivi, j'ai poursuivi le bonbon, le bonbon de la vie, et j'ai complètement oublié la montagne.

À l'âge de dix ans, j'allai vivre avec mon grand-père et ma grand-mère. C'étaient de merveilleux Yankees, à l'ancienne mode, d'une race presque éteinte aujourd'hui. J'étais grand et gauche, ce qui me rendait malheureux, parce que des camarades plus petits que moi réussissaient à me bousculer dans les batailles. Je me souviens d'en avoir été très humilié pendant plus d'un an, puis de m'être fermement décidé à vaincre. Je résolus de devenir le Numéro 1.

Un jour, mon grand-père nous arriva avec un livre sur l'Australie. Il me dit: «Ce livre raconte que seul un aborigène australien est capable de fabriquer et de lancer un boomerang». «Voici ma chance», ai-je pensé, «je serai le premier homme en Amérique à fabriquer et à lancer un boomerang». Évidemment, n'importe quel enfant aurait pu avoir la même idée, et la nourrir durant deux jours ou deux semaines. Mais pas moi! Cette obsession dura six mois et, durant cette période, je ne fis rien d'autre que d'entailler ces satanés boomerangs. Je sciai la tête de mon lit pour obtenir la bonne variété de bois et, le soir, à la lueur d'une lanterne, dans le vieil atelier, j'entaillais.

Finalement, je réussis à fabriquer un boomerang qui fit le tour de la cour de l'église, en face de la maison, et passa tout près de la tête de mon grand-père, en revenant.

Émotivement, j'avais commencé à fabriquer une autre sorte de boomerang qui, plus tard, a failli me tuer. À cette époque reculée de ma vie, il fallait que je devienne un athlète, parce que je n'étais pas un athlète. Il fallait que je devienne un musicien, parce que je chantais faux. Il fallait que je devienne le président de ma classe. Il fallait que je sois le premier en tout, parce qu'au fond de mon cœur frustré je me sentais la plus vile des créatures de Dieu. C'est pourquoi, je devins capitaine de l'équipe de baseball et j'appris à jouer du violon assez convenablement pour diriger le petit orchestre de mon école secondaire, même si c'était un très mauvais groupe de musiciens. Peu importe, j'en étais le directeur et il fallait que je dirige à tout prix. C'était ainsi, tout ou rien. Je me devais d'être le Numéro 1.

Mais un jour, il y eut un changement de scène. Je devins pensionnaire dans une école. Je réussissais très bien dans mes études. Je me sentais en sécurité grâce à la généreuse allocation de mon grand-père, grâce aussi à l'amitié et au respect de mes camarades. J'étais quelqu'un d'important, de réel. Il ne manquait à ma vie qu'un seul élément: une aventure sentimentale. C'est alors que je rencontrai la fille d'un pasteur et, en dépit de ma gaucherie d'adolescent, mon bonheur était complet. J'avais l'amour, la sécurité; et j'étais admiré. Mon bonheur touchant à l'extase

Puis, un bon matin, le principal de l'école m'approcha avec un visage triste et m'annonça que mon amie était morte subitement la nuit précédente. Je sombrai dans un état de dépression qui dura trois bonnes années. Je n'obtins pas le diplôme. J'étais incapable de terminer mes études, parce que je ne pouvais accepter de perdre, ne fût-ce qu'en partie, ce que je croyais ma propriété. Un enfant mieux équilibré aurait sûrement souffert, mais il n'aurait jamais sombré aussi longtemps.

Alors, Lois apparut et je me sentis revivre, capable de continuer à fonctionner. Notre mariage fut célébré durant la Guerre mondiale, alors que j'étais jeune officier à New Bradford. Du même coup, nous étions lancés parmi les notables de la ville. Pour la première fois de ma vie, je contemplai un majordome en chair et en os. C'est alors que je recommençai à éprouver cette horrible sensation de gaucherie, cette gêne qui m'empêchait de prononcer plus de deux ou trois mots de suite. J'étais écrasé. Mais, un soir, quelqu'un me tendit un «Bronx Cocktail». L'alcool avait tué plusieurs membres de ma famille et on m'avait mis en garde contre lui à maintes reprises. J'acceptai ce premier verre et un autre, puis un autre Ah! quelle magie! j'avais trouvé l'élixir de la vie! Cette étrange barrière, qui m'avait toujours séparé de mon entourage, s'écroula. Mes nouveaux compagnons se rapprochèrent de moi et je me rapprochai d'eux. Enfin, je participais à la vie. Je parlais avec facilité. Je pouvais communiquer. J'avais enfin découvert le chaînon qui m'avait toujours manqué!

À la fin de la guerre, je revins de France et, avec Lois, m'installai en ville. Moi, un ancien officier, je dus me contenter d'un emploi de commis. Je sentais renaître mes ambitions d'autrefois. Simple commis au New York Central Railroad, j'ambitionnais de devenir président d'une scierie. Mais, piètre commis, on me flanqua à la porte. Je fis donc le vœu de démontrer à cette compagnie ferroviaire, et au monde entier, de quel bois je me chauffais.

Je parvins finalement à Wall Street, ce célèbre raccourci vers le pouvoir et la richesse, ou la pauvreté. J'amassai beaucoup d'argent, beaucoup trop pour un homme de mon âge. Si ma consommation d'alcool ne me dérangeait guère, par contre elle commençait à inquiéter Lois. L'alcool entretenait mes rêves de grandeur. Je me voyais directeur de plusieurs grosses entreprises. J'allais y parvenir, mais nous étions en 1929. Ce fut le «crash» et tout mon avoir s'envola. Même si mes dettes se chiffraient alors à plusieurs milliers de dollars, je demeurais toujours aussi arrogant. Je n'éprouvais que mépris pour ces lâches qui, ayant fait banqueroute, plongeaient dans l'abîme du suicide. Je disais, convaincu: «Je vais recommencer. J'ai déjà réussi; je suis encore capable de triompher».

Mes nouvelles tentatives furent un échec. J'étais déjà condamné par mon obsession alcoolique. Je ne pouvais même plus me tenir en équilibre sur le premier échelon d'un retour à la prospérité. Le naufrage était commencé. Je ne pouvais plus m'accrocher à quoi que ce soit. Je ne pouvais que hanter Wall Street. Sans argent et sans sobriété, je n'avais plus le moindre crédit. Ma dégringolade n'était un secret pour personne. Je ne buvais plus pour nourrir mes rêves de pouvoir; je buvais pour engourdir la douleur, pour oublier.

Tout à coup, au plus profond de la dépression, je reçus une offre qui aurait pu nous rapporter des millions, à Lois et à moi. Mais, il me fallait signer un contrat par lequel je m'engageais légalement à ne pas boire. Il s'agissait d'un contrat à long terme et je signai de bonne foi. Dans l'optique du monde de Wall Street, il s'agissait d'une opportunité colossale. Je me disais: «Lois pourra quitter son emploi au magasin départemental. Je n'aurai plus besoin de son salaire pour vivre. Je vais faire plus d'argent que je n'en ai jamais fait. Nous allons, enfin, réussir!»

Nous, les gens du Vermont, attachons une grande importance au respect des contrats. J'avais la ferme intention de respecter le mien. Pendant deux ou trois mois, je demeurai parfaitement sobre. La nouvelle opération commerciale débuta et je dus partir en voyage pour inspecter une industrie.

Un soir, j'étais assis dans une chambre d'hôtel avec quelques ingénieurs. Ils sortirent une bouteille. À mon grand soulagement, je m'aperçus que je pouvais facilement dire «non». Je pouvais penser à mon contrat. Je pouvais penser à Lois. Mais à mesure que la soirée progressait, je commençai à m'ennuyer. La bouteille continuait à circuler dans la chambre et finalement quelqu'un me dit: «Bill, c'est de l'eau de vie au cidre, du «Jersey Lightning». Tu devrais y goûter». Soudainement je me rendis compte que dans toute ma carrière de buveur je n'avais jamais pris de «Jersey Lightning». Je répondis: «Mes amis, un seul petit verre ne peut me faire de tort». Chose curieuse, le souvenir de Lois et de ma promesse s'évanouirent. Je pensais seulement au whisky aux pommes. À ce moment précis, ma folle obsession s'empara de moi encore une fois. Ensuite, ce furent trois jours de vide complet. Puis, mes nouveaux associés me téléphonèrent pour m'informer que l'entente était rompue.

C'est alors que je commençai réellement à perdre espoir. Rapidement et de façon impitoyable je me détériorais mentalement. Bientôt, je me retrouvai à l'hôpital pour la première d'une longue série de «cures» qui devaient se succéder pendant les deux années suivantes. Mais il nous fallut attendre ce soir mémorable de Septembre 1934 pour que Lois et moi apprenions, de la bouche du médecin, la vraie nature de ma condition.

À ma sortie de l'hôpital au cours de ce mois, je demeurai sobre pendant quelques temps, sous l'effet d'une peur tyrannique et grâce à une vigilance constante. Novembre arriva et je n'avais pas encore pris un verre. Cela ne s'était pas encore vu. La peur de m'enivrer commençait à s'estomper. Je n'avais plus à fournir un aussi grand effort pour résister. Je commençai même à discuter de l'alcoolisme avec les gens qui m'entouraient. Quand on m'offrait à boire, je donnais volontiers les renseignements que je possédais sur la nature de ma maladie. Cette attitude constituait une auto-défense contre la tentation de boire et aussi une justification de mon comportement antérieur. La confiance me revenait rapidement et mes craintes m'abandonnaient. Je réussis même à gagner quelques dollars. Mon cas n'était peut-être pas si grave, après tout. J'établissais la preuve que j'étais capable d'arrêter. J'avais appris la recette.

Arriva l'anniversaire de l'Armistice en 1934. Lois devait se rendre à son travail dans un magasin à rayons de Brooklyn. Il n'y avait aucune activité à Wall Street et je me demandais comment occuper ma journée. Il y avait le golf. Je n'avais pas joué depuis longtemps. La bourse familiale était dégarnie et je confiai à Lois mon intention d'aller à Shaten Island où il y avait un terrain de golf public. Elle ne réussit pas à dissimuler complètement son appréhension. Tout de même, elle s'efforça de sourire et me dit: «Je t'en prie, vas-y. C'est une excellente idée.»

Je fis la traversée en bateau et montai à bord d'un autobus. J'étais assis près d'un homme qui portait une carabine, ce qui me rappela le souvenir d'une arme dont mon grand-père m'avait fait cadeau lorsque j'avais onze ans. La conversation s'engagea sur le tir.

Soudain, notre autobus entra en collision avec l'autre qui nous précédait. Les dommages étaient minimes. Mon ami et moi étions descendus sur le trottoir pour attendre le prochain autobus. Parlant toujours de tir, nous avons remarqué un établissement qui avait l'air d'un bar clandestin. Il me dit: «Si nous prenions un verre?» J'acquiesçai. Nous sommes entrés. Il commanda un whisky et moi, un «ginger ale». «Tu ne bois pas», me dit-il. «Non, je suis de ces personnes qui n'ont pas de contrôle sur l'alcool». Et je commençai à élaborer sur l'allergie, l'obsession et tout le bazar. Je lui racontai toutes mes difficultés passées avec l'alcool et ma décision de ne plus jamais boire. Je lui expliquai la maladie en détail.

Nous sommes montés à bord d'un autre autobus et nous sommes arrivés devant une auberge de campagne située au bout de l'île. Je devais me rendre au terrain de golf et mon ami devait prendre un autre autobus pour le champ de tir. Mais il était environ midi. «Entrons prendre un sandwich», me dit-il. «J'en profiterai pour boire un autre verre». Cette fois, nous étions assis au bar. Comme je vous le disais précédemment, c'était l'anniversaire de l'Armistice. L'endroit se remplissait et les clients aussi! On commençait à entendre le bruit familier des conversations entre buveurs. Mon ami et moi continuions à bavarder, toujours sur le sujet du tir. On apporta des sandwiches et un verre d'alcool pour lui, des sandwiches et un «ginger ale» pour moi.

Ma pensée se reporta alors vers le Jour de l'Armistice en France et je pensai à toute la joie de ces heures, ainsi qu'à la grande célébration qui avait suivi. Je n'entendais plus mon compagnon. Soudain, le grand barman irlandais nous arriva, tout souriant. Il tenait un verre dans chaque main. «C'est la tournée de la maison, les gars!» s'écria-t-il. «C'est l'anniversaire de l'Armistice!» Sans un instant d'hésitation, je saisis le verre et le bus. Mon ami me regarda avec consternation. «Mon Dieu», s'écria-t-il. «Est-ce possible que tu puisses prendre un verre après tout ce que tu viens de me dire? Tu dois être fou!» — «Je le suis», fut ma réponse.

Le lendemain matin, vers cinq heures, Lois me trouva inconscient à l'entrée de notre maison. J'étais tombé sur la clôture de fer et je portais au crâne une blessure qui saignait. Je tenais toujours serrée dans ma main la courroie de mon sac de golf. Lorsque je repris connaissance, le silence continua à régner. Il n'y avait pas grand chose à dire. Notre moral à tous deux était à son plus bas niveau. Je recommençai à boire une, deux, trois bouteilles de gin par jour. Je ne pouvais m'arrêter et je le savais.

Un après-midi le téléphone sonna. C'était mon ancien compagnon de pensionnat et de boisson, Ebby. Même au téléphone je m'aperçus qu'il était sobre. Je ne me souvenais pas de l'avoir vu sobre à New York. Il y avait longtemps que je l'avais classé parmi les cas désespérés. En fait, j'avais entendu dire qu'on devait l'interner parce que l'alcool l'avait rendu fou. Je lui dis avec empressement: «Viens me voir, nous parlerons du bon vieux temps». Pourquoi, au juste, lui ai-je dit cela? C'était parce que je ne pouvais supporter le présent et que je n'entrevoyais pas d'avenir. Bientôt, Ebby se tenait debout, souriant, à la porte d'entrée. Il passa à la cuisine avec moi. Sur la table, entre nous, se trouvaient un flacon de gin et une bouteille de jus d'ananas.

Je sentis immédiatement qu'Ebby était différent. Ce n'était pas seulement parce qu'il était sobre. Mais je n'arrivais pas à discerner cet élément indéfinissable qui produisait le changement. Je lui offris un verre et il refusa. Je lui demandai: «Que se passe-t-il? Tu dis que tu ne bois pas, mais tu me dis aussi que tu n'as pas fait de promesse. Qu'est-ce que cela signifie?»

«Eh bien,» dit Ebby, «c'est à cause de la religion».

J'ai failli m'écraser: Ebby et la religion! Sa folie alcoolique était peut-être devenue de la folie religieuse. Quel coup terrible pour moi. J'avais fait des études dans une excellente école de génie où j'avais cru comprendre que l'homme était Dieu. Par politesse, je dis: «De quelle sorte de religion s'agit-il, Ebby?» «Oh, me répondit-il, elle ne porte pas de nom particulier. J'ai rencontré des gens qui font partie des groupes d'Oxford. Je ne suis pas d'accord avec tous leurs enseignements, loin de là. Mais ils m'ont donné des idées merveilleuses. J'ai appris qu'il me fallait admettre ma défaite; j'ai appris que je devais faire un inventaire personnel et confier mes défauts à une autre personne; j'ai appris qu'il me fallait faire amende honorable pour les torts que j'avais causés aux autres. On m'a dit que je devrais m'habituer à donner des choses qui n'ont pas de prix, le don de soi-même aux autres, par exemple. Maintenant», ajouta-t-il, «je sais que tu vas rire de ce que je vais te dire, mais on m'a enseigné que je devrais prier le Dieu auquel je croyais de m'accorder la force de mettre en pratique ces simples préceptes. Et si je ne croyais à aucun Dieu, alors je devrais tenter l'expérience de faire appel à n'importe quel Dieu qui pourrait exister. Et tu sais, Bill, c'est curieux, mais même avant d'avoir posé tous ces gestes, dès que j'ai décidé d'essayer avec un esprit ouvert, je me suis senti délivré de mon problème d'alcool. Ça ne ressemblait pas du tout aux anciennes promesses d'arrêter de boire. Cette fois, j'ai eu la sensation d'être complètement libéré du désir de boire et je n'ai pas bu depuis plusieurs mois.»

Ebby n'essaya pas de faire pression sur moi ou de m'évangéliser. Et bientôt, il repartit. Pendant plusieurs jours je continuai à boire. Mais durant mes périodes de lucidité, la pensée de mon ami ne me quittait pas. Je ne pouvais oublier ce qu'il m'avait dit. Dans la fraternité d'une souffrance commune, *un alcoolique avait parlé à un autre alcoolique.*

J'oscillais entre la rébellion contre Dieu et l'espoir. Un jour que j'avais le vin triste, il me vint une idée extraordinaire. Je pensai qu'il était temps de faire ma propre enquête sur la religion. Me souvenant que la «Sam Shoemaker's Calvery Church» possédait un centre où les Groupes d'Oxford avaient logé mon ami Ebby, je décidai d'aller voir ce qui s'y passait. Je sortis du métro à l'angle de la 4e Avenue et de la 23e Rue. Puisque j'avais à marcher assez longtemps sur la 23e Rue, je fis des arrêts dans quelques bars. J'ai passé la majeure partie de l'après-midi dans les bistrots, oubliant complètement la mission. À la tombée de la nuit, je me trouvais dans un bar, en grande conversation avec un Finlandais de nom d'Alec. Il me raconta qu'il avait été voilier et pêcheur dans son pays d'origine. Dans un processus confus, le mot «pêcheur» ramena ma pensée vers la mission. Là, je trouverais des pêcheurs d'hommes. Chose étrange, cette idée me parut excellente.

Je décidai Alec à me suivre et bientôt nous arrivions, en titubant, à la porte de la mission. Le préposé, Tex Francisco, un ancien soûlard, était là pour nous accueillir. Il faisait plus que gérer la place; il se proposait de nous flanquer à la porte. Étant donné nos bonnes intentions, nous avons été profondément blessés par son attitude.

À ce moment, Ebby apparut, souriant. Il nous dit: «Que penseriez-vous d'une assiette de fèves?» Après avoir mangé, Alec et moi avions les idées un peu plus claires. Ebby nous annonça qu'il y aurait tout à l'heure une réunion à la mission. Étions-nous intéressés à y assister? Certainement. Nous étions venus dans ce but. Bientôt nous étions assis sur un de ces bancs de bois dur dont l'endroit était rempli. C'était ma première visite dans une mission et je tremblais légèrement en regardant cette assemblée d'épaves. Une odeur de sueur et d'alcool régnait dans la place. Je pouvais difficilement imaginer toute la souffrance que représentait ce groupement.

On chanta des hymnes et on récita des prières. Ensuite Tex, qui présidait, nous adressa des exhortations. «Seul Jésus pouvait nous sauver,» disait-il. Je ne sais pourquoi, mais cette déclaration ne m'impressionna guère. Certains hommes se levèrent et donnèrent leur témoignage. Même dans l'état d'engourdissement où je me trouvais, je sentais l'intérêt et l'excitation monter en moi. On fit l'appel. Quelques hommes avaient commencé à s'avancer vers la balustrade. Poussé par une force mystérieuse, je me levai moi aussi, entraînant Alec avec moi. Ebby tenta de me retenir par les pans de mon veston, mais il était trop tard. Je m'agenouillai parmi ces pénitents tremblants. C'est peut-être là que, pour la première fois, j'ai commencé à éprouver du repentir. Quelque chose m'avait touché. L'expression est trop faible. J'avais été terrassé. Une impulsion étrange me poussait à parler. Je me levai d'un bond et je commençai.

Par la suite, je n'ai jamais pu me rappeler ce que j'avais dit. Je savais seulement que j'étais vraiment sincère et qu'on semblait m'écouter. Ebby, qui tout d'abord avait ressenti un extrême embarras, me dit avec soulagement que j'avais bien fait les choses et que j'avais «donné ma vie à Dieu».

À l'étage supérieur, après l'assemblée, je visitai le dortoir où couchaient les clochards. J'en rencontré quelques-uns qui s'étaient passablement bien rétablis. Certains d'entre eux vivaient à la mission, travaillant à l'extérieur pendant la journée. J'écoutai leur histoire attentivement. Je me dégrisai rapidement et le poids que je traînais semblait devenir de plus en plus léger. Pris de remords, je pensai à Lois. Je ne lui avais pas téléphoné et elle devait être inquiète. Il fallait que je lui raconte toute cette aventure en détail. Je me sentis rassuré par son soupir de soulagement à l'autre bout de la ligne.

Lentement et avec beaucoup de confiance, je repris le chemin de la 23e Rue. En descendant les marches du métro, je fus surpris de constater que je n'avais même pas jeté un coup d'œil aux bars. C'était un phénomène nouveau, tout à fait nouveau. Étais-je donc délivré moi aussi?

Avant de nous mettre au lit, Lois et moi avons tenu une longue conversation. Chaque parole était remplie d'espoir. Sans une once de gin, je dormis comme un enfant. Je m'attendais à une terrible migraine le lendemain matin, mais il n'en fut presque rien. Pourtant, ce léger mal de tête causa ma perte encore une fois. J'ai cru que je me sentirais beaucoup mieux si j'assistais au lever du soleil en prenant un verre. Seulement un, ou peut-être deux. Sans rien dire à Lois, je pris quelques lampées de gin, ayant bien soin d'utiliser du rince-bouche par la suite. Lois ne s'aperçut de rien et je me sentais bien.

Après le départ de Lois pour le travail, mon «mal de cheveux» commença à s'aggraver. Il fallait que ce soit le dernier. Me cherchant des excuses comme d'habitude, je me sentais justifié de diminuer graduellement. Comme toujours, j'augmentai graduellement la dose au lieu de la diminuer. Et à dix-huit heures la pauvre Lois me trouva étendu sur mon lit, ivre-mort.

Pourtant j'avais aperçu un soupçon de lumière et, tout en continuant à boire pendant trois jours, je songeais sans cesse à l'expérience de la mission. Quelquefois elle me semblait réelle; puis je la chassais de mon esprit, la mettant sur le compte d'une imagination enfiévrée par l'alcool.

Au matin du troisième jour, je réussis à mettre un peu d'ordre dans mes folles pensées. Je me souviens de m'avoir comparé à une victime du cancer. Si j'étais atteint du cancer, je tenterais l'impossible pour guérir, n'est-ce pas? Oui, j'essaierais n'importe quoi. Resterais-je à la maison à appliquer de l'onguent sur les parties malades? Certainement pas. Que ferais-je? J'irais trouver le meilleur médecin dans cette spécialité et le supplierais de détruire ou d'amputer ces cellules meurtrières. Je devrais me fier à lui, mon Dieu de la médecine. pour me sauver. Ma dépendance serait absolue; de moi-même je ne pourrais rien.

Ma maladie, c'était l'alcoolisme et non le cancer, mais quelle différence y avait-il? L'alcoolisme ne dévorait-il pas également le corps et l'esprit? L'alcoolisme tuait plus lentement, mais le résultat était le même. Alors, s'il *existait* un grand Médecin capable de guérir ma maladie de l'alcoolisme, je devais partir à sa recherche maintenant, tout de suite. Il fallait que je découvre cette réponse que mon ami avait trouvée. Comme le malade atteint du cancer, étais-je prêt à faire n'importe quoi pour me rétablir? Si, pour atteindre ce but, je devais prier en plein midi sur la place publique avec mes compagnons d'infortune, étais-je prêt à ravaler mon orgueil et à m'exécuter? Peut-être. En attendant, toutefois, je retournerais au Towns Hospital où le Dr Silkworth me désintoxiquerait encore une fois. Ensuite je pourrais étudier avec un esprit plus clair la formule de sobriété découverte par Ebby. Peut-être n'aurais-je pas besoin d'une conversion émotive. Un incrédule aussi conservateur que moi réussirait peut-être à s'en tirer sans se plier à toutes ces exigences. De toute façon, je partis pour l'hôpital.

Tout en marchant sur la rue Clinton, en route vers le métro, je sortis six cents de ma poche. Il ne m'en fallait que cinq pour me rendre à l'hôpital. Mais n'avais-je pas oublié quelque chose? J'étais en route pour aller me faire soigner. Raisonnant en alcoolique que j'étais, j'estimai qu'il me fallait tout de même un stimulant, en attendant que l'hôpital s'occupe de moi. J'entrai donc dans une épicerie où je conservais une faible marge de crédit. J'ai expliqué au commis que j'étais un alcoolique en route pour une cure de désintoxication. Accepterait-il de me vendre quatre bouteilles à crédit?

J'ai bu la première alors que je marchais sur le trottoir et la deuxième dans le métro. Je me sentais revenir à la vie. Alors, j'offris la troisième bouteille à un passager. Il déclina mon offre. J'ai pris cette troisième bouteille sur le quai du métro près de l'hôpital. Brandissant la dernière bouteille par le goulot, je fis mon entrée au Towns Hospital. Le Dr Silkworth vint à ma rencontre dans le corridor.

En pleine euphorie, je le saluai en agitant la bouteille et lui lançai: «Enfin, Doc, j'ai trouvé quelque chose». Même à travers mon brouillard, je vis s'allonger son bon vieux visage. Je sais maintenant combien il m'aimait. Ma nouvelle fredaine lui causa vraiment de la peine. J'essayai de lui expliquer cette nouvelle découverte que j'avais faite. Il me regarda en hochant la tête et me dit au bout de quelques moments: «Eh bien! mon garçon, ne crois-tu pas qu'il est temps que tu montes te coucher?»

Mon était n'était pas trop grave. Au bout de trois ou quatre jours, le peu de calmants qu'on m'avait donnés avaient fait leur effet, mais je me sentais très déprimé. Cette histoire de Dieu m'étouffait encore. Un bon matin, Ebby m'apparut dans la porte, exhibant un large sourire. Je ne voyais pas ce que la situation présentait de si amusant. Tout à coup, j'eus un soupçon: C'est peut-être aujourd'hui qu'il va m'évangéliser, m'endormir avec de belles paroles. Mais non, il me fit attendre jusqu'à ce que je lui demande: «Eh bien! cette fameuse petite formule, voudrais-tu me la donner encore une fois?» Continuant à sourire, il me la répéta: «Tu admets que tu es battu; tu deviens honnête envers toi-même; tu te confies à quelqu'un; tu fais amende honorable aux personnes que tu as lésées; tu essaies de donner de toi-même sans rien attendre en retour; et tu pries Dieu tel que tu Le conçois, ne serait-ce qu'à titre d'expérience». C'était aussi simple et pourtant aussi mystérieux que cela. Après un bout de conversation, Ebby s'en alla.

Ma dépression augmenta et me devint insupportable. Finalement, j'eus l'impression d'avoir atteint le fond du gouffre. Je répétais encore de mauvaises plaisanteries sur la notion d'une Puissance supérieure à moi-même, mais, finalement, juste pour un moment, les derniers vestiges de mon orgueilleuse obstination furent écrasés. Je m'aperçus tout à coup que je criais: «S'il y a un Dieu, qu'Il se manifeste! Je suis prêt à tout, à tout!»

Soudain, la chambre s'éclaira d'une grande lumière blanche. Comme dans une vision, je me vis au sommet d'une montagne où soufflait un vent, non sensible, mais spirituel. Et alors, il me fut donné de comprendre que j'étais un homme libre. Lentement l'extase s'apaisa. Je gisais sur le lit, mais pendant un moment je vécus dans un autre monde, un monde nouveau de connaissance. J'éprouvais le merveilleux sentiment d'une Présence à mes côtés, en moi, et je songeais: «Le voici donc, le Dieu des prédicateurs!» Une grande paix descendit sur moi et je pensais: «Même lorsque tout semble aller mal, tout est bien. Tout est bien dans l'Univers de Dieu».

Mais, petit à petit, la peur s'empara de moi. Mon éducation moderne remonta à la surface et me poussa à dire: «C'est une hallucination. Il faut voir un médecin». Le Dr Silkworth me posa toutes sortes de questions. Au bout d'un moment, il me dit: «Non, Bill, tu n'es pas fou. Nous sommes en présence d'un événement psychologique ou spirituel. J'ai déjà vu ça dans les livres. Il arrive que des expériences spirituelles libèrent les gens de l'alcoolisme». Avec un immense soulagement, je recommençai à scruter les événements que je venais de vivre.[2].

J'en appris davantage sur ce sujet dès le jour suivant. C'est Ebby, je crois, qui m'apporta un exemplaire de *Varieties of Religious Experience* (Variétés de l'expérience religieuse) de William James. La lecture de ce livre était plutôt difficile, mais je le dévorai de la première page à la dernière. Selon James, les expériences spirituelles peuvent être une réalité objective; comme des cadeaux inespérés, elles peuvent transformer les gens; certaines sont de brillantes illuminations spontanées, d'autres viennent très graduellement; certaines se produisent par l'entremise de la religion, certaines autres passent par d'autres canaux; mais presque toutes possèdent un dénominateur commun: la douleur, la souffrance, la calamité. Un désespoir complet et un abattement profond sont presque toujours requis pour rendre le sujet plus réceptif.

Soudain, je saisis le sens caché de toutes ces formules. *L'abattement complet:* c'était bien la clé. C'était bien ce qui m'était arrivé. Le Dr Carl Jung avait expliqué à un membre du groupe d'Oxford, un ami d'Ebby, à quel point son alcoolisme était sans

---

(2) (Presque tous les membres des A.A. ont vécu une expérience spirituelle qui transforme leur point de vue et leur comportement. D'ordinaire, ces expériences arrivent graduellement et peuvent s'échelonner sur des périodes de plusieurs mois ou même de plusieurs années.

Plusieurs membres des A.A., y compris Bill, qui ont connu une expérience spirituelle subite, estiment que la différence n'est pas considérable quant au résultat, entre leur illumination-éclair et celle du réveil spirituel plus lent et plus répandu.)

espoir et le Dr Silkworth avait rendu le même verdict à mon sujet. Ensuite Ebby, un alcoolique, m'avait servi le même langage. Si le Dr Silkworth avait été le seul à prononcer ces paroles, je n'aurais jamais accepté complètement le verdict. Mais, lorsqu'Ebby arriva et me parla, d'alcoolique à alcoolique, je fus tout à fait convaincu.

Les pensées commençaient à fourmiller dans ma tête. Je voyais déjà une réaction à chaîne parmi les alcooliques: la transmission de ce message et de ces principes d'un alcoolique à un autre. Je savais maintenant que mon plus grand désir était de travailler avec d'autres alcooliques.

Dès ma sortie de l'hôpital, je m'associai aux groupes d'Oxford. Nous travaillions à la «*Calvary Mission*» de Sam Shoemaker, ainsi qu'au *Towns Hospital.* Ebby vint habiter avec Lois et moi à Brooklyn. Et je partis comme une fusée à la conquête des alcooliques.

Mon expérience spirituelle soudaine comportait cependant des inconvénients. Bientôt, je répétais à qui voulait l'entendre que je rétablirais tous les ivrognes du monde, même si les résultats de mes prédécesseurs dans ce domaine depuis 5,000 ans étaient à peu près nuls. Les tentatives des groupes d'Oxford dans ce sens avaient presque complètement échoué et risquaient d'être abandonnées. En fait, Sam Shoemaker venait d'éprouver une série de déboires à la mission. Il avait hébergé un groupe d'alcooliques dans un appartement situé près de son église et l'un de ses protégés, qui refusait la réhabilitation, s'était vengé en lançant une chaussure à travers une précieuse verrière de l'église.

Il n'est donc pas étonnant que mes amis des groupes d'Oxford m'aient conseillé d'oublier les alcooliques. Mais, j'étais encore passablement sûr de moi et je ne tins aucun compte de leurs conseils. Je fonctionnais comme une machine à deux moteurs dont l'un était de la véritable spiritualité et l'autre, ma vieille ambition d'être le Numéro 1. Mon attitude ne produisit aucun résultat valable. Au bout de six mois, aucun alcoolique n'était demeuré sobre. Et, croyez-moi, je m'étais rudement occupé d'un grand nombre d'entre eux. Ils se dégrisaient pendant quelques temps, puis retournaient à l'alcool. Naturellement, les groupes d'Oxford regardaient d'un œil sceptique mon entreprise de redressement des ivrognes.

Pendant ce temps, Lois travaillait toujours au magasin à rayons et les gens commençaient à dire: «Est-ce que ce Bill va demeurer missionnaire toute sa vie? Pourquoi ne travaille-t-il pas?» Je commençais moi-même à penser que je devrais me trouver un emploi. Je retournai flâner autour de Wall Street et, grâce à une connaissance que j'avais faite par hasard dans un bureau de courtier, je réussis à m'infiltrer dans une chasse aux procurations en vue de mettre la main sur une petite entreprise de machines-outils, située à Akron en Ohio. En mai 1935, nous partions, un groupe d'associés, pour Akron, afin d'engager la bataille pour le contrôle de la compagnie. Je me voyais déjà président. Mais la partie adverse avait plus de procurations que nous et nous avons perdu la bataille. Découragés, mes nouveaux associés repartirent et me laissèrent seul à l'hôtel Mayflower à Akron. Je n'avais qu'une dizaine de dollars en poche.

Mes compagnons étaient partis le vendredi. Le samedi, veille de la Fête des Mères, je faisais les cent pas dans le lobby de l'hôtel, me demandant ce que je pourrais bien faire. Le bar, à l'un des deux bouts de ma promenade, commençait à s'emplir. Je pouvais entendre le bruit familier des conversations à l'intérieur. À l'autre bout du lobby, je me trouvai en face d'un tableau portant la liste des églises de la ville. Une pensée me traversa l'esprit: je vais me soûler, ou plutôt non, je ne m'enivrerai pas, je vais simplement entrer dans le bar, commander un ginger ale et me dénicher une connaissance. Alors, la panique s'empara de moi. Ce fut vraiment une bénédiction! Je n'avais jamais été pris de panique auparavant devant la menace de l'alcool. C'était sans doute un signe que *j'avais retrouvé la raison.* Je me rappelai que c'est en essayant d'aider d'autres personnes que j'étais demeuré sobre. Pour la première fois, j'en étais *profondément* convaincu. Je me dis: «Il faut que tu parles à un autre alcoolique. Tu as besoin d'un autre alcoolique tout autant qu'il a besoin de toi!»

Il s'ensuivit alors une étrange série d'événements. Choisissant au hasard parmi la liste des églises, j'appelai un ministre épiscopalien du nom de Walter Tunks, qui est toujours demeuré un ami des A.A. Dans un état de grande agitation, je lui racontai mon histoire. Je lui demandai s'il ne connaîtrait pas une personne capable de me mettre en contact avec un autre alcoolique. Je pensais qu'il pourrait connaître un membre des groupes d'Oxford à Akron. Lorsque ce brave homme apprit que j'étais un alcoolique cherchant à aider un autre alcoolique, il sembla penser tout d'abord qu'il se retrouverait avec deux ivrognes au lieu d'un. Puis, il comprit mon intention et me donna la liste d'une dizaine de personnes susceptibles de m'être utiles dans mes recherches.

Je commençai tout de suite à les appeler. C'était un samedi après-midi. Certains n'étaient pas chez-eux; d'autres n'étaient pas intéressés et me servirent des excuses. La liste diminuait rapidement. J'arrivai au dernier nom, Henrietta Seiberling. Je me souvenais vaguement d'avoir rencontré durant mes années à Wall Street un certain M. Seiberling, un homme âgé, ancien président-fondateur de la Goodyear Rubber. Je trouvais farfelue l'idée de téléphoner à sa femme pour lui raconter que j'étais un ivrogne de New York cherchant à aider un autre ivrogne. Je retournai donc en bas et continuai à arpenter le lobby. Mais une voix intérieure me disait: «Tu devrais l'appeler». Je finis par me décider. À ma grande surprise, j'entendis à l'autre bout du fil une voix jeune avec un accent du sud. C'était la belle-fille de Seiberling. Je lui expliquai que j'étais un alcoolique des groupes d'Oxford de New York, qui avait besoin d'aider un autre alcoolique afin de demeurer sobre lui-même. Elle comprit tout de suite ce que je voulais. Elle me dit: «Je ne suis pas une alcoolique, mais j'ai eu mes problèmes. Je crois que je comprends ce que vous voulez dire lorsque vous parlez de questions spirituelles. Je connais quelqu'un que vous pourriez aider. Voulez-vous venir tout de suite? J'habite la première maison à l'entrée du domaine Seiberling.»

À mon arrivée, je fis la connaissance d'une personne charmante et compréhensive. Elle me confia qu'elle avait traversé plusieurs difficultés et avait trouvé des solutions chez les groupes d'Oxford. Elle comprenait la véritable souffrance. Après avoir écouté mon histoire, elle me dit: «Je connais justement l'homme que vous cherchez. C'est un médecin. Nous l'appelons tous 'le Dr Bob'. Sa femme, Anne, est une personne remarquable. Bob a fait de grands efforts; je sais qu'il veut arrêter de boire. Il a consulté des médecins et il a essayé diverses approches religieuses, y compris celle du Groupe d'Oxford. Il y a mis toute sa bonne volonté, mais il ne semble pas réussir. Aimeriez-vous parler à Bob et à Anne?»

Bientôt, Anne était au bout du fil, Anne, l'amie bien-aimée de tous les A.A. Rapidement Henrietta lui parla de moi, un alcoolique de New York qui désirait parler de son problème d'alcool. Pouvaient-ils venir chez elle? Anne lui répondit: «Je suis désolée, Henrietta, je pense que c'est impossible aujourd'hui. Bob me réserve toujours des égards particuliers en cette Fête des Mères. Il vient tout juste d'entrer à la maison avec une grosse plante verte pour moi». Anne évitait de donner certains détails. La plante se trouvait bien sur la table, mais Bob gisait en dessous de la table, trop empoté pour se relever. «Si vous veniez dîner demain», répliqua Henrietta. «Si possible, avec plaisir», répondit Anne.

Le lendemain après-midi à dix-sept heures, ce merveilleux couple, le Dr Bob et Anne, se tenait debout devant la porte ouverte de la maison d'Henrietta.

Je voyais l'homme qui devait devenir mon partenaire et le fondateur à Akron du groupe Numéro 1. Avec la remarquable Sœur Ignatia, il devait traiter 5,000 cas d'alcoolisme, à une époque où le Mouvement des A.A. était encore très jeune. C'était là le merveilleux ami avec qui je ne devais jamais avoir la moindre dispute. C'était là le Dr Bob, le futur co-fondateur des A.A.

Mais à dix-sept heures, ce dimanche-là, le Dr Bob n'avait pas beaucoup l'air d'un fondateur. Il tremblait violemment. Mal à son aise, il nous annonça qu'il ne pourrait rester plus de quinze minutes. Même s'il parut embarrassé, il sembla sourire lorsque je lui dis que, d'après moi, il avait besoin de prendre un verre. À la fin du dîner, durant lequel Bob n'avait rien mangé, Henrietta nous installa, Bob et moi, dans la petite bibliothèque discrète et nous laissa seuls. C'est là que nous avons partagé jusqu'à vingt-trois heures.

Juste avant mon départ pour Akron, le Dr Silkworth m'avait donné un excellent conseil. Si je ne l'avais pas suivi, notre Mouvement des A.A. ne serait peut-être jamais né. «Écoute-moi, Bill», m'avait-il dit, «tu ne récoltes que des échecs parce que tu fais des sermons à ces alcooliques. Tu leur parles des préceptes des groupes d'Oxford qui prêchent l'honnêteté absolue, la pureté immaculée, le désintéressement total et la charité infinie. C'est trop leur demander. Et par dessus le marché, tu leur ressasses ta mystérieuse expérience spirituelle. Il n'est pas étonnant qu'ils te prennent pour un fou et retournent à la bouteille. Pourquoi n'emploies-tu pas la stratégie inverse? N'est-ce pas toi qui m'as montré ce livre du psychologue James, qui affirme que la plupart des expériences spirituelles surgissent d'un profond abattement? Aurais-tu oublié tout cela? Aurais-tu également oublié que le Dr Carl Jung de Zurich a déjà dit à un alcoolique, celui-là même qui par la suite a aidé ton ami Ebby à devenir sobre, que son salut ne pouvait venir que d'une expérience spirituelle? Non, Bill, tu mets la charrue devant les bœufs. Il faut d'abord rabattre le caquet de ces malades qui s'ignorent. Alors, entretiens-les de l'aspect médical de manière à les impressionner. Insiste sur l'obsession qui les oblige à boire et sur la sensibilité ou l'allergie physique qui les expose à la folie ou à la mort s'ils persistent à boire. Venant d'un autre alcoolique, d'un alcoolique parlant à un autre alcoolique, cette méthode réussira peut-être à briser leur carapace et à les atteindre au plus profond d'eux-mêmes. C'est alors seulement que tu pourras essayer ton autre remède, les principes moraux que tu as appris des groupes d'Oxford».

Maintenant, en conversation avec le Dr Bob, je me souvenais de tous les conseils du Dr Silkworth. J'effleurai à peine les effets fulgurants des expériences religieuses. Je lui parlai en détail de mon cas personnel, jusqu'à ce qu'il se reconnaisse bien en moi, jusqu'à ce qu'il me dise: «C'est mon portrait. C'est exactement comme moi».

À son tour, le Dr Bob me parla de lui-même, comme il n'en avait jamais parlé auparavant. Lui aussi était originaire du Vermont. Son père avait été un juge très sévère, mais profondément respecté à St-Johnsbury. Dans le cas de Bob, son penchant pour l'alcool s'était aussi manifesté à un très jeune âge. En fait, il avait été renvoyé du Collège Darthmouth pour cette raison. Il avait tant bien que mal réussi à se traîner jusqu'à la faculté de médecine et à faire de l'internat à Chicago. Malgré son penchant pour l'alcool, il avait démontré un réel talent pour la chirurgie. Après son mariage avec Anne, ils s'installèrent à Akron où ils virent naître leur fils Bob et où ils adoptèrent une fille, Sue.

Au moment de notre rencontre, le Dr Bob avait cinquante-cinq ans, environ quinze années de plus que moi. Il devait avoir une constitution de fer. Il me disait qu'au cours des années, il avait bu presque sans arrêt. Lorsqu'il tremblait trop pour opérer ou recevoir des patients, il prenait une dose abondante de calmants. Parfois, ces médicaments ne produisaient pas l'effet escompté. Alors, Bob allait se cacher dans une clinique de désintoxication d'où il rebondissait au bout d'une semaine pour recommencer le même cycle. Dans les rares moments où il était sobre, le désir insatiable de l'alcool ne le quittait jamais. Pour le Dr Bob, cette soif insatiable d'alcool fut évidemment un phénomène physique qui assombrit ses premières années chez les A.A., alors que seule la transmission du message aux autres alcooliques, de jour et de nuit, pouvait lui faire oublier l'alcool. Bien que sa passion pour l'alcool fut difficile à refréner, elle compte sans doute pour beaucoup dans l'intense désir qu'il avait de former le premier groupe des A.A. à Akron. La libération spirituelle de Bob n'est pas venue facilement; elle devait être douloureusement lente. Elle a toujours exigé de lui le plus dur travail et la plus grande vigilance. Pourtant, il ne semblait souffrir d'aucun trouble nerveux grave. Comme il le disait souvent: «C'est simple. J'aimais le goût de l'alcool».

Lorsque je fis sa connaissance, cet attrait incontrôlable l'avait presque tué. Son habileté de chirurgien était encore reconnue, mais peu de ses collègues ou de ses patients osaient encore lui faire confiance. Il avait perdu son poste au *Akron's City Hospital* et réussissait à peine à subsister grâce à une pratique de médecine générale précaire, qui diminuait de plus en plus. Endetté par dessus la tête, il échappait de justesse à l'huissier et réussisait tout juste à payer son hypothèque. Anne était au bord d'une dépression nerveuse et naturellement les deux enfants étaient gravement bouleversés. Tel était le bilan de ces vingt-cinq années d'alcoolisme. Le mot espoir ne faisait plus partie de leur vocabulaire.

Durant notre première conversation, j'insistai surtout sur l'impuissance totale de la médecine dans son cas, empruntant beaucoup les termes du Dr Silkworth lorsqu'il qualifiait le dilemme de l'alcoolique d'une «obsession doublée d'une allergie». Même si Bob était médecin, je lui apprenais une nouvelle, et même une mauvaise nouvelle. Toujours plus versé que moi dans les questions spirituelles, il avait été peu frappé par mes allusions à la spiritualité. Même s'il était incapable de les mettre à profit, il connaissait déjà toutes les réponses spirituelles. Mais, l'aspect médical, le verdict de l'inévitable annihilation eut vraiment l'effet d'un coup de massue. Le choc que j'ai provoqué fut encore plus foudroyant parce que j'étais un alcoolique et parce que mes opinions provenaient de mon expérience personnelle.

En lisant l'histoire du Dr Bob, telle que rapportée dans le livre des Alcooliques Anonymes, et la dernière conférence magistrale qu'il prononça à Détroit quelques années plus tard, on constate que Bob est très clair sur ce point. Ce n'est pas l'enseignement spirituel que j'ai pu lui donner, mais ces deux ogres, la folie et la mort, l'allergie doublée d'obsession, qui le mirent sur la voie d'une nouvelle vie. C'était l'opinion du Dr Silkworth, confirmée par William James, qui l'avait le plus profondément frappé.

Voyez-vous, notre conversation fut un échange tout à fait réciproque. J'avais cessé de prêcher: je savais que j'avais besoin de cet alcoolique tout autant que lui avait besoin de moi. *La solution était là.* Et cette attitude qui nous porte mutuellement à donner et à recevoir demeure, encore aujourd'hui, au cœur de l'activité de Douzième Étape des Alcooliques Anonymes. C'était ainsi qu'il fallait transmettre le message. Le chaînon final qui manquait se trouvait là, dans ma première conversation avec le Dr Bob.

À ma grande surprise, je reçus une aide financière inattendue de mes associés de New York et je passai cet été de 1935 à Akron afin de continuer la bataille de procuration. Encore inquiète des réactions du Dr Bob, Anne m'invita à habiter chez-eux, au 855 de l'Avenue Ardmore. Je me souviens, comme si c'était hier, de nos méditations matinales. Assise dans le coin près du foyer, Anne nous lisait un passage de la Bible, puis nous attendions en silence l'inspiration sur la voie à suivre.

Un matin, trois ou quatre semaines après la débâcle de la Fête des Mères, le Dr Bob me regarda et me dit: «Bill, je devrais me rendre à Atlantic City pour assister à notre congrès médical. Je n'en ai pas manqué un seul depuis longtemps. Ne crois-tu pas que je devrais y aller?» Très effrayée, Anne s'écria: «Oh! non, non!» Mais réalisant qu'il lui faudrait faire face à la musique un jour ou l'autre, je répondis: «Eh bien! pourquoi n'irais-tu pas? Après tout, nous devons apprendre à vivre dans un monde où l'alcool est omniprésent». Et lentement, le Dr Bob me dit: «Je crois que tu as peut-être raison».

Il se rendit donc au congrès médical d'Atlantic City et nous sommes demeurés plusieurs jours sans recevoir de ses nouvelles. Puis, un matin, l'infirmière attachée à son bureau nous téléphona: «Il est ici, chez moi!» dit-elle. «Mon mari et moi l'avons cueilli sur le quai de la gare à quatre heures ce matin. Venez donc voir ce que vous pourriez faire».

Après avoir ramené Bob à la maison et l'avoir installé dans son lit, nous avons fait une découverte inquiétante. À trois jours de là, Bob devait pratiquer une opération qu'il était le seul à pouvoir effectuer. Il fallait absolument qu'il fasse ce travail lui-même et voilà qu'il tremblait comme une feuille. Réussirions-nous à le remettre sur pied à temps? Jour et nuit, nous nous sommes relégués, Anne et moi, à son chevet. Au petit matin du jour prévu pour l'opération, il était presque sobre. J'avais passé la nuit dans sa chambre. En jetant un coup d'œil du côté de son lit, je vis qu'il était bien réveillé, mais qu'il tremblait encore. Je n'oublierai jamais son regard lorsqu'il me dit: «Bill, je vais passer à travers». J'ai cru qu'il parlait de l'opération. «Non», ajouta-t-il, je veux parler de cette chose dont nous avons causé».

À neuf heures, j'allai le conduire à l'hôpital avec Anne. Je lui donnai une bouteille de bière pour calmer ses nerfs et lui permettre de tenir le scalpel; et il entra. De retour à la maison, nous nous sommes assis et nous avons attendu. Après un laps de temps qui nous parut une éternité, il téléphona pour nous annoncer que tout s'était bien passé. Mais il ne revint à la maison qu'au bout de plusieurs heures. Malgré son extrême tension, il avait quitté l'hôpital et pris le volant de sa voiture pour aller rendre visite à tous ses créanciers et à tous ceux qu'il avait lésés par sa conduite. C'était le 10 juin 1935. À partir de ce jour jusqu'à sa mort, quinze ans plus tard, le Dr Bob n'a jamais pris une goutte d'alcool.

Le lendemain, il me dit: «Bill, ne crois-tu pas qu'il serait extrêmement important pour nous de travailler auprès d'autres alcooliques? Ne serions-nous pas plus en sécurité si nous étions actifs?» Je répondis: «Oui, c'est précisément ce que nous devons faire. Mais, où trouver d'autres alcooliques?» — «Il y en a toujours une multitude au *Akron City Hospital*», me dit-il. «Je vais leur téléphoner et m'informer de la situation», S'adressant à une infirmière de ses amies au Centre d'admission de l'hôpital, le Dr Bob lui expliqua qu'un visiteur de New York avait trouvé un moyen de guérir l'alcoolisme. (À cette époque, nous parlions de guérison.) Mais l'infirmière connaissait le Dr Bob depuis longtemps et rétorqua: «Vous m'en direz tant, Dr Bob! Vous n'allez pas me raconter que vous avez essayé cette cure sur vous-même!» — «Vous ne pourriez mieux dire», lui répondit Bob.

Notre nouveau client n'était pas en état de nous recevoir. Mais deux jours plus tard, le Dr Bob et moi nous trouvions au chevet de notre premier «candidat alité». C'était Bill D., le membre numéro 3, dont nous pouvons lire l'histoire dans la seconde édition du Gros Livre. Bill avait encore les yeux passablement vitreux. Néanmoins, il parut vivement intéressé lorsque le Dr Bob et moi lui avons révélé la mauvaise nouvelle sur le plan médical au sujet de l'allergie et de l'obsession. Mais lorsque nous avons abordé l'aspect spirituel, il hocha la tête et dit: «Non, je suis rendu trop loin pour cela. J'ai toujours cru en Dieu. J'ai déjà été diacre à l'église. Mais durant les quatre derniers mois, je suis entré dans cet hôpital et j'en suis sorti à six reprises. Cette fois, victime du délirium tremens, j'ai même été jusqu'à frapper violemment une infirmière. Je sais que je ne peux même pas aller de l'hôpital à ma résidence sans prendre un verre. J'ai peur de sortir. Non, il est trop tard pour moi. Je crois encore en Dieu, c'est vrai, mais je sais fort bien que Lui ne croit plus en moi».

«Alors, Bill», lui avons-nous demandé, «pouvons-nous revenir te voir demain?» — ««Oui», répondit-il, «vous, les copains, me comprenez bien. J'aimerais sûrement vous revoir». Le lendemain, nous le trouvions en train de bavarder avec sa femme Henrietta. Bill nous montra du doigt et lui dit: «Ce sont les gars dont je t'ai parlé. Ils connaissent le problème. Ils le comprennent».

Alors, Bill nous raconta comment, au cours de la nuit, un espoir était né en lui. Si Bob et moi étions capables d'arrêter, lui aussi le serait. Peut-être pourrions-nous réussir ensemble le travail que nous avions raté séparément. Deux jours plus tard, Bill dit à Henrietta: «Donne-moi mes vêtements. Je me lève et je m'en vais d'ici». À sa sortie de l'hôpital, Bill était devenu un homme libre et il n'a jamais pris d'alcool par la suite. L'étincelle qui devait donner la flamme au premier groupe des A.A. venait de jaillir.

Nous nous sommes mis à l'œuvre, le Dr Bob, Bill D, et moi. Nous nous sommes dépensés sans compter auprès d'autres alcooliques en stage au *City Hospital.* Nous avons essuyé une longue série d'échecs. Notre fiasco le plus remarquable fut sans doute celui d'Eddie. En fait, le Dr Bob et moi l'avions approché juste avant notre première visite à Bill D. Chaque fois qu'Eddie s'enivrait, il menaçait de sauter en bas des quais de Cleveland. Un jour, alors qu'il était en colère, il avait voulu donner plus de poids à son opinion en nous menaçant d'un couteau, Anne et moi. Finalement, il réussit à s'accrocher et m'écrivait récemment qu'il compte maintenant sept années d'une merveilleuse sobriété. Eddie, notre soi-disant «premier échec», représente maintenant un succès.

Puis, d'une autre source, nous arriva un coup de chance. Je crois que cet événement marqua le début des A.A. chez les jeunes. Ce nouveau, Ernie, avait été un vrai dur. Pourtant il comprit très vite et devint le membre numéro 4 des A.A. Si ma mémoire est fidèle, nous n'avons recruté que deux autres membres durant tout cet été-là à Akron. Au mois de septembre, les promoteurs qui m'avaient chargé de recueillir les procurations se découragèrent de nouveau. Je dus retourner chez moi à New York.

Je veux dès maintenant inscrire dans nos annales l'éternelle reconnaissance que les A.A. doivent à Henrietta Seiberling, qui orchestra cette première rencontre entre le Dr Bob et moi-même. Des dix personnes que m'avait suggérées le Révérend Walter Tunks, Henrietta fut la seule qui ait compris et qui ait consenti à s'impliquer. Et ce n'était que le début de sa mission. Au cours de ce premier été à Akron, elle distribua ses conseils affectueux à plusieurs familles d'alcooliques, tout comme Anne le faisait. Bien que non-alcoolique, Henrietta manifesta beaucoup d'affinités avec nous. Tous appréciaient sa rare perspicacité dans le domaine spirituel et l'aide qu'elle pouvait apporter. Le Mouvement des A.A. a contracté envers elle une dette de reconnaissance que personne ne pourra jamais évaluer. Et le Dr Bob ainsi que moi-même lui devons encore plus que tous les autres.

Au moment où je retournais chez moi, j'avais acquis un peu plus d'humilité, un peu plus de compréhension et beaucoup plus d'expérience. Très lentement, un groupe se forma à New York. Après m'avoir prodigué ses soins durant toutes ces années, Lois trouvait qu'elle n'en avait pas encore fait suffisamment. Elle pensa qu'il serait merveilleux de remplir d'alcooliques la vieille maison de la rue Clinton. Sa mère était décédée et son père, un médecin, avait quitté la ville. Alors, pourquoi pas? Nous croyions pouvoir nourrir tout ce monde à prix modique et acquérir une grande connaissance de l'alcoolisme. Aucun de nos pensionnaires ne cessa de boire! Mais nous avons appris beaucoup de choses. Nous hébergions généralement jusqu'à cinq alcooliques et parfois ils étaient tous ivres en même temps. Un jour, en arrivant à la maison, nous en avons surpris un en train de faire tournoyer un madrier au-dessus de la tête d'un autre pensionnaire dans le sous-sol. Je ne me souviens plus de la cause de leur querelle. Une autre fois, nous nous sommes absentés durant une semaine, laissant un seul protégé à la maison, et à notre retour nous l'avons retrouvé mort. Il s'était suicidé.

Nous avons continué notre action auprès des alcooliques. Certains d'entre eux venaient du groupe d'Oxford de Sam

Shoemaker, d'autres de la *Calvary Mission*, d'autres du *Charlie Town's Hospital*, où le bon Dr Silkworth risquait sa réputation en nous permettant de visiter ses patients. Cependant, Lois et moi nous rendions de plus en plus compte que si nous permettions aux alcooliques de demeurer trop dépendants de nous, ils auraient tendance à continuer à boire. Au cours de l'automne 1935, une réunion hebdomadaire commença à s'organiser dans notre salon de Brooklyn. Malgré les nombreux échecs, un groupe vraiment solide prit forme. Il y eut d'abord Henry P., puis Fitz M., tous les deux des patients du *Towns Hospital*. À leur exemple, d'autres personnes trouvèrent la voie d'un rétablissement véritable.

À New York, jusqu'au milieu de l'année 1937, nous avons œuvré de concert avec les groupes d'Oxford. Mais à la fin de cette même année, nous décidions à regret de nous séparer de ces excellents amis. Naturellement, ils n'entretenaient pas une très haute opinion de notre objectif, restreignant notre intervention auprès des seuls alcooliques. Quant à nous, nous demeurions convaincus que notre modeste contribution ne les aiderait pas beaucoup à sauver le monde entier. Mais nous devenions chaque jour de plus en plus certains de pouvoir aider plusieurs alcooliques à trouver la sobriété.

Les membres des groupes d'Oxford nous avaient clairement tracé le chemin. Et, ce qui est tout aussi important, ils nous avaient également appris ce qu'il nous fallait éviter dans nos relations avec les alcooliques. Nous avions découvert que certaines idées ou attitudes des groupes d'Oxford n'avaient absolument aucun effet sur les alcooliques. Par exemple, les buveurs ne tolèrent aucune forme de pression, si ce n'est celle de l'alcool. Ils sont habitués à être dirigés, mais non contraints. Les alcooliques trouvaient insupportable l'évangélisation pressante des groupes d'Oxford et ils refusaient le principe, trop autoritaire, de la «direction de groupe» dans leur vie personnelle. Dans d'autres domaines également, nous nous rendions compte qu'il fallait nous hâter lentement. Lors des premières rencontres, la plupart des alcooliques recherchaient la sobriété, rien de plus. Ils se cramponnaient à leurs autres défauts, ne les abandonnant que petit à petit. Ils ne voulaient tout simplement pas devenir «trop bons, trop vite». Les principes absolus des groupes d'Oxford: la pureté absolue, l'honnêteté absolue, le désintéressement absolu et la charité absolue, leur semblaient des objectifs trop élevés pour des alcooliques. Ces idées devaient leur être servies à la cuillère et non à la tonne.

De plus, ces expressions «d'absolu» étaient particulières aux groupes d'Oxford. L'usage de cette terminologie risquait de porter un certain public à nous identifier aux membres des groupes d'Oxford, même si nous nous étions complètement séparés d'eux.

Nous faisions également face à une autre difficulté. À cause du stigmate qui demeurait attaché à l'alcoolisme, la plupart de nos candidats désiraient demeurer anonymes. Nous avions peur également que certaines personnes notoires dévoilent leur anonymat et s'enivrent en public, détruisant ainsi la confiance que les gens avaient en nous. Les groupes d'Oxford, au contraire, comptaient énormément sur la diffusion des noms de personnages importants, sans doute avantageuse pour eux, mais dangereuse pour nous. Cependant, notre dette envers eux était, et demeure toujours, immense, et rendit la séparation finale très pénible.

À Akron, le groupe continuait à recruter de merveilleux amis. Mentionnons d'abord T. Henry Williams et sa femme Clarace, tous deux membres des groupes d'Oxford. Avec Henrietta, ils avaient tenté à maintes reprises de secourir le Dr Bob. En plusieurs occasions, ils s'étaient engagés à fond dans l'analyse de leurs propres défaillances pour favoriser une plus grande identification personnelle avec Bob. Ces conversations l'avaient vivement impressionné et l'avaient sans aucun doute préparé à partager avec moi lors de notre première rencontre. J'avais connu T. Henry à l'époque de mon travail à Akron. Dans toute cette guerre de procurations, il avait perdu un excellent emploi. Il avait cependant le cœur assez grand pour accepter d'ouvrir les portes de sa maison aux alcooliques lors des réunions de ses amis des groupes d'Oxford. J'ai bien peur que ces buveurs incorrigibles de la première heure aient souvent donné du fil à retordre aux Williams avec leurs histoires à faire dresser les cheveux et les brûlures de cigarettes sur leurs tapis.

Mais, T. Henry et Clarace nous traitèrent toujours avec la plus grande générosité et la plus grande bonté. Aucun d'entre nous ne pourra jamais oublier l'atmosphère chaleureuse qui régnait dans leur maison et leur influence spirituelle sur ce craintif petit groupe des alcooliques d'Akron, alors que chacun se demandait lequel d'entre eux aurait la prochaine rechute. Ce n'est que plus tard, et bien après la publication du Gros Livre, que nos membres d'Akron se retirèrent des groupes d'Oxford et de la maison qui les avait si bien accueillis. T. Henry et Clarace figureront toujours au premier rang des pionniers du Mouvement des A.A.

Graduellement, les groupes de New York et d'Akron commencèrent à se multiplier. De New York, nous nous étendions jusqu'à Philadelphie et Washington. À Akron, ils commençaient à recevoir des visiteurs de Cleveland: Clarence, Dorothy, Abby et tant d'autres merveilleux amis. Le ferment des A.A. commençait à donner des résultats et à se répandre.

En 1937, je retournai à Wall Street pour une brève période. À l'automne de cette même année, une autre dépression s'abattait sur les États-Unis et je me retrouvai soudainement sans emploi. Je partis pour l'ouest dans le but de me chercher un travail dans le monde de la finance à Détroit et à Cleveland. Mes démarches furent stériles. Mais ce voyage me procura la chance de rendre au Dr Bob une visite dont j'avais grand besoin. C'était un jour de novembre. Le Dr Bob et moi étions assis dans son salon, dénombrant nos cas de rétablissement. Il y avait eu un nombre incalculable d'échecs, mais nous pouvions nous réjouir du succès éclatants. Plusieurs alcooliques, déjà considérés comme des cas désespérés, étaient maintenant sobres depuis quelques années, un phénomène nouveau. Ils étaient environ une vingtaine. Au total, nous estimions que plus de quarante alcooliques avaient retrouvé une solide sobriété.

En refaisant soigneusement notre calcul, il nous apparût qu'une lumière nouvelle brillait dans le monde obscur de l'alcoolisme. En dépit de la rechute d'Ebby, le Dr Bob et moi-même avions tout de même provoqué une faible réaction à chaîne, d'un alcoolique portant la bonne nouvelle au suivant. Nous pouvions supposer qu'elle ferait le tour du monde. Quelle réalisation formidable! Enfin, nous en étions certains. Il n'était plus question d'aller à l'aveuglette. Nous pleurions de joie. Bob, Anne et moi baissions la tête en signe de gratitude silencieuse.

Une pensée maîtresse nous fit alors redescendre sur terre. Cette connaissance, ce précieux savoir, étaient encore entre les mains d'un trop petit nombre d'entre nous. Faudrait-il que chaque alcoolique fasse le voyage à New York ou à Akron pour se rétablir! Non, là n'était pas la solution; inutile d'y penser. Alors, comment diffuser notre message? Nous nous souvenions à regret que les alcooliques, même sobres, sont loin d'être adultes. Nous pouvions encore être terriblement indisciplinés. Les forces qui divisent la société partout dans le monde finiraient-elles par nous envahir et nous briser comme elles avaient déjà envahi et détruit le groupe prometteur qui s'était formé à Washington un siècle auparavant? Comment réussir à nous tenir ensemble et à nous accrocher à notre nouvelle ceinture de sauvetage, tissée des fils de la médecine, de la religion et de notre propre expérience? Pouvions-nous porter le message à l'alcoolique éloigné? Pouvions-nous croître rapidement et vigoureusement?

Nous étions conscients de notre lourde responsabilité. Heureusement, nous étions aussi conscients de notre grande foi, une foi qui nous transporterait plus loin, beaucoup plus loin.

Mais cet après-midi là, dans le salon du Dr Bob, je dois vous avouer que nous ne connaissions aucune des réponse à ces énigmes. Pourtant, ce soir, seulement dix-huit ans plus tard, nous sommes plusieurs milliers dans ce vaste auditorium, où nous pouvons nous voir, nous entendre et nous toucher. Unis dans la fraternité indissoluble de la souffrance commune et d'une libération mondiale, nous savons maintenant que le Mouvement des A.A. est assuré de vivre. Cette grande assemblée ne représente qu'une infime partie des milliers de groupes et des 200,000 membres dans 70 possessions américaines et pays étrangers. Nous croyons que cette foule n'est qu'un embryon des multitudes à venir.

Si seulement le Dr Bob pouvait être parmi nous ce soir pour exprimer de vive voix les émotions que nous ressentons si profondément! Ceux d'entre nous qui le connaissent bien peuvent presque le voir et l'entendre. Avec nous, il s'exclame: «Voilà l'œuvre de Dieu!»

LES DOUZE TRADITIONS

1. Notre bien-être commun devrait venir en premier lieu; le relèvement personnel dépend de l'unité des A.A.
2. Pour le bénéfice de notre groupe, il n'existe qu'une seule autorité ultime, un Dieu d'amour comme il peut se manifester dans la conscience de notre groupe. Nos chefs ne sont que de fidèles serviteurs; ils ne gouvernent pas.
3. La seule condition requise pour devenir membre des A.A. est un désir d'arrêter de boire.
4. Chaque groupe devrait être autonome, sauf lorsque son action touche d'autres groupes ou A.A. dans son ensemble.
5. Chaque groupe n'a qu'un but primordial, transmettre son message à l'alcoolique qui souffre encore.
6. Un groupe A.A. ne doit jamais endosser, financer des groupements connexes ou étrangers ni leur prêter le nom de A.A. de peur que des soucis d'argent, de propriété et de prestige ne nous distraient de notre but premier.
7. Chaque groupe A.A. doit subvenir entièrement à ses besoins, refusant les contributions de l'extérieur.
8. A.A. devrait toujours demeurer non-professionnel, mais nos centres de service peuvent engager des employés spéciaux.
9. A.A. comme tel, ne devrait jamais être organisé; cependant nous pouvons constituer des conseils de service ou des comités directement responsables envers ceux qu'ils servent.
10. A.A. n'exprime jamais d'opinion sur des sujets étrangers; le nom de A.A. ne doit jamais être mêlée à des controverses publiques.
11. La politique de nos relations publiques est basée sur l'attrait plutôt que sur la réclame; nous devons toujours garder l'anonymat dans nos rapports avec la presse, la radio, la télévision et le cinéma.
12. L'anonymat est la base spirituelle de nos traditions, nous rappelant toujours de placer les principes au-dessus des personnalités.

L'UNITÉ: LE DEUXIÈME LEGS

Aujourd'hui, nous, les membres des A.A., sommes unis et nous savons que nous demeurerons unis. Nous sommes en paix les uns avec les autres et avec notre entourage. Nous avons réglé un si grand nombre de nos problèmes que notre avenir est assuré. Les difficultés d'hier ont engendré les bienfaits d'aujourd'hui.

Notre histoire n'est pas une banale histoire de réussite; elle raconte plutôt comment, par la grâce de Dieu, une force insoupçonnée a surgi d'une grande faiblesse; comment, sous la menace de désunion et d'effondrement, furent forgées une unité et une fraternité à la grandeur du globe. Nous avons dégagé de cette expérience un ensemble de principes traditionnels qui nous permettent de travailler et de vivre ensemble, tout en faisant de nous des membres du monde qui nous entoure. Ces principes s'appellent les Douze Traditions des Alcooliques anonymes. Ils sont le fruit de notre expérience et représentent la force sur laquelle nous nous appuyons pour maintenir notre unité face aux défis ou aux dangers que l'avenir peut nous réserver.

Il n'en fut pas toujours ainsi. Dès le début, nous avons constaté que le rétablissement de quelques alcooliques ne résolvait pas automatiquement le problème de les faire travailler et de les faire vivre ensemble. C'était donc vers un avenir incertain que nous dirigions notre regard, de la fenêtre du salon du Dr Bob en 1937, alors que pour la première fois nous entrevoyions comme possible le rétablissement d'un grand nombre d'alcooliques. Le monde autour de nous, le monde des gens plus normaux que nous était déchiré. Nous, alcooliques rétablis, pourrions-nous tenir le coup ensemble? Serions-nous capables de transmettre le message des A.A.? Réussirions-nous à fonctionner comme groupes et comme entité? Nul ne pouvait l'affirmer. Nos amis les psychiatres, avec raion d'ailleurs, avaient commencé à nous mettre en garde: «L'émotivité qui bouillonne au sein de cette société d'alcooliques représente de la vraie dynamite. L'a névrose qu'on trouve dans cette organisation peut la faire éclater en mille miettes». Lorsque nous buvions, nous étions certes passablement explosifs. Maintenant que nous étions sobres, ne risquions-nous pas de provoquer notre éclatement avec les ivresses sèches et les sursauts émotifs.

Quand je pense à des explosions, je pense toujours à mon ami Icky. À Houston, au Texas, on l'appelle «l'homme à la dynamite». Icky est un expert en explosifs, en démolition. Pendant la guerre, il faisait sauter les ponts derrière les Russes qui battaient en retraite. Après la guerre, il reprit son métier et je crois qu'il commit la même erreur que ce pauvre diable a faite l'autre jour à Londres. Ce londonien alcoolique se retrouva devant un magistrat. Il avait été arrêté pour cause d'ébriété avancée. Sa bouteille d'alcool était vide. «L'avez-vous bue en entier?», lui demanda le magistrat. «Oh! oui», répondit notre homme. «Pourquoi l'avez-vous complètement vidée?», fit le juge. «Parce que j'avais perdu le bouchon», répliqua notre alcoolique. Sans doute que notre ami Icky, à Houston, avait lui aussi perdu le bouchon de sa bouteille. Il avait été chargé de dynamiter un certain quai dans le port d'Houston et il avait fait sauter le mauvais!

À nos débuts, nous nous posions une grave question: «Allions-nous faillir ou bien réussirions-nous à demeurer ensemble?» Aujourd'hui nous avons les réponses. Cette réunion d'anniversaire à Saint-Louis prouve amplement que nous sommes demeurés unis.

Naturellement, le travail de pionnier chez les A.A. n'est pas terminé. J'espère qu'il ne cessera jamais. Nous nous sentons en sécurité aujourd'hui, mais à l'heure où je vous parle, dans des pays lointains, les pionniers du Mouvement rencontrent les mêmes problèmes et les mêmes tâtonnements que nous à nos débuts. Par exemple, le bureau de New York recevait dernièrement une lettre d'un Père Jésuite, missionnaire en Inde. Il nous racontait l'histoire d'un instituteur indien qui possédait une vache et une minuscule parcelle de terrain. Sa femme était sourde comme un pot et sa sœur, comme lui, buvait comme un trou. Son salaire d'instituteur était d'environ cinquante cents par jour. Le Jésuite lui avait traduit les Douze Étapes des A.A. Malgré la surdité de sa femme, malgré sa sœur autoritaire et alcoolique, notre homme demeurait sobre. Nous savons que cet Hindou solitaire éprouve probablement les mêmes inquiétudes que le Dr Bob et moi avons ressenties dans le salon là-bas à Akron. Ce pionnier indien se demande probablement: «Est-ce que je pourrai tenir par moi-même? Suis-je capable de transmettre le message? Serai-je apte à former un groupe?» Oui, il se pose ces mêmes questions, mais il sera bientôt en communication avec le bureau mondial et nous pourrons l'assurer à distance que nous sommes tous avec lui et qu'il peut puiser à même notre expérience.(3).

Presque dans le même courrier, nous recevions une lettre d'un ministre presbytérien œuvrant sur un autre front des A.A. Il écrivait: «Depuis longtemps, j'essaie de former un groupe, ici, en Thaïlande. Récemment, un Thai très cultivé, parlant couramment l'anglais, est venu me voir. Il souffrait terriblement de son alcoolisme et voulait désespérément se rétablir. Il a maintenant acquis une période de sobriété prometteuse et désire ardemment traduire toute la littérature des A.A. en siamois. Nous avons déjà commencé, lui et moi, à former des groupes. Pouvez-vous nous aider». Et le ministre ajoutait: «Nous avons apporté les Douze Étapes des A.A. dans le plus grand monastère bouddhiste de la province. Nous les avons montrées au chef des prêtres. Lorsqu'il eut fini de les étudier, il s'écria: 'Mais, ces Étapes sont excellentes! Vu que nous sommes bouddhistes et que nous n'avons pas la même conception de Dieu que vous, ces Étapes seraient un peu plus acceptables, si vous aviez mis le mot «bien»

(3) Selon un dernier relevé, en 1977, il y avait plus de 570 membres en Inde.

au lieu de «Dieu». Cependant, vous parlez dans ces Étapes de Dieu *tel que vous Le concevez.* C'est assez clair pour nous. Oui, les Douze Étapes des A.A. seront certainement acceptées par les bouddhistes de la région'».

Pour certains d'entre nous, l'idée de remplacer «Dieu» par «Bien» dans les Douze Étapes peut paraître comme un appauvrissement du message des A.A. Mais nous devons nous rappeler que les Douze Étapes ne sont que des suggestions. Notre appartenance au Mouvement ne dépend aucunement de notre acceptation des Étapes dans leur formulation courante. Cette liberté a rendu le Mouvement accessible à des milliers d'alcooliques qui n'y seraient jamais venus si nous leur avions imposé de suivre le texte des Étapes à la lettre. Mais les modifications qu'on leur apporte ne durent jamais longtemps. On revient généralement à la version originale. Nous en avons fait la preuve en Amérique et il est fort probable que les membres arriveront à la même conclusion dans plusieurs pays lointains. On peut amener des alcooliques à croire en Dieu, mais on ne peut les y forcer.

Et maintenant, que signifient ces récits? Ils annoncent tout simplement que notre Mouvement réussira à s'implanter en Inde, en Thaïlande et dans bien d'autres pays éloignés où se trouvent des alcooliques. Ils éprouveront les mêmes peurs que nous à nos débuts, mais nous serons là pour les aider et les rassurer.

Parlant de frayeur, voici une histoire qui est parvenue à notre bureau. Il paraît que le Mouvement des A.A. vient de débuter à Tokyo. Comme d'habitude, les premiers membres se recrutèrent parmi des Américains alcooliques auxquels se joignirent des Japonais. Ceux-ci formèrent bientôt un fort contingent dont on disait le plus grand bien. Puis, un jour, un Japonais se présenta à notre bureau de New York. Il avait appris que ses compatriotes avaient formé des groupes des A.A. en terre natale. Il commença à leur écrire pour s'informer de leurs activités. Et ce jour-là, dans un état de grande agitation, il nous annonça: «Il se passe des choses épouvantables au Japon! Saviez-vous qu'il existe là-bas deux sortes de A.A.? Naturellement, ils ont les Douze Étapes telles que nous les connaissons ici, mais voici qu'un autre leader des A.A. a écrit Dix Étapes et exige un prix d'admission de cent yens pour assister aux réunions!»

Il fut un temps où cette sorte d'hérésie nous aurait causé une crainte mortelle. Aujourd'hui, nous nous contentons d'en sourire. Nous savons qu'avant longtemps le bon sens et l'expérience auront gain de cause. Ils vont s'apercevoir que nul ne peut devenir un professionnel de la Douzième Étape. Et ce pionnier, bien intentionné, qui se trompe, finira par reconnaître son erreur. Il réalisera, en dernière analyse, que l'alcoolisme est une recherche de survivance dans laquelle le bien est quelquefois l'ennemi du meilleur, et que seul le meilleur peut mener au véritable bien.

On pourrait encore raconter beaucoup de choses sur les pionniers des A.A. dans les pays lointains. Il existe par exemple une radio-communication constante, de jour et de nuit, entre les pétroliers de l'Atlantique et ceux du Pacifique. Il y a le bon vieux capitaine Jack à bord d'un vaisseau-citerne de la Standard Oil qui fait escale dans tous les ports du monde; il distribue la littérature des A.A. partout où il débarque et se met à la recherche des barmans, des médecins et des membres du clergé susceptibles de l'aider à dénicher des candidats. Tout récemment, un groupe des A.A. se formait à Florence, en Italie, parce qu'un marin, membre des A.A., y fit escale et rencontra un candidat par l'entremise d'un barman. Combien de groupes ont connu des débuts incroyables et fantastiques. Il est devenu presque littéralement vrai que là où deux ou trois d'entre nous se réunissent en Son Nom, ils forment un groupe.

Laissez-moi vous raconter la merveilleuse légende du groupe des A.A. tout là-bas à Point Barrow, en Alaska. Deux prospecteurs se trouvaient dans une cabane, avec une caisse de scotch. La température baissa jusqu'à cinquante degrés sous zéro. Ils s'enivrèrent et le feu s'éteignit. Par chance, l'un d'eux s'éveilla à temps pour rallumer le feu, échappant de près à la mort par le gel. En furetant, à l'extérieur, à la recherche de combustible, il regarda dans un baril plein de glace et remarqua dans le fond la présence d'un objet orange. Il fit fondre la glace et découvrit que l'objet mystérieux était un livre des A.A. L'un d'eux le lut et devint sobre. La légende veut qu'il soit devenu le fondateur d'un des groupes les plus reculés du Grand Nord, peut-être celui qui compte maintenant un si grand nombre d'Eskimaux. Aux dernières nouvelles, ces groupes de l'Alaska étaient en communication quotidienne avec nos membres de la base aérienne du Groenland.

Le mouvement des Alcooliques anonymes fut fondé en Irlande en 1946, lorsque Connor F., propriétaire d'une taverne à Philadelphie, décida d'aller passer des vacances dans l'île d'Émeraude avec sa femme. En arrivant à Dublin, ils se dirent: «Oublions les vacances et formons un groupe ici». Ils prirent donc le chemin d'un hôpital pour malades mentaux dans la région, celui-là même qui bénéficiait des dons de l'auteur-clergyman Swift, et c'est là qu'ils trouvèrent leur premier candidat Richard P., et que le mouvement des A.A. commença à prendre racine en Irlande. Incidemment, le groupe de Dublin s'est mérité une renommée spéciale grâce à son correspondant mondial, l'honorable secrétaire Sackville. Lorsqu'il s'agit d'aider des alcooliques par correspondance, il détient sans contredit le championnat du monde.

Le début des A.A. en Angleterre en 1947 est frappant. Il y a un certain nombre d'années, Bob B., un ingénieur minier canadien se rendit à Londres où il fit la connaissance de Bill H., un alcoolique, marchand de légumes. Par correspondance avec New York, deux ou trois Anglais luttaient déjà pour leur sobriété. Mais l'entrée en scène de ces deux nouveaux-venus produisit bientôt l'avènement d'un groupe actif. Comme résultat, Londres et même l'Angleterre tout entière fourmillent de groupes aujourd'hui. Au début, cependant, ils rencontrèrent tellement de résistance en Grande-Bretagne que seul le *Financial Chronicle* acceptait de publier une annonce au sujet des A.A. Tous les autres journaux anglais craignaient une fraude.

L'inverse se produisit lorsqu'un noble écossais, Philip, fit un voyage en Amérique. Il était venu dans l'intention de se renseigner sur l'*International Christian Leadership Movement*, où il rencontra un groupe d'hommes d'affaires intéressés à promouvoir la présence de Dieu dans l'industrie par le truchement des déjeuners de prière et de planification. Philip croyait pouvoir lancer en Écosse l'idée des clubs de déjeuner et espérait que cette bonne action l'aiderait à se libérer de son penchant fatal pour la bouteille. Dès la première réunion, il fit la connaissance de George R., un membre chevronné des A.A. à Philadelphie. Sans plus de préambule, George lui présenta le Mouvement sous son aspect spirituel. Le chef d'un des plus anciens clans de l'Écosse devint sombre sur le coup. Il ramena le programme des A.A. dans sa terre natale et bientôt la sobriété se répandit parmi les Écossais alcooliques, à partir des pourvoyeurs de navires de Glasgow jusqu'aux membres de la haute société d'Edimbourg.

Le groupe canadien des A.A. est également de la meilleure qualité. Au cours de l'année 1940, un pilier de la température à Toronto présenta le Gros Livre à un alcoolique qui avait résisté à toutes les techniques de rétablissement. Une fois de plus, le livre des A.A. fut efficace, et ensemble ces deux hommes exposèrent plusieurs alcooliques incorrigibles de Toronto à la contagion de notre Mouvement qui, par le processus de la multiplication, se répandit bientôt dans chaque ville de la province d'Ontario. Cet excellent ami, George Little, qui était Ministre du culte en même temps qu'apôtre de la tempérance, fut grandement désappointé de constater que son étrange nouveau troupeau n'était nullement intéressé à empêcher tout le monde de boire. Ces premiers A.A. canadiens insistaient sur le fait que leur seul désir était d'attirer les alcooliques qui désiraient le Mouvement. Pour la première fois on démontrait que notre Mouvement ne deviendrait jamais une croisade d'abstentionnisme. Cette réalité n'a cessé d'intriguer plus d'un apôtre de ces croisades de tempérance. Cette première percée de l'autre côté de la frontière fut suivie d'une autre en 1941, lorsque le groupe No. 2 s'installa à Windsor, Ontario, de l'autre côté de la rivière, en face de Détroit.[4].

À Vancouver, en Colombie-Britannique, ce furent également un non-alcoolique et un alcoolique qui s'associèrent dès le début. Cette fois, un confiseur, imbu de civisme, passa le Gros Livre à Charlie B., un courtier en immeubles. Inspirés par le message du Mouvement et pleins d'énergie, ces deux compères ratissèrent en hâte la ville de Victoria et la moitié de la province. Bientôt, le Mouvement des A.A. devenait une réalité en Colombie-Britannique. Après un certain temps, le message s'étendit vers l'est dans les prairies de l'Alberta, de la Saskatchewan et du Manitoba.

Entre temps, Montréal avait commencé à mijoter. Dave B., fondateur du groupe de Montréal et champion de la Douzième Étape, avait trouvé la sobriété en lisant le Gros Livre que sa sœur lui avait fait parvenir. C'est ainsi que nous avons vu arriver les premiers membres de langue française. Je me rappellerai toujours cette première Conférence provinciale où j'entendis réciter le Notre Père en français pour la première fois. En temps et lieu, le Mouvement des A.A. s'établit solidement à Terre-Neuve et dans les Provinces de l'Atlantique. Ainsi attaquées sur deux flancs, les villes de Québec et de Trois-Rivières ne tarderont pas à former leurs propres groupes. Le clergé du Québec, tout d'abord sceptique, compte maintenant parmi les plus ardents supporteurs des A.A. Il en est de même chez plusieurs personnages officiels. Nous ne pourrons jamais oublier la réception que nous offrit le Maire Houde de Montréal. C'était sans doute la première fois qu'un groupe des A.A. était l'objet d'une réception officielle.

Comme nous le savons, la littérature des A.A. a le don d'apparaître aux endroits les plus surprenants. Un courtier de Johannesburg, en Afrique du Sud, lut un article dans le Reader's Digest à notre sujet et fit venir de New York une brochure qui

---

(4) Il y eut des réunions en 1941 et 1942, mais le groupe de Windsor fut réellement fondé en 1943.

le passionna tellement qu'il se lança à corps perdu à la recherche des alcooliques délaissés de sa ville. Il se sentait appelé à gratter le fond du baril. Afin de les attirer davantage, il offrait à ses clients un certain montant d'argent pour leur «réhabilitation». Naturellement, il fut submergé par une armée d'ardents candidats qui, on s'en aperçut bientôt, étaient beaucoup plus intéressés à l'argent qu'à la sobriété. Sur le bord de la faillite, cette entreprise fut sauvée du naufrage par l'arrivée à point nommé d'un autre alcoolique, Val D. qui avait lui-même fait venir de New York le Gros Livre et qui avait trouvé la sobriété dès la première lecture. Au même moment, un autre Sud-Africain, natif de Perth, était devenu sobre à la lecture du Gros Livre et avait tout de suite commencé à travailler auprès des alcooliques de sa propre ville. Grâce aux méthodes plus orthodoxes de ces deux adeptes du Gros Livre des A.A. et à des lettres d'encouragement des Quartiers généraux, les choses commencèrent à bouger en Afrique du Sud. On pourrait écrire tout un livre sur les progrès du Mouvement dans cette partie du monde, relatant la croissance des A.A. à partir de bases aussi fragiles.

À la fin de l'année 1942, les premières lettres d'Australie commencèrent à nous arriver: de S.J. Minogue, un psychiatre attaché au *Rydalmere Mental Hospital* à Sydney, puis d'un prêtre, le Père Dunlea, de la même institution. Nous leur fîmes parvenir de la littérature, y compris le Gros Livre, et il s'établit avec le Dr Minogue une correspondance qui se continue encore aujourd'hui.

Mois après mois, avec l'aide d'un infirmier du nom d'Arch. McKinnon, le médecin et le prêtre travaillèrent d'arrache-pied à la réhabilitation de leurs patients alcooliques, souvent dans un état lamentable. L'une après l'autre, les lettres du Dr Minogue ne rapportaient que des résultats négatifs. En fait, ils durent peiner durant deux longues années avant d'obtenir quelque chose qui ressemblait à un groupe des A.A. Ces deux non-alcooliques éprouvèrent de grandes difficultés à s'identifier à leurs patients. Mais, à la fin de 1944, ils eurent enfin du succès avec deux d'entre eux, Ben et Rex, ce dernier devenant le premier secrétaire des A.A. en Australie.

En mars 1945, Rex écrivait à Bobbie, au bureau de New York, lui disant en substance ce qui suit: «Chère secrétaire, le Dr Minogue m'a remis toute la correspondance, puisque ses occupations de Surintendant de Rydalmere l'empêchent d'y répondre. Il ne faudrait pas penser, cependant, que le Dr Minogue a perdu son intérêt pour le Mouvement. Bien au contraire. Vous serez sans doute heureuse d'apprendre qu'un groupe a été formé à Sydney, à l'adresse indiquée ci-dessus. Le Mouvement fut lancé ici par le Dr Minogue, le Père Dunlea et M. McKirnon, un infirmier de l'hôpital. Ils ne sont pas des alcooliques, mais ils ont réuni autour d'eux sept ou huit alcooliques, dont moi-même, et chaque jour nous recrutons de nouveaux candidats. Nous sentons que le Mouvement prend de l'ampleur en Australie... Nous voulons donc obtenir une affiliation officielle aux Alcoolique anonymes... Sincèrement, Rex A., secrétaire.»

C'était donc un départ en Australie. Ce pays compte maintenant des milliers de membres, issus de toutes les classes de la société et jouissant de la plus haute considération dans l'opinion publique. Nos premières réalisations en Australie demeureront toujours dans nos esprits comme un exemple, rarement égalé, de force morale et de foi.

Ce coup d'œil rapide sur les A.A. à travers le monde révèle l'incroyable distance parcourue depuis cet automne de 1937, alors que le Dr Bob et moi regardions l'avenir avec appréhension. À ce moment-là, nous n'avions que le programme de vive voix, la substance de la formule de sobriété que m'avait donnée Ebby. Les Douze Étapes des A.A. n'avaient pas encore été écrites et l'idée du Gros Livre des A.A. commençait à peine à germer. Les Services mondiaux et l'Unité à travers le monde n'étaient que des rêves.

C'est en 1939 que le Mouvement des A.A. réalisa des progrès sensibles à l'échelle nationale. En septembre de cette année-là, Fulton Oursler, alors rédacteur en chef de la revue *Liberty* publiait un article intitulé «Les Alcooliques et DIEU», signé Morris Markey. Environ 800 demandes de renseignements nous tombèrent dessus immédiatement et chacune reçut une réponse.

Puis, ce fut le dîner de M. Rockfeller en 1940. Il fut suivi d'une autre quantité énorme de lettres suppliantes. Mais la véritable inondation se produisit en mars 1941, lorsque l'article de Jack Alexander parut dans le *Saturday Evening Post.* Nous avons alors été inondés de lettres et des alcooliques nous envahirent avec l'impétuosité des Chutes Niagara.

Cette croissance subite fut le prélude d'une période de terrible incertitude. L'unité des A.A. fut sérieusement mise à l'épreuve. Nos activités se limitaient à des rencontres fortuites, des contacts de voyageurs passant d'un endroit à un autre, des lettres du bureau, une brochure et un livre. Pourrions-nous, avec un bagage aussi mince, nous former en groupes capables de fonctionner et de se maintenir ensemble? Nous ne le savions tout simplement pas. C'était déjà assez compliqué de maintenir deux ou trois alcooliques ensemble! Qu'arriverait-il s'ils se réunissaient en groupes beaucoup plus considérables? Nous avions déjà eu un avant-goût des problèmes causés par la multiplication des groupes; des querelles d'autorité, d'argent, d'adhésion; des clubs; de l'exploitation du nom des A.A.; des emprunteurs et même des aventures amoureuses. À mesure que les innombrables alcooliques, attirés par l'article du *Saturday Evening Post*, essayaient de former des centaines de nouveaux groupes, les spectres de la désunion et de l'effondrement prenaient des proportions terrifiantes. Il ne nous restait qu'à agir pour le mieux, en confiant le reste à Dieu.

Juste avant notre grande épreuve de solidarité, un de nos membres de New York, Ray W., se rendit à San Francisco en 1942 pour y suivre un cours de vente. Nous avons alors assisté à une autre de ces invraisemblables expériences. Lors de son arrivée parmi nous, Ray se proclamait un athée et il n'avait pas changé ses positions. Néanmoins, il était sobre depuis quelques années et, avec son esprit libéral, il décida d'apporter le

Gros Livre à San Francisco. Nous lui avons remis une liste de personnes qui nous avaient écrit pour obtenir des renseignements et que seul le courrier nous avait permis de rejoindre. Dès son arrivée à San Francisco, Ray commença à prendre contact avec ces gens et quelques-uns d'entre eux vinrent le rencontrer à son hôtel. Il leur dit: «Mes amis, ce mouvement des A.A. est formidable. Il m'a réellement sauvé la vie. Un de ses aspects, cependant, ne me plaît pas, c'est l'importance qu'on donne à Dieu. Alors, lorsque vous lirez ce livre, vous pourrez omettre la partie qui traite de ce sujet». Dix jours plus tard, Ray revenait à New York, laissant derrière lui un groupe inquiet et divisé.

Mais ces deux alcooliques de San Francisco rencontrèrent bientôt deux merveilleux amis, Mme Gordon Oram et le Dr Percy Poliak, un psychiatre qui avait été impressionné par le travail des A.A. à l'hôpital Bellevue de New York. Maintenant associé au *San Francisco County Hospital*, le Dr Poliak accorda son entière collaboration au groupe, qu'il ne cessa de soutenir par la suite. Mme Oram avait un pensionnaire, Ted, pour qui elle avait déjà obtenu un exemplaire du Gros Livre. Vers la fin de l'année 1939, elle offrit son appartement pour que Ted et les autres personnes contactées par le vendeur Ray puissent y tenir la première réunion des A.A.

Ted ne devait jamais connaître la sobriété. Mais John C. eut plus de succès et demeura sobre par la suite. Bientôt, il furent rejoints par Fred et Amy C. Puis, arrivèrent King, Ned et les autres. Il y eut alors beaucoup de rechutes et de récidives. Mais, grâce à l'encouragement de Mme Oram et du Dr Poliak, le groupe parvint tant bien que mal à se maintenir.

De New York, nous écrivions à San Francisco, mais les réponses étaient vagues et imprécises. Vers la fin de l'année, une femme alcoolique nous rendit visite à notre bureau de la rue Vesey à New York. Elle était légèrement ivre et pleurait. Non sans exagération, elle me dit: «Bill, notre groupe existe depuis un an à San Francisco et tu sauras qu'à Noël nous étions tous saouls».

À peine quelques années plus tard, les Alcooliques Anonymes recevaient le *Lasker Award* à la Maison d'Opéra de San Francisco. Durant la soirée qui suivit la présentation du trophée, il y eut une réunion des A.A. et l'immense salle était pleine à craquer. Les alcooliques sobres étaient si nombreux que certains étaient pratiquement suspendus aux poutres du plafond. Le pauvre petit gland du début avait produit un chêne puissant.

Dès 1941, le groupe avait recruté trois membres qui devinrent des travailleurs infatiguables: Nic N., Ray H. et Warren T. D'autres groupes avaient été fondés dans la région de la Baie, notamment par Nic à Oakland, et par Vic M. et le Dr P. à Sacramento.

Cette région était prête à recevoir le choc de l'article de Jack Alexander dans le *Saturday Evening Post.* Warren était déjà au travail au chantier maritime Kaiser, où il devint le premier membre des A.A. à être employé par l'industrie à titre de spécialiste en matière d'alcoolisme. Et ce qui est peut-être encore plus important, Warren et les autres purent lancer le premier groupe dans une institution pénale, à la prison de San Quentin.(5).

Au moment de la remise du trophée Lasker, le récit tonifiant de la fondation du premier groupe des A.A. derrière les murs de la prison de San Quentin était déjà familier à la plupart de nos membres.

Le gouverneur de San Quentin, Clinton T. Duffy, un homme éclairé et libéral, avait beaucoup réfléchi, bien avant 1942, au problème urgent et difficile de la réforme des prisons. Une partie de ce travail concernait les besoins particuliers des personnes incarcérées pour des crimes commis en état d'ébriété. «Le programme que je propose», disait le Directeur Duffy, «comprend l'éducation, l'apprentissage d'un métier, l'intervention de la médecine, de la psychiatrie et de la religion. Mais, pour l'alcooli-

(5) Un membre du groupe de Los Angeles, Leo F., joua un rôle de premier plan dans l'établissement du Mouvement à San Quentin. Des membres dévoués du groupe de San Francisco lui apportèrent leur appui.
Dès le début, ils reçurent l'aide d'un prisonnier, Ricardo.

que, ce programme semble incomplet... Tout notre travail pourrait s'avérer inutile, si nous ne découvrons pas la solution aux problèmes qui ont poussé l'alcoolique à boire. Si chaque délinquant doit bénéficier de tous les avantages du nouveau programme, l'alcoolique aussi doit profiter de toute l'assistance et de toute la compréhension de la science et des techniques disponibles. Et dans cette nouvelle voie vers la réhabilitation, le Mouvement des Alcooliques anonymes m'est apparu comme un outil susceptible de nous aider à rebâtir des vies».(6)

Warren et d'autres membres de la région de San Francisco offrirent leurs services au Directeur Duffy et c'est ainsi que se forma, en 1942, le premier groupe des A.A. en milieu carcéral. Par la suite, le Directeur Duffy devait l'affirmer: «Sans l'aide et la compréhension des visiteurs membres des A.A. de l'extérieur, le groupe des Alcooliques anonymes de San Quentin aurait certainement échoué. Mais il faut aussi ajouter que sans la persévérance de ce premier groupe de détenus alcooliques qui comprirent la gravité de leur problème et leur besoin de recevoir de l'aide, ce programme n'aurait jamais survécu aux quelques premières réunions».(7).

Mais, en dépit de tout cet enthousiasme et de toute cette bonne volonté, nous faisions encore face à des problèmes d'envergure. La mise sur pied de réunions régulières des A.A. signifiait que des membres de l'extérieur entreraient à pleines voitures à l'intérieur de la prison et en ressortiraient. Les autres prisonniers les couvriraient probablement de ridicule. Les tenants des méthodes drastiques et les sceptiques qui considéraient le Mouvement des A.A. comme un «caprice inutile» hocheraient la tête en signe de désapprobation. Et puis, ces activités impliqueraient des réunions de plusieurs prisonniers sans surveillance. Les risques étaient grands, mais le Directeur Duffy n'hésita pas à les prendre. Sa confiance fut justifiée. Le mouvement des A.A. gagna bientôt le respect des autres prisonniers et plusieurs d'entre

---

(6) Warden Clinton T. Duffy, «San Quentin Prison and Alcoholics Anonymous,» 1950.
(7) Ibid.

eux, bien que non-alcooliques, manifestèrent le désir d'y adhérer. Le moral dans cette institution devenue vraiment progressive était plus élevé qu'il ne l'avait jamais été. Les A.A. entraient et sortaient librement. Il n'y avait qu'un seul garde aux réunions; il était stationné à l'extérieur de la salle de réunion et il avait surtout pour rôle de renseigner les A.A. visiteurs.

Lorsque le pourcentage des prisonniers alcooliques, qui avaient été libérés sur parole et qui récidivaient, passa subitement du 80% habituel à un impressionnant 20% et continua à se maintenir à ce niveau, alors les sceptiques se rendirent à l'évidence. Cette réalisation avant-gardiste s'inscrivit dans les annales des A.A. Depuis, plus de 300 groupes ont été fondés dans les institutions pénales. Et nous avons maintenant la preuve que des milliers d'anciens détenus ont réussi à refaire leur vie dans la société.

Warren, que je viens de mentionner comme l'un des artisans du premier groupe en institution pénale, fut également le pionnier des A.A. dans l'industrie. Au moment de la formation du groupe à San Quentin, il travaillait au chantier maritime Kaiser, situé non loin de la prison. Il avait pour tâche de chercher une solution au problème de l'alcoolisme chez les employés. Il réussissait d'une façon remarquable, mais ce n'était qu'un début. Quelques années plus tard, lui et son épouse Alice persuadèrent la haute direction de l'une des plus importantes compagnies ferroviaires de la possibilité d'une action efficace au sein des employés de bureau et des cheminots alcooliques. C'était une façon bien modeste de s'exprimer. Toujours à l'œuvre, Warren[8] et Alice peuvent compter par centaines leurs amis cheminots qui sont sobres, et ce n'est sûrement pas une simple coïncidence si cette compagnie de chemin de fer a établi, durant cette période, des records de sécurité. Un jour, les autres compagnies de transport imiteront sûrement cet extraordinaire exemple de réhabilitation de travailleurs alcooliques.

---

(8) Warren mourut peu de temps après la publication de ce livre en 1957.

Avant de revenir aux événements qui suivirent la parution de l'article du *Saturday Evening Post*, rendons-nous par la pensée le long de la côte, à Los Angeles. Juste avant la publication du Gros Livre, en 1939, nous avions polycopié le texte. Quatre cents exemplaires du Livre furent mis en circulation, sous cette forme, en divers milieux, afin de corriger des erreurs et d'obtenir des suggestions enrichissantes. À la fin de cette année-là, je me rendis à Cleveland par affaires. Je remis un exemplaire de l'œuvre photocopiée à un avocat de mes amis. Il était le procureur d'un jeune homme fort riche de Cleveland, qui habitait alors sur la côte, où l'abus de l'alcool le faisait voguer sur une mer souvent houleuse.

Mon ami avocat lui fit parvenir une copie préliminaire du Gros Livre qu'il dévora d'un seul trait. Et il insista pour se rendre immédiatement à Akron, où il se plaça sous la tutelle du Dr Bob et sous l'influence bienfaisante de Wally C., chez qui il habita pendant un certain temps. Son ex-épouse, Kaye M., n'était pas alcoolique. Elle se présenta néanmoins au bureau de New York, fascinée par la nature même du programme des A.A. Elle était inspirée du même esprit qui anime les groupes familiaux d'aujourd'hui.

Elle s'embarqua sur un bateau à destination de la côte ouest et arriva bientôt à Los Angeles. Peu après, nous apprenions qu'elle avait communiqué avec John Howe, du département municipal des libérations conditionnelles. Johnny s'occupait alors de plusieurs prisonniers alcooliques, dont certains étaient hospitalisés et d'autres en libération conditionnelle. Il avait dépensé beaucoup d'énergie au service de ses protégés, mais sans trop de succès. Il prit connaissance du Gros Livre des Alcooliques anonymes. Puis, Kaye lui parla des merveilles qu'elle avait vues à ces deux endroits de pélerinage qu'étaient Akron et New York. Alors, Johnny reprit confiance et demanda à Kaye de s'associer à lui, mais à certaines conditions. Il avait donné des cours à ses protégés alcooliques, en s'appuyant sur des principes purement psychologiques. Le thème de ses leçons se résumait en cette phrase: «Connais-toi toi-même et sois libre». Le livre des A.A. fut une révélation pour lui, mais cette révélation ne lui plaisait pas beaucoup au prime abord. Il n'acceptait pas cette idée de s'en remettre à une Puissance supérieure. L'aspect spirituel du programme des A.A. ne convenait tout simplement pas à Johnny.

Selon la légende, Johnny et Kaye en vinrent à un compromis. Johnny continuerait ses cours aux détenus comme par le passé, mais lui et Kaye tenteraient d'appliquer quelques idées des A.A. à certains des prisonniers en libération conditionnelle. On offrait aux candidats la liberté de choisir entre les principes de Johnny et ceux de Kaye, ou encore d'accepter les deux. Naturellement, cette façon de procéder n'était pas tout à fait conforme à la pensée des A.A. Néanmoins, elle produisit certains résultats. Par exemple, des citoyens bien connus de Los Angeles et des environs avaient eu des démêlés avec la justice à la suite d'abus d'alcool, et par conséquent tombaient sous l'autorité de Johnny, Libérés sous condition, certains d'entre eux prirent connaissance des services dispensés par Kaye et Johnny. Le tout premier candidat fut Hal S. Il devait plus tard fonder le groupe de San Diego. Parmi les autres personnes qui arrivèrent chez les A.A. de la même façon, mentionnons Marshall B., Barney B. et le Dr Forrist H. qui devint par la suite un champion de la Douzième Étape dans la région de Los Angeles. À ce point, Kaye et Johnny avaient pris un bon départ à Los Angeles. Et nous tenons ici à exprimer notre gratitude à ces deux non-alcooliques pour toute l'aide qu'ils nous ont apportée.

Pendant ce temps, le bureau de New York annonçait aux amis de la côte l'arrivée prochaine de Chuck, un artiste, et de sa femme Lee, qui était le membre des A.A. de la famille et aussi la première alcoolique en provenance de l'est. Lee était une véritable abeille. Elle et Chuck arrivèrent à Los Angeles juste à temps pour assister à la première réunion tenue dans une maison privée. Cette réunion avait lieu à la résidence de Kaye sur l'avenue Benecia, le 19 décembre 1939. Elle comprenait Kaye et Johnny, Lee et Chuck, de même qu'un certain nombre de candidats éventuels. Lee était d'accord avec Kaye pour mettre l'accent sur l'aspect spirituel du programme des A.A. Alors, on fit la lecture d'un chapitre du Gros Livre. Puis, Johnny donna sa causerie et présenta un article médical sur l'alcoolisme.

Pendant les semaines suivantes, des réunions de ce genre eurent lieu dans l'une ou l'autre maison. Lee et Kaye favorisaient la «Puissance supérieure», alors que Johnny s'en tenait toujours à la psychologie seulement.

Vers la même période, Lee réussit à obtenir de la publicité dans les journaux de Los Angeles. Non seulement quelques alcooliques se joignirent au groupe, mais une grande amitié s'établit entre les pionniers du Mouvement et Ted LeBerthon, un éminent journaliste de Los Angeles, dont les articles devaient par la suite accomplir un travail de grande portée pour nous.

Comme on pouvait s'y attendre, ce petit groupe éprouva de nombreuses difficultés, tant sur le plan personnel que doctrinal. Les antagonistes firent parvenir à notre modeste bureau de New York des lettres chargées de violence. Finalement, Lee recommença à boire. Elle fit appel à Johnny afin d'être hospitalisée et, quelques jours plus tard, elle reprenait ses occupations. Mais cette rechute fut un choc pour tous. Néanmoins, le groupe parvint à maintenir ses opérations. Lee et Chuck revinrent dans l'est pour y vivre heureux et, depuis ce temps, sobres.

Pendant que ces événements se déroulaient à Los Angeles, un citoyen de Denver, Mort J., avait acheté le Gros Livre des A.A., en septembre 1939. Sans même ouvrir le volume, Mort J. le jeta dans sa valise et partit faire la noce pendant plusieurs semaines. Il retrouva finalement ses esprits à Palace Springs et découvrit le livre des A.A. dans ses bagages. En proie à un violent tremblement, il commença à le lire. C'était en nombre 1939. Depuis ce jour, il n'a jamais pris un verre. Mort J. est un exemple de la conversion pure et simple par le Livre.

En mars 1940, Mort déménagea à Los Angeles. Il partit à la recherche du groupe Benecia, pour découvrir que cette équipe était sur le point de disparaître. On voyait rarement les anciens pilliers comme Hall, et le Dr H. Kaye était complètement découragée et se préparait à partir pour Honolulu. Juste avant son départ, elle fournit à Mort une liste d'alcooliques qui attendaient toujours une visite. La flamme du premier flambeau allumé à Los Angeles était vacillante, mais elle ne s'éteignit jamais complètement.

Muni de la liste fournie par Kaye, Mort se mit au travail immédiatement et dénicha tout de suite un candidat du nom de Cliff W. Celui-ci s'agrippa à la perche qui lui était tendue et ne tarda pas à devenir sobre pour de bon.

Mort loua, à ses frais, une salle de réunion à l'hôtel Cecil de Los Angeles. Au même moment, un autre «converti du Gros Livre», Frank R., fit son apparition. Un véritable abonné des sanatoriums, Frank avait lui aussi lu le Gros Livre en Arizona et, à la suggestion des Quartiers généraux de New York, était accouru à Los Angeles pour vérifier la véracité des paroles du Livre.

Ce trio de fondateurs contribua bientôt à faire progresser le groupe de l'hôtel Cecil. Mort insista pour qu'on lise un extrait du cinquième chapitre du Gros Livre au début de chaque réunion. C'est ainsi que s'établit fermement cette coutume qui caractérise les groupes de la côte ouest. Cette pratique permit également au groupe Cecil de bâtir sur des bases solides. Il n'était plus question de débattre si l'on devait se concentrer sur la «psychologie» ou sur «Dieu tel que nous Le concevons». C'est ainsi que fut érigée la première fondation solide du Mouvement des A.A. dans le sud de la Californie. En fait, le groupe de l'hôtel Cecil fut bientôt considéré comme la «Maison-Mère» des A.A. de Los Angeles.

De New York, nous nous efforcions de conseiller les gens de Los Angeles et de soutenir leur moral. Le Gros Livre devint leur point d'appui, même leur bible. Ils durent attendre longtemps avant de recevoir la visite d'un membre sobre et expérimenté des A.A., qui ne provenait pas de leur région. Un jour, ils se plaignirent à nous: «Beaucoup de gens sont sobres ici. Mais nous nous demandons s'il existe une personne sobre à l'est des Rocheuses. Nous n'avons rencontré personne en provenance de l'est qui soit vraiment sobre. Ils sont tous ivres, du premier au dernier».

Sous la direction de Mort, les pionniers poursuivaient leurs activités. Leurs épouses les secondaient. La femme de Mort, Frances, épaulait son mari dans l'immense besogne de Douzième Étape qu'il avait commencée. Frank était sujet à une fièvre qui revenait de façon régulière et lorsqu'il devait prendre le lit, c'était sa femme Eleanor qui s'occupait de ses protégés et continuait sa volumineuse correspondance avec New York. Lorsque, l'année suivante, parut l'article du *Saturday Evening Post*, Cliff fit installer dans sa maison un téléphone inscrit dans l'annuaire sous le nom des A.A., afin de répondre aux innombrables demandes qui affluaient. La femme de Cliff, Dorothy, assuma ce travail jusqu'à épuisement complet. Le souvenir des efforts de ces six pionniers sera toujours précieusement conservé dans les annales des Alcooliques anonymes.

L'article du *Saturday Evening Post* fit plus qu'amener un nombre considérable de nouveaux membres; il nous procura aussi un nombre incalculable de travailleurs de tous genres et de toutes conditions. Los Angeles n'aurait jamais pu se développer comme il l'a fait, sans le secours de leur labeur au cours des années suivantes. Il est regrettable que l'espace nous manque dans ce livre pour énumérer en détail les services extraordinaires qu'ils ont rendus.

Retournons encore une fois aux conséquences de l'article du *Saturday Evening Post.* Au cours de l'année 1943, Lois et moi visitions Los Angeles et les groupes convoquèrent une assemblée à la salle de la Légion américaine. En jetant un coup d'œil par le rideau entrouvert, j'aperçus un millier de personnes assises dans la salle. C'était incroyable. Nous tenions alors la preuve que le Mouvement des A.A. pouvait traverser les mers et les montagnes grâce à sa valeur intrinsèque. Un jour viendrait où il ne serait peut-être plus nécessaire de recourir au contact personnel.

Ce progrès rapide et les douleurs de croissance qui en résultèrent à Los Angeles avaient été effarants. Il semblait impossible qu'ils aient pu résister à la confusion et à leur rythme de développement. Au cours de cette visite, je commençai à me demander s'ils pourraient continuer à supporter ces conditions. Pourtant, en 1950, seulement sept ans plus tard, j'adressais la parole au Shrine Auditorium, où 7,000 membres étaient assemblés avec leurs familles. À ce moment-là, il y avait plus de membres des A.A. dans la région de Los Angeles que partout ailleurs. Aujourd'hui, on y compte 14,000 membres et ils présentent la solidité du roc de Gibraltar.

Au cours de ce premier voyage sur la côte, en 1943, Lois et moi avons rendu visite au Doc H., un chiropraticien qui cherchait à transmettre le message aux alcooliques de Portland. Puis, à Seattle, dans l'état de Washington, nous rencontrions pour la première fois Dale A., un homme d'affaires, qui faisait des efforts valeureux pour maintenir l'unité d'un petit groupe local. Il finit par y réussir et le groupe ne cessa de progresser.

Pendant ce temps, Minneapolis prenait le départ. Immobilisés dans cette ville par une tempête de neige en 1940, Chan F. et Bill Y., de Chicago, en profitèrent pour porter le message à un alcoolique du nom de Pat C. Pat entreprit la lourde tâche de mettre sur pied un groupe et un club des A.A. Il persuada l'un des magnats de la farine de l'endroit de vendre aux A.A. son ancienne résidence urbaine pour une bouchée de pain. Aujourd'hui, nous ne pourrions trouver dans le Mouvement tout entier un seul groupe aussi enthousiasmé par l'idée du club que celui-là. La vie des A.A. dans cette ville est encore centrée autour de ce monument des pionniers. Croyez-le ou non, ces alcooliques de Minneapolis ont réussi à rembourser l'hypothèque sur cette bâtisse en moins de trois ans.

Si j'ai bonne mémoire, Buffalo et Pittsburgh commencèrent leurs activités peu de temps après. Et en plein milieu du pays,

Johnny P., ce vendeur fascinant, avait fait son apparition et lancé le message des A.A. à Kansas City, Missouri. De là, le Mouvement s'étendit de l'autre côté de la rivière à Kansas City, Kansas. Ce dernier groupe fut animé par l'un des premiers médecins à se joindre à nous, Miles N., qui devait devenir plus tard l'un de nos membres les plus dévoués et une autorité dans le domaine de la chimie de l'alcoolisme.

Au cours de ces mêmes années, les Irlandais de Boston avaient uni leurs forces à celles de certains membres du quartier de Back Bay et s'étaient agrippés à cette bouée de sauvetage avec toute leur bonne volonté, formant cet admirable noyau qui devait, par la suite, donner tant de fruits au mouvement des A.A. en Nouvelle-Angleterre. Ce groupe de Boston nous procura, à la fois, une merveilleuse joie et un profond déchirement. Son fondateur n'est jamais parvenu à demeurer sobre et il finit par mourir d'alcoolisme. Paddy était vraiment trop malade pour se remettre. Il allait de rechute en rechute, mais revenait toujours pour transmettre le message des A.A., ce dont il s'acquittait de façon étonnante. Après chacune de ses rechutes, le groupe lui prodiguait des soins et le ramenait à la vie. Mais, un jour, il prit une cuite qui lui fut fatale. Ce grand malade laissa derrière lui un groupe remarquable et le souvenir d'un effort prodigieux. Ses deux premières réussites, Bert C. et Jennie B., prirent la relève et sont toujours là.

Telle fut notre adolescence. J'espère qu'un jour nous pourrons raconter encore beaucoup d'histoires merveilleuses sur cette époque. C'est dans cette atmosphère de confusion et de dangereuses expériences que les Douze Traditions furent ébauchées et rédigées pour la première fois en 1946. C'est sur ce fond de scène que nous allons maintenant considérer ces Douze Traditions, principes fondamentaux sur lesquels repose la survivance des Alcooliques Anonymes.

De façon implicite, le texte des Traditions des A.A. comporte un aveu: il reconnaît des failles dans notre Fraternité. Nous admettons que nous avons, en tant que société, des faiblesses de caractère et que ces défauts nous menacent continuellement. Nos Traditions sont un guide vers une meilleure méthode de travail et un meilleur mode de vie; et elles sont également un antidote à nos diverses maladies. Elles sont à la survivance et à l'harmonie des groupes ce que sont les Douze Étapes pour la sobriété et la paix de l'esprit de chaque membre.

Mais les Douze Traditions mettent aussi en évidence plusieurs de nos défauts en tant qu'individus. Elles nous demandent implicitement de mettre de côté l'orgueil et le ressentiment. Elles nous invitent à des sacrifices comme individus et comme groupes. Elles nous suggèrent de ne jamais utiliser le nom des A.A. pour atteindre personnellement à la puissance, aux honneurs ou à la richesse. Les Traditions garantissent l'égalité de tous les membres et l'autonomie de tous les groupes. Elles nous indiquent la meilleure manière de nous conduire entre membres et avec le monde extérieur. Elles nous enseignent comment nous pouvons le mieux fonctionner en harmonie comme vaste entité. Pour le bien de notre société tout entière, les Traditions demandent à chaque membre, à chaque groupe et à chaque région de mettre de côté tout désir, ambition ou action susceptible de nous diviser ou de nous faire perdre la confiance du public en général.

Les Douze Traditions des Alcooliques anonymes symbolisent l'esprit de sacrifice qui doit animer notre vie collective et représentent la plus grande force que nous connaissions pour maintenir notre unité.[(6)]

Considérons la Première Tradition. Elle dit: «*Notre bien-être commun devrait venir en premier lieu; le rétablissement personnel dépend de l'unité des A.A.*». Il n'existe probablement pas une seule société qui attache autant d'importance que les A.A. au bien-être personnel de chacun de ses membres. Mais nous savons depuis longtemps que le bien commun doit passer avant tout; sans lui, le bien-être personnel des individus serait pour ainsi dire impossible. À nos débuts, nous étions à peu près dans la même situation

(6) Voir les 12 Traditions des A.A., p. 96.

qu'Eddie Rickenbacker et ses compagnons lorsque leur avion s'écrasa dans l'océan Pacifique. Ils avaient échappé à la mort, mais ils se retrouvaient à la dérive sur une mer dangereuse. Il n'y avait aucun doute dans leur esprit que le bien commun devait primer. Personne n'osait faire balancer ce radeau, par crainte de causer la perte du groupe tout entier. Le pain et l'eau étaient partagés également; les gloutons n'avaient pas leur place.

Notre situation était à peu près analogue. Mais certains de nos membres, malades et irréfléchis, secouèrent le radeau et nous firent trembler de crainte. Aujourd'hui, nous pouvons pratiquement rire de ces peurs du début. Les rechutes ou glissades furent la cause de nos premières craintes. Au début, presque tous les alcooliques dont nous nous occupions commençaient par connaître la rechute, pour autant, du moins, qu'ils aient cessé de boire. D'autres restaient sobres six mois, un an peut-être, et prenaient une cuite. C'était toujours une véritable catastrophe. Nous nous regardions les uns les autres en nous demandant: «Qui sera le prochain? «Nous avions peur que l'alcool réussisse à nous détruire complètement. Mais aujourd'hui nous voyons des dizaines de milliers de membres demeurer parfaitement sobres pendant cinq, dix, quinze ou même vingt ans. Même si les rechutes posent toujours des problèmes très pénibles, le groupe n'en fait pas un drame. La peur s'est dissipée. L'alcool menace toujours l'individu, mais nous savons qu'il ne peut détruire le bien-être commun.

La seconde grande frayeur était causée par les amours illicites, l'éternel triangle. Chez plus de la moitié de nos membres la vie familiale avait été faussée. L'alcool avait fait du mari le méchant garnement de la maison et avait transformé l'épouse en une mère protectrice et possessive. Lorsque l'adhésion au mouvement des A.A. ne réussissait pas à modifier ces relations matrimoniales, le mari commençait parfois à chercher de nouvelles conquêtes dans son entourage. Les femmes alcooliques, délaissées depuis longtemps par leurs maris, firent leur apparition. Nous pouvions dès lors déceler ici et là des situations explosives. On prenait violemment parti pour l'un ou pour l'autre. Des groupes entiers se soulevèrent et un certain nombre de membres recommencèrent à boire. On jetait la pierre aux pécheurs. Nous tremblions pour la réputation des A.A. et pour la survivance du Mouvement. Finalement, nous avons réalisé que nous n'avions pas plus de difficultés dans ce domaine que les autres sociétés, et peut-être moins. Nous avons découvert que ces situations se réglaient souvent d'elles-mêmes avec un peu de patience et de bonté. Pécheurs et redresseurs de tort finissaient par comprendre le ridicule de leur conduite. La plupart des alcooliques, qui avaient toujours bénéficié du support de leur épouse durant les heures sombres, reprirent le sentier de la vertu. Les groupes Al-Anon firent leur apparition et accomplirent des merveilles dans le domaine des relations familiales. Ainsi, toutes ces expériences profitèrent au Mouvement. Aujourd'hui, les A.A. présentent le taux de divorces le plus bas dans le monde entier. Nous nous sommes rendus à l'évidence que les rapports entre les sexes ne nous détruiraient pas, et nos craintes dans ce domaine se calmèrent.

Mais, comme les autres sociétés, nous avons bientôt découvert dans notre milieu la présence de forces beaucoup plus menaçantes que l'alcool et le sexe. C'était la soif de domination, de pouvoir, de gloire et d'argent. Elle était d'autant plus dangereuse qu'elle se couvrait invariablement du manteau de la bonne foi, de la justification personnelle et du pouvoir destructeur de la colère portant le masque de la juste indignation.

L'orgueil, la crainte et la colère; voilà les principaux ennemis de notre sécurité collective. Une vraie solidarité, l'harmonie et l'amour, fortifiés par une lucidité clairvoyante et une vie honnête, représentent les seules solutions. Et le but des principes traditionnels des A.A. est justement de développer ces forces au maximum et de les garder en plein épanouissement. Alors seulement pouvons-nous servir le bien commun des A.A. et assurer l'unité du Mouvement.

Pensons maintenant à la Deuxième Tradition: «*Pour le bénéfice de nos groupes, il n'existe qu'une seule autorité ultime: un Dieu d'amour tel qu'Il peut se manifester dans la conscience de nos groupes. Nos chefs ne sont que des serviteurs de confiance; ils ne gouvernent pas*». Nous, les A.A. avons payé cher pour apprendre ce principe. Peu d'obstacles ont été plus difficiles à surmonter que ces barrières qui nous empêchaient de comprendre que seule la conscience du groupe constitue l'autorité suprême dans la conduite de nos affaires.

Je présume que plusieurs membres parmi les plus anciens n'acceptent pas complètement cette proposition. Ils ont l'impression d'être plus âgés et plus expérimentés que la jeune génération qui bénéficie d'une nouvelle vie dans le Mouvement grâce à leurs conseils et à leur exemple. Nous, les anciens, avons souvent considéré notre plus longue expérience comme un droit acquis et même une autorisation permanente de diriger indéfiniment le mouvement des A.A. Malades, fatigués ou trop âgés, nous avons tout naturellement pensé qu'il nous appartenait de choisir nos successeurs. Qui pouvait le faire mieux que nous?

Mais avec le temps, la plupart d'entre nous ont eu à faire face aux dures réalités de la vie des A.A. Nous avons découvert à regret que les groupes, malgré tout le respect et l'amitié qu'ils nous portaient, n'acceptaient pas que nous usurpions le droit de diriger leurs affaires et de décider de la conduite à suivre pour toujours. Ils ne supportaient pas non plus de nous laisser désigner nos propres successeurs pour faire leur travail. Ils voulaient nommer eux-mêmes leurs comités de service. À maintes reprises, ils nous démontrèrent que l'autorité suprême devait s'exprimer par les groupes. Pour certains d'entre nous, la pilule était difficile à avaler.

Ce qui était encore plus difficile à accepter, c'était cette réalité, maintenant devenue évidente, que la conscience du groupe, lorsque bien informée des faits, des sujets de discussion et des principes en cause, était souvent plus sage que n'importe quel dirigeant, qu'il ait été élu ou qu'il se soit imposé lui-même. Nous

nous sommes aperçus que «l'ancien» commettait souvent des erreurs de jugement. En raison de sa prétendue autorité, il se laissait trop souvent influencer par ses préjugés ou son intérêt personnel. Malgré toute son expérience et son bon travail, il n'avait pas pour autant acquis l'infaillibilité.

Devons-nous en conclure à l'inutilité des pionniers? Certainement pas. Une fois que nous nous sommes inclinés devant la conscience du groupe nous, les pionniers, constatons avec plaisir que, dans les moments de grandes difficultés, les groupes se tournent encore vers nous pour obtenir les conseils que seule notre longue expérience peut leur donner.

Je me souviens très bien de la première dose que j'ai dû avaler de cette amère mais saine médecine.

En 1937, la situation financière était très précaire au 182 de la rue Clinton. Plusieurs alcooliques vivaient avec nous, la plupart ne payant aucune pension. Lois travaillait toujours au magasin à rayons et son salaire constituait notre seule source de revenus. Pendant ce temps, plusieurs des membres qui assistaient à nos réunions hebdomadaires étaient sobres et gagnaient passablement d'argent.

Un jour que j'étais à l'hôpital de Charlie Towns, celui-ci m'invita à entrer dans son bureau pour me servir une de ses bienveillantes admonitions. «Écoute-moi bien, Bill», me dit-il, «je vois le jour où tes A.A. feront salle comble au Madison Square Garden. Quant à moi, je ne suis pas porté vers la religion et tu sais à quel point j'étais sceptique au début. Silkworth me faisait vraiment peur lorsqu'il s'avisait de coopérer avec toi. Mais tout cela est bien changé maintenant. Je crois en vous. Vos méthodes vont réussir». Et il ajouta: «Ne vois-tu pas, Bill, que tu tiens le mauvais bout du bâton dans cette affaire? Tu crèves de faim et ta femme se tue à travailler dans ce magasin. Tous ces ivrognes autour de toi sont en train de se rétablir et de faire de l'argent. Toi, tu donnes tout ton temps à ce travail et tu es toujours aussi fauché. Ce n'est pas juste».

Charlie fouilla dans son pupitre et en sortit un vieil état financier. En me le tendant, il continua: «Ce document indique les profits que cet hôpital faisait dans les années 30. Des milliers de dollars par mois. Il pourrait en faire autant aujourd'hui, si seulement tu voulais nous aider. Alors, pourquoi ne viens-tu pas travailler ici? Je te donnerais un bureau, un bon compte de dépenses et une généreuse tranche des profits. Ma proposition est tout à fait conforme à l'éthique professionnelle. Tu peux devenir un thérapeute non-professionnel et tu auras plus de succès que n'importe qui dans ce domaine».

J'étais bouleversé. Ma conscience me faisait bien quelques reproches, mais je finis par admettre que la proposition de Charlie était tout à fait conforme à l'éthique. Il n'y avait absolument rien de repréhensible dans le fait de devenir un thérapeute non-professionnel. Je pensais à Lois qui, exténuée, revenait chaque soir du magasin pour préparer le souper à une maisonnée d'alcooliques qui ne payaient pas de pension. Je songeais à tout l'argent que je devais encore à mes créanciers de Wall Street. Je me rappelais certains de mes amis alcooliques qui faisaient maintenant autant d'argent qu'autrefois. Pourquoi ne pourrais-je pas gagner ma vie aussi bien qu'eux?

Tout en demandant à Charlie de m'accorder un peu de temps pour réfléchir, ma décision était presque prise. Retournant à Brooklyn par le métro, j'ai été soudainement frappé par une pensée qui ressemblait à une réponse divine. Il s'agissait d'une simple phrase, mais elle était tout à fait convaincante. En fait, elle sortait directement de la Bible. Une voix me répétait sans cesse: «Le travailleur mérite un salaire».

En arrivant à la maison, je trouvai Lois en train de cuisiner comme d'habitude. À l'entrée de la cuisine, trois alcooliques affamés l'observaient. Je l'attirai dans un coin de la pièce et lui fis part de l'excellente nouvelle. Elle parut intéressée, mais pas aussi enthousiasmée que je l'aurais cru.

Il y avait réunion ce soir-là. Peu de nos pensionnaires étaient devenus sobres, mais d'autres alcooliques y étaient parvenus et, accompagnés de leurs épouses, ils remplissaient notre salon. Je m'empressai de leur raconter la chance qui m'arrivait. Je n'oublierai jamais l'impression que je ressentis devant leurs visages impassibles et leurs regards fixes. Mon enthousiasme diminua à mesure que j'avançais dans mon récit et c'est avec peine que je réussis à le terminer. Il y eut alors un long silence.

Puis, timidement, un de mes amis commença à parler. «Nous connaissons tes difficultés, Bill», dit-il. «Ta situation nous tracasse beaucoup. Nous nous sommes souvent demandés ce que nous pourrions faire pour l'améliorer. Mais je crois exprimer l'opinion de la majorité en te disant que ta proposition de ce soir nous inquiète encore plus». Sa voix se raffermit, et il continua: «Ne réalises-tu pas, Bill, que tu ne pourras jamais devenir un professionnel? Malgré toute la générosité de Charlie à notre égard, ne vois-tu pas qu'il nous est impossible de nous lier à cet hôpital ou à un autre? Tu nous dis que la proposition de Charlie est conforme à l'éthique. C'est vrai. Mais notre Mouvement ne peut fonctionner sur la seule base de l'éthique; il nous faut mieux que cela. L'idée de Charlie est sûrement bonne, mais ce n'est pas suffisant. Il s'agit d'une question de vie ou de mort, Bill, et il nous faut le meilleur». Mes amis continuaient à m'observer avec leur regard de défi, alors que leur porte-parole enchaînait: «Bill, ne nous as-tu pas souvent dit, ici même, à nos réunions, que parfois le bien est l'ennemi du mieux? Ta proposition illustre bien ce principe. Tu ne peux nous traiter de la sorte».

C'est ainsi que s'exprima la conscience du groupe. Le groupe avait raison et j'avais tort: la voix de Dieu ne résidait pas dans cette inspiration que j'avais eue dans le métro, mais bien plutôt dans les remarques de mes amis. Je l'ai écoutée et, Dieu merci, j'ai agi en conséquence.

Trois coups bien frappés, et à la bonne place, avaient martelé l'enclume de l'expérience du groupe. Ils résonnaient dans ma tête: «Le bien commun doit primer sur tout le reste»; «Le mouvement des A.A. ne peut se donner un service de thérapeutes professionnels»; et, «Dieu, tel qu'Il s'exprime par la conscience du groupe doit constituer notre autorité suprême». Ces trois embryons de principes en impliquent clairement un quatrième: «Nos dirigeants ne sont que des serviteurs en qui nous avons placé notre confiance; ils ne gouvernent pas».

La Troisième Tradition représenta aussi pendant longtemps un véritable casse-tête: «*La seule condition requise pour devenir membre des A.A. est le désir d'arrêter de boire*». Nous étions très inquiets de la qualité de nos futurs candidats. En fait, lorsqu'une publicité nationale fut faite à notre sujet, nous avons été terrifiés. Nous nous disions: «Allons-nous hériter d'une foule de gens bizarres? Nous aurons peut-être à affronter les complications de l'alcool mêlé à beaucoup d'autres facteurs». À cette époque, nous parlions toujours d'un personnage imaginaire, l'alcoolique pur; pas de complications, vous comprenez, juste un buveur. Et nous prétendions honnêtement appartenir à cette catégorie! Alors, lorsque les membres commencèrent à se multiplier, notre inquiétude augmenta. «Trouverons-nous parmi eux des individus aux mœurs étranges? Des criminels, peut-être? Des personnes socialement indésirables?» Nous étions tout simplement victimes d'une vraie peur mêlée à un certain snobisme et à une bonne dose de suffisance. Nous ne savions tout simplement pas à quoi nous attendre.

Depuis cette période de nos débuts, il est vrai de dire que toutes sortes de personnes ont trouvé le chemin des A.A. Notre Mouvement comprend une grande variété d'êtres humains. Par exemple, il y a peu de temps, je causais dans mon bureau avec un membre qui portait le titre de comtesse. Le même soir, je suis allé à une réunion des A.A. C'était l'hiver. Un petit gars paisible s'occupait du vestiaire. Il le faisait gratuitement, juste pour rendre service. Je demandai: «Qui est-ce?». Quelqu'un me répondit: «Oh, il vient ici depuis longtemps. Tout le monde l'aime bien. Il faisait partie de la bande d'Al Capone». Cette anecdote illustre bien à quel point les A.A. sont aujourd'hui universels.

Mais il nous fallut beaucoup, beaucoup de temps pour apprendre la véritable démocratie. À une certaine époque, il y eut parmi les groupes une telle profusion de règlements d'admission que si nous avions dû les appliquer dans leur ensemble, personne, vraiment personne, n'aurait pu devenir membre des Alcooliques anonymes. Mais, comme nos craintes se dissipaient, nous avons fini par nous dire: «Qui sommes-nous pour exclure qui que ce soit? Pour beaucoup de buveurs désespérés, le Mouvement des A.A. représente le dernier refuge. Comment pouvons-nous claquer la porte au nez de quiconque s'y présente?» C'est un geste que nous ne devons jamais poser. Nous devons toujours prendre une chance, peu importe la nature du nouvel arrivant. La présence dans nos groupes de certains individus étranges affectera sans doute nos relations publiques. Et il est vrai que l'image que nous présentons à la société est importante. Mais ne devons-nous pas attacher encore plus d'importance au caractère réel de notre Fraternité. Lequel d'entre nous oserait dire: «Non, tu ne peux pas entrer», se constituant du fait même juge, juré et même bourreau de son frère alcoolique? Aussi, la Troisième Tradition résume-t-elle l'expérience de toutes ces années lorsqu'elle proclame: «Tu es un membre des Alcooliques anonymes, puisque tu le dis. Peu importe ce que tu as fait, ou ce que tu feras, tu es un membre des Alcooliques anonymes aussi longtemps que tu dis l'être».

Voici maintenant la Quatrième Tradition: «*Chaque groupe devrait être autonome, sauf sur les points qui touchent d'autres groupes ou l'ensemble du Mouvement*».

Ayant contribué à lancer ce Mouvement, j'ai longtemps pensé que je pourrais le diriger de New York, Mais, soudain je me suis aperçu qu'il nous serait impossible, à moi ou à tout autre membre des Quartiers généraux de New York, de réaliser ce tour de force. Les groupes nous disaient: «Nous aimons ce que vous faites. Nous apprécions parfois vos conseils et vos suggestions. Mais il nous appartient de décider si nous allons les accepter ou les refuser. Nous voulons diriger nos groupes comme nous l'entendons. Nous ne voulons pas d'un gouvernement central, à New York ou ailleurs. Des services, oui! Un gouvernement, non!»

C'est de là que vient la Tradition de l'autonomie des groupes chez les A.A. Elle ne fut pas longue à formuler. Ils nous ont dit exactement ce qu'ils voulaient, y compris le droit de se tromper.

Citons un exemple. Il y a plusieurs années, dans une certaine ville, un promoteur exceptionnel trouva sa sobriété chez les A.A. Très rapidement, il se mit à rêver de grandes réalisations qui devaient toutes, naturellement, contribuer au plus grand bien du Mouvement. Selon lui, il fallait ériger un très grand édifice, qui nécessiterait une énorme mise de fonds. Au rez-de-chaussée, il y aurait un club. Puis, à l'étage suivant, une salle de réunions. Au-dessus, une clinique et un centre de réhabilitation. Et, tout en haut, un service financier où l'alcoolique indigent pourrait emprunter un peu d'argent de poche. C'est ainsi qu'il concevait son nouveau centre! Grâce à son talent de promoteur, il réussit à vendre ce projet à ses concitoyens. Naturellement, il se réservait le poste de directeur général. Son plan prévoyait trois corporations distinctes: la première pour le club, une autre pour la clinique et la troisième pour le service des prêts. Il rédigea d'ailleurs une sorte de charte comprenant soixante-et-un articles pour assurer la bonne marche de toute cette entreprise.

À l'exception de quelques membres irréductibles, ses confrères chez les A.A. étaient convaincus de la valeur de son idée. Cet homme semblait être un véritable sauveur. Il écrivit à New York pour obtenir une charte particulière. Mais, certains adversaires de son projet nous écrivirent également. Nous avons dû leur répondre que chaque groupe est libre de conduire ses affaires comme il l'entend, à condition de ne pas causer de tort aux groupes environnants. Mais, avec toute l'insistance qui nous était permise, nous ajoutions que des projets de ce genre, pourtant moins grandioses, avaient déjà échoué partout ailleurs. Fort de son droit, ce groupe ignora notre avertissement.

Vous devinez sans doute ce qui arriva. Après plusieurs tempêtes, ce fut la débâcle complète. On aurait dit l'explosion d'une chaudière à vapeur dans un moulin à bois. Le choc des personnalités se fit entendre à des kilomètres à la ronde.

Puis, le calme se rétablit. Beaucoup plus tard, nous recevions une lettre du promoteur. Il écrivait: «Vous nous aviez dit que des entreprises extérieures pouvaient être bénéfiques et vraiment utiles. Mais vous nous aviez également prévenus de ne pas les confondre avec le mouvement des A.A. Je croyais ce mariage possible et même souhaitable. Eh bien! vous des Services généraux aviez raison et j'avais tort».

Le promoteur avait joint à sa lettre une carte qu'il avait déjà expédiée à chaque groupe aux États-Unis. Elle ressemblait à une carte de pointage au golf. L'extérieur de la carte portait l'inscription: «Un certain groupe, quelque part, règlement no. 62». À l'intérieur, un simple message, direct, mordant: «Ne vous prenez jamais trop au sérieux».

C'est ainsi qu'en vertu de la Quatrième Tradition un groupe des A.A. avait exercé son droit de se tromper. De plus, il avait rendu un grand service aux Alcooliques anonymes en acceptant humblement de mettre en pratique les leçons apprises. Il s'était redressé avec le sourire et était reparti vers d'autres activités plus utiles. Même l'architecte principal, debout parmi les décombres de son rêve, pouvait rire de lui-même, dans une attitude qui représente le summum de l'humilité.

Quelques uns peuvent penser que nous avons poussé jusqu'à l'extrême le principe de l'autonomie des groupes. Ainsi, la version originale et détaillée de la Quatrième Tradition se lisait: «Deux ou trois membres, réunis dans la poursuite de la sobriété, peuvent se déclarer groupe des A.A., s'ils n'ont aucune autre affiliation». Ainsi ces deux ou trois alcooliques peuvent rechercher la sobriété par les moyens de leur choix. Il leur est permis d'être en désaccord avec un principe quelconque ou avec l'ensemble des principes des A.A. et de continuer pourtant à se considérer comme un groupe des A.A.

Cette liberté, vraiment absolue, ne comporte pas autant de risques qu'on pourrait le croire. Les innovateurs se voient toujours contraints, en dernière analyse, d'adopter les principes des A.A., du moins certains d'entre eux, pour demeurer sobres. Si, par ailleurs, ils découvraient une méthode supérieure à celle des A.A. ou s'ils réussissaient à améliorer la nôtre, alors, selon toute vraisemblance, nous adopterions leurs découvertes pour les proposer à l'ensemble de notre Fraternité. Cette forme de liberté empêche le mouvement des A.A. de devenir un ensemble rigide de principes dogmatiques qui ne pourraient jamais être modifiés, même dans un cas d'erreur flagrante. Les expériences saines et les erreurs ont toujours leur place dans notre Mouvement. Évidemment, tout groupe dissident est instamment prié, bien que jamais forcé, d'éviter toute affiliation à quelque autre organisme que ce soit. Il est clair que nous ne pourrions nous permettre d'avoir des groupes de A.A. catholiques ou protestants, démocrates ou républicains, ou tout simplement communistes. Un groupe des A.A. ne devrait pas non plus s'allier à quelque genre que ce soit de traitement médical ou psychiatrique. Nous pouvons collaborer avec quiconque. Mais l'appellation «Alcooliques anonymes» nous appartient en exclusivité.

De nombreuses personnes se demandent comment le Mouvement des A.A. peut fonctionner dans une apparente anarchie. D'autres sociétés doivent recourir à la loi, à la force, aux sanctions ou punitions, administrées par des personnes autorisées. Heureusement pour nous, nous avons découvert que nous n'avions pas besoin de quelqu'autorité humaine que ce soit. Nous connaissons deux autorités autrement plus efficaces: l'une est bienveillante, l'autre est malveillante. L'une est Dieu, notre Père, qui nous dit simplement: «J'attends de vous que vous fassiez Ma volonté». L'autre autorité, c'est l'alcool qui dit: «Vous feriez bien d'agir selon la volonté de Dieu, sinon je vous tue!» Et parfois il le fait. Alors, lorsque les jeux sont faits, nous nous conformons à la volonté de Dieu pour éviter de périr. Et cette menace de mort s'adresse au membre, à son groupe et au Mouvement des

A.A. dans son entier. Nous bénéficions donc de tous les avantages des dictatures meurtrières d'aujourd'hui, sans en subir les inconvénients. Nous trouvons chez-nous un harmonieux dosage d'autorité, d'amour et de châtiment, tout en nous assurant qu'aucun être humain, quel qu'il soit, ne pourra se constituer en autorité. C'est là notre rempart contre la dissolution et la garantie de notre survivance, quel qu'en soit le prix. Pour nous, c'est une question de vie ou de mort.

Mais ce n'est pas tout. À mesure que nous progressons comme individus ou comme groupes, nous commençons à obéir aux Traditions des A.A. pour d'autres raisons. Nous commençons à les observer parce que nous croyons qu'elles nous sont salutaires. Nous acceptons ces principes parce que nous réalisons qu'ils sont bons, même s'il nous arrive de leur résister à l'occasion. Puis, nous parvenons au degré suprême de l'obéissance. Nous pratiquons alors les Étapes et les Traditions des A.A. parce que nous les désirons pour notre propre bénéfice. Il n'est plus question de bien ou de mal; nous nous conformons parce que nous le voulons bien. Et c'est ainsi que nous progressons dans notre unité et dans notre esprit de service. C'est ainsi également que se manifestent la grâce et l'amour de Dieu parmi nous.

Cette réflexion, dans son ensemble, nous conduit directement à la Cinquième Tradition, qui déclare: «*Chaque groupe n'a qu'un seul but: transmettre son message à l'alcoolique qui souffre encore*».

Nous croyons que nous devons bien accomplir une tâche plutôt que de chercher à atteindre des objectifs qui ne sont pas les nôtres. Voilà l'idée maîtresse de cette Tradition. L'unité de notre Mouvement gravite autour de ce principe. De lui dépend notre survivance. «Chacun son métier» prend un sens très profond pour les Alcooliques anonymes. Nous avons découvert ensemble un remède efficace pour notre terrible maladie. Nous pourrions nous intéresser à l'éducation, à la recherche, à la névrose et à bien d'autres questions. Mais, comme société, devrions-nous le faire? Notre expérience nous oblige à répondre par un non catégorique. Sur le plan individuel, nous pouvons nous intéresser à ces différents domaines et, en fait, nous avons raison de le faire. Mais, comme Fraternité, nous savons que nous ne devons pas dévier. C'est notre expérience comme alcooliques qui confère une valeur unique au travail précis que nous devons accomplir dans le domaine de l'alcoolisme. Nous pouvons rejoindre l'alcoolique malheureux comme personne ne peut le faire. Alors, notre plus grande obligation morale consiste à nous concentrer sur ce travail et seulement sur ce travail. Si nous avions découvert un remède pour guérir le cancer, on nous supplierait de consacrer tous nos efforts à ce seul problème. Il ne nous appartiendrait pas de traiter toutes les tumeurs, la tuberculose, et le ver solitaire par dessus le marché. Dans une pareille éventualité, nous nous limiterions certainement au cancer. Même si le Mouvement des A.A. doit beaucoup à la médecine et à la religion, nous ne pouvons devenir des experts dans l'un ou l'autre de ces domaines. Nous savons que la théologie appartient aux membres du clergé et que la pratique de la médecine ou de la psychiatrie doit être réservée aux médecins. Convaincus de pouvoir réussir ensemble un travail que nous ne pourrions faire séparément, nous coopérons, mais nous ne serons jamais des compétiteurs. Nous devons diriger nos énergies là où elles comptent le plus.

Nous n'insisterons jamais assez sur le but fondamental du Mouvement des A.A.: transmettre le message à l'alcoolique qui souffre encore. C'est là notre objectif primordial, notre véritable raison d'être.

La Sixième Tradition est l'aboutissement logique de la Cinquième: «*Un groupe des A.A. ne devrait jamais endosser, financer ou prêter le nom de A.A. à des groupements apparentés ou à des organisations étrangères, de peur que les soucis d'argent, de propriété et de prestige ne nous distraient de notre but premier*».

Dans les débuts, notre «Fondation», qui s'appelle maintenant le Conseil des Services généraux, avait une charte qui lui permettait de tout faire sauf de prôner la prohibition. Cette charte nous autorisait à éduquer, à faire de la recherche, en somme n'importe quoi. Et nous étions convaincus qu'il nous faudrait beaucoup d'argent pour accomplir toutes ces choses. C'était d'ailleurs l'opinion partagée par l'ensemble des groupes.

À cette époque, les hôpitaux ne nous acceptaient pas; nous songions donc à en ouvrir de nouveaux que nous pourrions administrer à notre guise. Le public avait besoin d'information sur l'alcoolisme; alors nous nous devions de l'éduquer en révisant, s'il le fallait, tous les manuels scolaires et tous les traités de médecine. Nous pensions qu'il nous faudrait modifier les lois de la nation et forcer les autorités à décréter que l'alcoolisme est une maladie. Puis, nous introduirions le mouvement des A.A. dans les sombres dédales de la drogue et de la criminalité. Nous formerions des groupes pour les dépressifs et les paranoïaques, savourant à l'avance la joie que nous éprouverions à traiter les cas les plus compliqués.

Si nous étions capables de vaincre l'alcoolisme, nous avions la réponse à tous les problèmes; Notre honnêteté absolue nous permettrait d'assainir les milieux politiques. Dans les usines, elle produirait une harmonie parfaite entre patrons et travailleurs. Ayant découvert la recette du vrai bonheur, nous pourrions l'enseigner au monde entier. Nous étions convaincus que le Mouvement des Alcooliques anonymes serait le début d'un renouveau spirituel mondial. Nous allions transformer le monde!

Oui, nous avons bel et bien fait de tels rêves. Quoi de plus naturel, puisque la plupart des alcooliques sont des idéalistes ratés. Presque chacun de nous, inspiré par un grand idéal, avait désiré faire beaucoup de bien, accomplir de grandes choses. Nous étions des perfectionnistes. Mais nous sentant incapables d'atteindre la perfection, nous avions couru vers l'autre extrême, nous contentant de la bouteille et de l'inconscience. Grâce au Mouvement des A.A., la Providence avait mis à notre portée la réalisation de nos plus belles espérances. Alors, pourquoi ne partagerions-nous pas notre mode de vie avec chacun de nos frères humains?

Nous avons donc essayé de fonder nos propres hôpitaux. Nous avons échoué lamentablement, parce que vous ne pouvez transformer un groupe des A.A. en une entreprise commerciale: trop de cuisiniers entreprenants gâtent toujours la sauce. Certains groupes des A.A. se sont lancés dans l'éducation et, lorsqu'ils commencèrent à vanter en public les mérites de telle ou telle méthode d'éducation, ce fut la confusion générale. Est-ce que le Mouvement des A.A. était un mode de rétablissement des alcooliques ou bien était-ce un projet éducatif? Notre Fraternité était-elle un mouvement spirituel ou une société médicale? Étions-nous des réformistes? À notre grande stupéfaction, nous avons découvert que nous nous étions impliqués dans une foule d'entreprises disparates et d'inégale valeur.

Lorsque nous avons réalisé que des alcooliques étaient internés, de gré ou de force, dans des prisons ou des asiles, nous avons commencé à dire: «Il devrait y avoir une loi». Certains membres de notre Fraternité ont attiré l'attention du public en donnant des coups de poing sur les tables des comités législatifs, tout en prônant une réforme des lois. Ces gestes alimentèrent la presse, mais rien de plus. Nous avons bientôt réalisé que nous étions en train de nous enliser dans la politique. Il nous parut urgent, même à l'intérieur des A.A., de dissocier le nom de notre Fraternité des clubs et des centres de Douzième Étape. Ces pénibles expériences nous prouvaient, hors de tout doute, que nous ne pouvons, en quelque circonstance que ce soit, endosser une autre entreprise, si louable et si proche de nous soit-elle. Nous, les Alcooliques anonymes, ne pouvions tout faire pour tout le monde. Il ne fallait même pas essayer. Dès l'instant où nous avons prêté le nom des A.A. à une entreprise de l'extérieur, nous avons eu des ennuis, parfois de sérieux ennuis.

À un moment donné, nous avons failli être mêlés à une controverse entre les partisans du régime sec et leurs adversaires. Une association de distributeurs d'alcool désirait embaucher un membre des A.A. comme éducateur. Les membres de cette association voulaient enseigner que l'abus de l'alcool est mauvais pour tout le monde et que les alcooliques ne peuvent pas boire. Jusque là, tout allait bien. Mais il devint bientôt évident que ces hommes d'affaires désiraient baser toute leur publicité sur le fait que leur éducateur, Monsieur X, était membre des Alcooliques anonymes. Cela changeait tout. Le public penserait tout de suite que les Alcooliques anonymes entraient dans le domaine de l'éducation par le truchement de l'industrie des spiritueux. Si cela se produisait, les prohibitionnistes engageraient immédiatement un autre membre des A.A. pour un «travail d'éducation». Vous voyez la controverse dans laquelle nous serions plongés. Nous ne pouvions tout simplement pas prendre parti dans cette querelle et nous occuper en même temps des alcooliques malades.

L'éducateur éventuel se présenta à notre bureau de New York pour demander conseil. Nous lui avons évidemment répondu que nous attachions beaucoup d'importance à l'éducation basée sur l'expérience et qu'à titre d'expert en relations publiques et de citoyen responsable il était parfaitement libre d'accepter le poste. Mais croyait-il opportun d'afficher en même temps son appartenance au mouvement des A.A.?

Notre membre comprit tout de suite. «Le mouvement des Alcooliques anonymes m'a sauvé la vie», dit-il, «je dois donc le faire passer avant toute autre considération. Je n'ai aucune intention de causer des ennuis aux A.A., mais je réalise qu'en mêlant le Mouvement à mes projets je risque de le faire». Notre ami venait de résumer toute la question de l'endossement. Nous avons alors compris, plus clairement que jamais, que le nom des A.A. ne peut être associé à quelque cause que ce soit, si ce n'est la nôtre.

Longtemps après, nous avons fait une autre découverte. Nous avons réalisé que l'influence générale des A.A. grandissait dans la mesure même où notre Mouvement concentrait tous ses efforts dans le domaine qui lui est propre. La médecine, la religion et la psychiatrie commençaient à emprunter certaines de nos idées et de nos expériences. Il en fut de même pour les spécialistes de la recherche, de la réhabilitation et de l'éducation. On vit alors apparaître un grand nombre de nouveaux mouvements thérapeutiques. Ils s'occupaient de la maladie du jeu, du divorce, de la délinquance, de la drogue, des maladies mentales et de bien d'autres problèmes. Eux aussi s'inspirèrent de notre patrimoine, mais ils firent leurs propres adaptations. Ils œuvraient dans leur domaine particulier, sans que nous ayons à les endosser ou à leur enseigner un mode de vie.

Notre influence ne se limita pas à ces seuls domaines. Elle commence maintenant à avoir une portée beaucoup plus générale. Elle se fait sentir dans le monde de la politique et des affaires. Elle influence toutes les personnes qui sont en contact avec des alcooliques et leurs familles. Les changements que nous voulions provoquer par la force sont justement en train de s'effectuer en douceur.

Aujourd'hui, nous comprenons et acceptons ce paradoxe: L'influence universelle des A.A. s'intensifie dans la mesure même où notre Mouvement se concentre sur son objectif fondamental.

Parlons maintenant de la question d'argent et de l'attitude des A.A. dans ce domaine. La richesse avait causé la ruine de bien des hommes et de plusieurs nations. Nous ruinerait-elle aussi? En Amérique, tout particulièrement, l'argent est le symbole du prestige, de la puissance et du confort. L'argent peut certes faire beaucoup de bien, mais il peut aussi causer tous les maux. Est-ce que la spiritualité des A.A. serait affectée par la présence d'un peu d'argent? Ou bien, d'un autre côté, devrions-nous accumuler le plus d'argent possible pour être en mesure d'accomplir une meilleure tâche? Nous faisions face à cette tentation et à ce dilemme vieux comme le monde.

Les conservateurs disaient: «Pourquoi nous laisser tenter par l'argent? Nous n'en avons pas besoin. Nous pouvons nous réunir dans des maisons privées, sans recourir à une trésorerie. Pourquoi aurions-nous besoin de livres, de bureaux et de services mondiaux? Le message se transmet d'un alcoolique à un autre. Gardons le Mouvement simple et évitons les ennuis d'argent». Les radicaux pensaient différemment: «Nous ne devons pas nous contenter de services essentiels. Il nous faut beaucoup plus que cela. Nous avons besoin d'hôpitaux, de thérapeutes salariés, de conférenciers itinérants, de centres de réhabilitation et d'une foule d'autres choses. Nous aurons besoin de millions. Et où prendrons-nous tout cet argent? Eh bien! nous ferons comme les autres associations, nous irons le chercher dans la société».

Un peu plus tard, nous avions l'agréable surprise de constater qu'après tout le Mouvement des A.A., comme entité, n'exigeait pas beaucoup d'argent. Une fois libérés de nos rêves grandioses d'hôpitaux, de centres de recherche et de réhabilitation et de projets d'éducation, la note à payer n'était pas très élevée. D'autres entreprises requéraient des sommes plus considérables que nous. Ce tracas nous était épargné.

Nous nous sommes largement inspirés à cette époque de la philosophie de Saint François d'Assise. Son mouvement aussi avait d'abord été laïque, chaque membre portant le message à un autre. À cette époque, il arrivait souvent que des individus fassent le vœu de pauvreté. Mais il était rare, et même exceptionnel, qu'une association ou une fraternité tout entière pose le même geste. Saint François en fit un principe fondamental pour son ordre. Il était convaincu que si ses disciples avaient moins d'occasions de se quereller pour des questions d'argent ou de propriétés ils pourraient se concentrer davantage sur la réalisation de leur objectif primordial. Et comme cela se produit aujourd'hui pour les A.A., son association n'eut pas besoin de beaucoup d'argent pour accomplir sa mission. Pourquoi se laisser tenter et détourner de son but lorsqu'on n'y est pas obligé?

Alors, le Mouvement des A.A. adopta la sagesse de François. Non seulement limiterions-nous les services à l'essentiel, mais nous dépenserions le moins possible, sans pour cela mépriser l'argent. Il suffirait de réduire nos exigences monétaires. C'est dans ce sens que le Mouvement des A.A. a adopté le principe de la pauvreté collective. C'est une garantie essentielle de sécurité pour la survivance du Mouvement.

Malgré l'adoption, dès nos débuts, de cette Tradition de

pauvreté pour assurer notre sécurité, nous devions avoir quelques tentations. Il y en eut trois.

La première se produisit à l'automne de 1937, lors de notre rencontre avec M. John D. Rockefeller Jr. et de ses amis. À cette époque, la possibilité d'une aide financière illimitée obscurcissait quelque peu notre rêve de partager la philosophie de Saint François. Le Dr Bob, moi-même et la plupart d'entre nous étions alors extrêmement pauvres. La perspective d'emplois stables et bien rémunérés, de chaînes d'hôpitaux dirigés par les A.A. et de tonnes de littérature gratuite pour les alcooliques enflamma notre imagination. Mais M. Rockfeller pensait différemment. «Je crois», dit-il, «que l'argent pourrait gâter cette œuvre». Il ne délia pas les cordons de sa bourse et notre Fraternité demeura pauvre. Saint François nous avait inspiré. John D., dans sa sagesse, nous força à vivre selon l'idéal franciscain. C'est à ces deux personnages, bien différents l'un de l'autre, que nous devons la Tradition des A.A. au sujet de l'argent. Remercions Dieu de les avoir placés sur notre route!

Notre seconde tentation nous fit passer à l'autre extrême. Nous avions tellement peur de l'argent que nous étions devenus avares, refusant très souvent d'accorder notre support financier à des services simples mais essentiels au bon fonctionnement des A.A. et à la croissance du Mouvement dans ceratines régions ou dans le monde entier. Encore aujourd'hui nous éprouvons des réticences. Nous connaissons encore des moments d'hésitation lorsque l'on passe le chapeau pour supporter les Intergroupes locaux ou les Services généraux. Et cette résistance ne s'explique pas par un manque d'argent. Le revenu collectif des A.A., c'est-à-dire la somme de leurs gages, salaires ou autres émoluments, atteindra bientôt un milliard de dollars annuellement. Lorsqu'ils sont sobres et travaillent, peu d'alcooliques ont des problèmes d'argent. Notre capacité individuelle de gagner peut même doubler la moyenne générale. La récompense matérielle, aussi bien que la récompense spirituelle, du mode de vie des A.A. est vraiment incroyable. Et pourtant, nous avons encore tendance à refuser notre contribution lorsqu'il s'agit d'acquitter les comptes très raisonnables des services. Parfois je me dis que c'est peut-être mieux ainsi. De cette façon le Mouvement des A.A. ne court aucun risque de devenir trop riche grâce aux contributions volontaires de ses propres membres!

Il existe une histoire amusante, mais combien révélatrice, à ce sujet. Et la blague est à mes dépens. C'était en 1941, peu après la publication de l'article du *Saturday Evening Post*. Les revenus de la vente du Gros Livre ne suffisaient pas à payer les frais de réponse aux milliers de demandes qui nous parvenaient de toutes parts. Nous avions établi une cotisation annuelle d'un dollar par membre comme contribution volontaire de base afin de faire face à cette dépense. C'était la première fois que les Services généraux des A.A. sollicitaient l'aide des groupes.

À ce moment-là, Lois et moi recevions trente dollars par semaine à la suite du dîner de M. Rockefeller. Nous vivions dans une petite chambre au club de la Vingt-Quatrième rue. Nos meubles étaient encore dans un hangar pour entreposage et nous étions dans la dèche. Un matin, un ami qui relevait d'une cuite, les yeux encore tout rouges, fit son entrée dans le bureau de la rue Vesey. Je me promenais de long en large, maugréant contre les alcooliques qui tardaient à nous envoyer leur contribution d'un dollar. J'étais vraiment d'une humeur massacrante et je me plaignis amèrement à mon ami aux yeux rouges de l'avarice des alcooliques. Il était naturellement d'accord avec moi. Pour faire preuve de ma générosité, je sortis de ma poche un billet de cinq dollars que je lui donnai. Lois avait besoin de cet argent pour acheter de la nourriture et, par ailleurs, je savais fort bien que mon ami s'empresserait d'aller le dépenser dans un bistrot. Mais ce geste grandiose me procura une sensation de bien-être. Moi, pauvre moi, je pouvais donner cinq dollars à un alcoolique, alors que les autres n'avaient même pas le cœur d'envoyer leur dollar.

Très satisfait de moi-même, je me rendis ce soir-là à la réunion au club. Le groupe était en retard dans le paiement du loyer.

À cette époque, il n'était pas question de mêler le matériel et le spirituel. C'est à peine si nous pouvions effleurer la question d'argent. Mais le propriétaire n'avait pas été payé et il fallait en parler. À l'intermission, mon vieil ami Tom B., qui ce soir-là dirigeait la réunion, mentionna timidement: «Maintenant, les amis, pourriez-vous faire un effort spécial lorsque passera le chapeau? Nous sommes un peu en retard dans le paiement du loyer». Il avait presque l'air de s'excuser en faisant cette annonce. J'étais assis dans l'escalier avec un nouveau membre. Néanmoins j'avais entendu l'appel du président et je savais que le club était en retard. Finalement, le chapeau se rendit jusqu'à nous en haut de l'escalier et je fouillai dans ma poche pour en sortir une pièce de monnaie. C'était une pièce de cinquante sous. Sans réfléchir, je la remis dans ma poche et en sortis une pièce de dix sous qui ne fit pas grand bruit lorsque je la déposai. Une minute plus tard, je devins conscient du geste que je venais de poser. Moi qui m'étais vanté le matin même de ma générosité, je me comportais maintenant plus mal envers mon club que les alcooliques qui avaient oublié d'envoyer leur dollar à la Fondation. Je me rendis compte que mon don de cinq dollars à un alcoolique en rechute n'était qu'un geste destiné à flatter ma vanité, un geste mauvais pour lui et pour moi. Il y avait un endroit dans le Mouvement des A.A. où la spiritualité et l'argent pouvaient se marier, et c'était dans le chapeau des contributions. Depuis ce jour, je n'ai jamais critiqué un membre qui n'envoyait pas un dollar ou plus aux Services généraux.

Puis, nous avons connu notre troisième tentation au sujet de l'argent, et ce fut la plus grave de toutes.

Un soir, les syndics de notre Fondation tenaient leur réunion trimestrielle. Il y avait à l'ordre du jour une question cruciale. Une certaine dame était décédée et, à la lecture de son testament, on avait appris qu'elle léguait à la Fondation des Alcooliques anonymes, en fiducie, une somme de $10,000. Il fallait donc décider si oui ou non la Fraternité devait accepter ce don.

Quel débat nous avons eu à ce sujet! La Fondation râclait les fonds de tiroirs; les cotisations des groupes ne suffisaient pas à maintenir le bureau; même après avoir englouti tous les revenus du Gros Livre, le fonds de réserve avait fondu comme neige au printemps. Nous avions un besoin urgent de ces $10,000. «Il se peut», disaient quelques syndics, «que les groupes ne puissent jamais permettre à notre bureau d'opérer normalement. Nous ne pouvons fermer ses portes; il est beaucoup trop important. Oui, acceptons cet argent. Acceptons désormais tous les dons qui nous seront offerts. Nous allons en avoir besoin».

Puis, ce fut au tour de l'opposition. On fit remarquer que la Fondation savait qu'un demi-million de dollars étaient déjà légués aux A.A. dans des testaments de personnes encore vivantes. Dieu seul savait combien d'autres dons nous étaient destinés et dont nous n'avions jamais entendu parler. Si les dons de l'extérieur n'étaient pas refusés, un jour la Fondation serait riche. De plus, il suffirait que nos syndics mentionnent publiquement nos besoins financiers pour que nous devenions immensément riches. À la lumière de cette hypothèse, les dix mille dollars en question semblaient très modestes. Mais si nous les acceptions, ils déclencheraient la même réaction que la consommation d'un premier verre produit chez un alcoolique, une désastreuse réaction à chaîne. Où cela nous mènerait-il? Celui qui paie l'orchestre a le privilège de choisir la musique. Si la Fondation des A.A. acceptait des fonds de l'extérieur, ses syndics pourraient être tentés de prendre des décisions contraires aux désirs de l'ensemble des membres. Libéré de cette responsabilité financière, chaque membre pourrait dire, en haussant les épaules: «La Fondation a les reins solides. Pourquoi m'en préoccuper?» Disposant d'une caisse bien garnie, le Conseil pourrait être tenté d'inventer toutes sortes de stratagèmes pour faire du bien au moyen de cet argent, risquant du même coup de détourner notre Fraternité de son but premier. Dans cette éventualité, la confiance en notre Mouvement serait aussitôt ébranlée. Le Conseil pourrait fort bien se retrouver seul en butte aux attaques et à la critique du public et des membres. Tel étaient les arguments pour et contre l'acceptation de ce don.

Alors, nos syndics écrivirent une page lumineuse de notre histoire. Ils se déclarèrent en faveur du principe que le Mouvement des A.A. doit toujours demeurer pauvre. Des dépenses d'opérations raisonnables plus une réserve prudente constitueraient dorénavant la politique financière de la Fondation. Malgré les besoins pressants de l'heure, les syndics déclinèrent l'offre des $10,000 et adoptèrent une résolution officielle et non-équivoque à l'effet que tous les dons de ce genre seraient refusés à l'avenir. Dès ce moment, le principe de la pauvreté corporative était fermement et définitivement ancré dans la tradition des A.A.

Lorsque la presse eut vent de l'affaire, il y eut une profonde réaction. Pour les gens habitués à d'interminables campagnes de souscription en faveur d'œuvres de charité, le Mouvement des A.A. apportait une bouffée d'air frais. Au pays comme à l'étranger, des éditoriaux favorables à cette décision produisirent une nouvelle vague de confiance en l'intégrité des Alcooliques anonymes. Ils soulignaient comment des gens jadis irresponsables assumaient maintenant leurs responsabilités et comment, en incorporant l'indépendance financière dans leurs Traditions, les Alcooliques anonymes faisaient revivre un idéal fort oublié à cette époque. Voilà pourquoi la Septième Tradition se lit comme suit: «*Tout groupe devrait subvenir entièrement à ses besoins et refuser les contributions étrangères*».

Et voici la Huitième Tradition: «*Le mouvement des A.A. devrait toujours demeurer non-professionnel, mais nos centres de services peuvent engager des employés qualifiés*».

Les Alcooliques anonymes n'auront jamais une équipe de thérapeutes professionnels. Nous comprenons mieux maintenant le vieux dicton: «Donne gratuitement ce que tu as reçu gratuitement». En ce qui nous concerne, nous avons découvert que spiritualité et honoraires professionnels ne vont pas de pair. Nous ne déprécions aucunement le professionnalisme dans d'autres sphères, mais nous réalisons qu'il n'est pas très efficace pour nous. Chaque fois que nous avons confié à des professionnels les activités de notre Douzième Étape, nous avons fait fausse route: notre but primordial n'a pas été atteint.

Vous vous souvenez comment la conscience du groupe m'avait indiqué, de façon très sage d'ailleurs, que je ne pouvais pas devenir un thérapeute professionnel à l'hôpital de Charlie Towns. Nous avons très tôt découvert qu'en aucune circonstance un membre devait recevoir quelque rémunération que ce soit pour transmettre le message, verbalement, à un autre alcoolique. Il n'en était pas question. Si jamais le professionnalisme s'introduisait à ce niveau de nos activités, c'en serait fait de nous.

Mais il y avait d'autres aspects au professionnalisme. Pendant des années, nous avons essayé de faire la part des choses à ce sujet, en nous demandant où commençait et où se terminait le professionnalisme chez les A.A. Ce problème résultait de notre besoin de personnel rémunéré dans nos centres de services pour accomplir le travail que les volontaires ne pouvaient ou ne voulaient pas faire. Il s'agissait de savoir si ces employés de services étaient ou n'étaient pas des professionnels. Là était la question.

Le premier cas de ce genre dont je me souvienne se présenta à l'ancien club de la Vingt-Quatrième rue à New York. Des volontaires avaient repeint le local, fait un nettoyage en règle et répondaient au téléphone, à la satisfaction générale. Avant de retourner à la maison pour la nuit, ils remettaient des clefs aux couche-tard. Mais certains de ces noctambules avaient l'habitude de se saouler et s'installaient dans le local à toute heure et dans tous les états, causant ainsi de graves problèmes. Les volontaires se lassèrent de balayer la place et, la plupart du temps, le local était sale. Il devint évident que nous avions besoin d'un concierge.

Nous avons donc contacté le vieux Tom, un pompier récemment sorti de l'asile de Rockland. Astucieux, nous savions déjà que Tom recevait une pension comme ancien pompier. Nous l'avons approché ainsi: «Tom, comment aimerais-tu demeurer au club? Il y aurait là une belle chambre pour toi». Il nous répondit: «Quelle est votre offre?» – «Eh bien, Tom, nous te donnerions une belle chambre et tu pourrais t'occuper du local». – «Sept jours par semaine», dit Tom. Nous lui avons dit que oui. «Quel serait mon travail?», nous demanda-t-il. «Bien, Tom, tu devrais préparer le café, débarrasser la place des ivrognes par trop bruyants et passer le balai». – Et cela, sept jours par semaines», dit Tom. «Ce que vous cherchez, c'est un concierge». Alors nous avons avoué: «C'est exact, nous avons besoin d'un concierge». «Eh bien», dit Tom, «quel sera mon salaire?» Nous lui avons répondu: «Pas question de te payer, Tom, tu deviendrais un professionnel. Nous sommes des Alcooliques anonymes, nous ne devons pas mêler l'argent et la spiritualité». – «Très bien», répondit Tom, «pas de salaire, pas de travail. Je fais gratuitement mes activités de Douzième Étape, mais si vous voulez m'employer comme concierge, figurez-vous qu'il va falloir me payer!» Plusieurs d'entre nous avaient alors un emploi et gagnaient de l'argent. Mais, croyez-le ou non, nous marchandions avec ce vieillard pour l'amener à accepter une tâche ingrate sans rémunération?

Mais le vieux Tom avait raison. Pour le bon fonctionnement de la Fraternité, il nous fallait embaucher du personnel. Malgré toute l'expansion du Mouvement, qui aujourd'hui regroupe au moins 200,000 membres, nous comptons à peine deux ou trois cents employés en tout et partout, y compris les cuisiniers qui travaillent dans les clubs, les concierges qui vaquent aux soins du ménage et les dames qui répondent au téléphone dans nos centres de service. Je suis moi-même inclus dans ce total. J'ai écrit livres et brochures pour vous et je reçois des droits d'auteur. C'est là que finalement la ligne de démarcation fut tracée: pour une thérapie en tête à tête avec un alcoolique, aucune rémunération, dans quelque circonstance que ce soit; mais le Mouvement doit engager des personnes pour des tâches essentielles à son bon fonctionnement.

Même après l'élaboration du principe de la Huitième Tradition, il fallut des années pour en déterminer les modalités d'application. Il y avait toutes sortes de cas-limites, toujours sujets à de houleux débats.

Par exemple, les membres des A.A. les plus critiqués sont ceux qui osèrent accepter des emplois dans des organismes extérieurs voués à la solution du problème de l'alcoolisme. Une université voulait retenir les services d'un membre des A.A. pour éduquer le public sur l'alcoolisme. Une corporation avait besoin d'un agent de gestion du personnel familier avec le sujet. Une ferme, où l'on se spécialisait dans le traitement des alcooliques, cherchait un régisseur capable de maîtriser les clients en état d'ébriété. Une ville demandait un travailleur social ayant expérimenté les méfaits de l'alcool au sein de la famille. Une commission d'État sur l'alcoolisme voulait embaucher un recherchiste. Cette énumération est loin de représenter tous les emplois occupés aujourd'hui par des alcooliques, à titre personnel. À l'occasion, des membres ont acheté des fermes ou des maisons de repos pour permettre à des alcooliques vraiment amochés de recevoir des soins appropriés. Il s'agissait de déterminer si de telles activités devaient être considérées comme professionnelles en regard de la Tradition des A.A.

Nos années d'expérience nous incitent à dire «non». Les membres qui choisissent d'œuvrer à plein temps dans ces carrières ne pratiquent pas la Douzième Étape d'une façon professionnelle. Le chemin parcouru pour en arriver à cette conclusion fut long et rocailleux. Au départ, nous n'arrivions pas à cerner le problème. Dans les premiers temps, dès qu'un membre des A.A. occupait un poste dans une entreprise de ce genre, il était immédaitement tenté d'utiliser le nom des Alcooliques anonymes pour la publicité et les campagnes de souscriptions. Les fermes pour alcooliques, les promoteurs de projets éducatifs, les gouvernements et les commissions d'État s'empressaient de rendre public le fait que des A.A. étaient à leur emploi. Sans réfléchir, ces membres rompaient imprudemment leur anonymat et battaient le tambour en faveur de leur entreprise favorite. Pour cette raison, de louables entreprises, ainsi que leurs ramifications, furent injustement critiquées par des groupes des A.A. On criait à la déformation professionnelle: «Voici une personne qui profite du mouvement des A.A. pour s'enrichir!» Pourtant, aucun d'entre eux n'avait été embauché pour effectuer une œuvre de Douzième Étape.

On avait le tort de confondre le professionnalisme et le bris de l'anonymat. On compromettait ainsi la réalisation du but unique des A.A. en faisant un mauvais usage du nom des Alcooliques anonymes.

Il est important de noter que, de nos jours, il arrive rarement aux membres des A.A. de briser publiquement leur anonymat. Ainsi la plupart de nos craintes se sont évanouies. Nous comprenons fort bien que nous n'avons pas le droit et qu'il n'est pas nécessaire de décourager les A.A. qui désirent travailler, à titre strictement personnel, dans des domaines de grande envergure. Ce serait carrément anti-social de les en détourner. Nous ne pouvons transformer le mouvement des A.A. en une société hermétique qui entourerait du plus grand secret ses connaissances et ses expériences. Il n'y aurait pas lieu de s'opposer à ce qu'un membre des A.A., agissant comme simple citoyen, devienne un meilleur recherchiste, éducateur ou directeur du personnel. Pourquoi s'objecter? Tout le monde y gagne et nous n'y perdons rien. Même si certains projets auxquels des A.A. se sont associés avaient été mal engagés, il n'y a pas lieu de modifier le principe concerné.

Cette série palpitante d'événements ajouta la dernière touche à notre tradition de non-professionnalisme. Notre Douzième Étape, la transmission du message, ne doit jamais être rémunérée. Mais les gens qui travaillent à notre service méritent un salaire.

Et voici notre Neuvième Tradition: «*Le mouvement des A.A., comme tel, ne doit jamais être organisé, mais nous pouvons constituer des conseils de services ou des comités directement responsables envers ceux qu'ils servent*». Cette Tradition intrigue encore bien des gens.

Comment peut-on avoir une société non-organisée qui organise tout de même des services? Et pourtant, nous avons réussi ce tour de force.

La première version de la Neuvième Tradition se lisait comme suit: «*Les Alcooliques anonymes n'ont besoin que d'un minimum d'organisation*». Depuis lors, nous avons changé d'avis à ce sujet. Aujourd'hui, nous pouvons déclarer avec assurance que les Alcooliques anonymes, c'est-à-dire notre Fraternité comme entité, ne devrait jamais être le moindrement organisée. Puis, apparente contradiction, nous procédons à la création de conseils spéciaux et de comités qui, eux-mêmes, constituent une organisation. Comment pouvons-nous avoir un mouvement non-organisé qui peut créer et qui, en fait, a créé un organisme de services? Cherchant à comprendre, les gens se demandent: «Que veulent-ils dire, pas d'organisation?»

Ce que nous voulons dire, naturellement, c'est que le Mouvement des A.A. ne pourra jamais avoir une direction ou un gouvernement organisé. Voici notre explication. Avons-nous déjà entendu parler d'une nation, d'une église, d'un parti politique et même d'une association de bénévoles dont les membres n'étaient pas régis par des règlements? A-t-on déjà entendu parler d'une association qui n'imposerait pas une certaine discipline à ses membres et n'aurait pas l'autorité nécessaire pour faire respecter les statuts et règlements? N'est-il pas vrai que toute société humaine confie à quelques-uns de ses membres le mandat de maintenir l'ordre, de sévir ou d'expulser en cas de désobéissance? Par conséquent, chaque nation, en fait toute forme de société, doit avoir un gouvernement formé d'êtres humains. Partout, le pouvoir de diriger et de gouverner constitue l'essence même de l'organisation.

Les Alcooliques anonymes font totalement exception à cette règle. Ils ne se conforment en aucune circonstance aux structures d'un gouvernement. Ni la Conférence des Services généraux, ni le Conseil des Services généraux, ni le plus humble comité de groupe ne peuvent émettre une seule directive à un membre des A.A. et l'obliger à s'y soumettre, encore moins se permettre de le punir. Nous l'avons essayé plusieurs fois, pour aboutir chaque fois à un échec. Des groupes ont tenté d'expulser des membres. Ces derniers revenaient prendre place dans la salle de réunion, en disant: «Notre vie est en jeu; vous ne pouvez nous chasser». Des comités ont conseillé à plus d'un membre de renoncer à s'occuper d'un alcoolique, pour se faire dire: «Je pratique la Douzième Étape comme je l'entends. Qui êtes-vous pour juger?» Un membre peut prendre conseil et profiter de l'expérience de confrères plus expérimentés. Mais, il n'acceptera jamais un ordre. Y a-t-il quelqu'un de moins populaire que le vétéran, rempli de sagesse, qui déménage dans une autre région et tente de montrer à son nouveau groupe comment diriger la barque? Lui et tous ses semblables qui «s'inquiètent pour le bien des A.A.» ne récoltent qu'une résistance opiniâtre ou, ce qui est encore pire, la risée générale. En fait, le Mouvement des A.A. est si peu organisé que quelqu'un suggéra un jour d'afficher dans chaque club des A.A.: «Ici, les amis, on peut tout faire, sauf fumer de l'opium dans l'ascenseur!»

On serait porté à croire que les Quartiers généraux des A.A. et la Conférence des Services généraux font exception. On penserait que les membres de ces organismes doivent être investis d'une certaine autorité. Mais il y a longtemps que les Syndics et les membres du personnel ont compris qu'ils doivent s'en tenir aux suggestions, à condition, bien entendu, qu'elles soient faites en douceur. Ils ont même dû composer quelques phrases-types qui se retrouvent dans une bonne moitié des lettres qu'ils signent: «Naturellement, vous êtes tout à fait libres de régler cette question selon votre bon plaisir... Mais, selon l'expérience acquise dans le Mouvement, il semble que...». Nous sommes donc loin de l'attitude d'un gouvernement central, n'est-ce pas? Nous reconnaissons que nous ne pouvons dicter une ligne de conduite à nos membres, individuellement ou collectivement.

À ce point-ci, il nous semble entendre un membre du clergé s'exclamer: «Ils transforment la désobéissance en vertu!» Le psychiatre se joint à lui pour dire: «Bande de gamins révoltés! Ils refusent de vieillir et de se conformer aux usages de la société». L'homme de la rue pense: «Je n'y comprends rien. Ce doit être un groupe d'illuminés». Tous ces observateurs oublient la présence d'une condition de réussite chez les Alcooliques anonymes: s'il ne pratique pas, au meilleur de sa connaissance, les Douze Étapes de rétablissement que nous lui suggérons, le membre des A.A. signe presque infailliblement son arrêt de mort. L'abus de l'alcool et la désintégration ne sont pas des pénalités imposées par des gens en autorité; ils sont le résultat d'une désobéissance personnelle aux principes spirituels. Nous devons obéir à certains principes ou mourir.

Cette menace s'adresse d'une façon aussi menaçante au groupe lui-même. S'il ne se conforme pas d'une manière générale aux Douze Traditions des A.A., il se détériore et finit par disparaître. Alors, nous, les Alcooliques anonymes, obéissons aux principes sprituels, d'abord parce que nous n'avons pas d'autre choix et, par la suite, parce que nous en venons à aimer le genre de vie qui en résulte. Nous avons deux préfets de discipline: une grande souffrance et un grand amour. Nous n'en connaissons pas d'autres.

Nous sommes donc maintenant définitivement convaincus que nous ne devrons jamais élire des conseils qui auraient pour fonction de nous diriger. Nous sommes également convaincus qu'il nous faudra toujours avoir des personnes à notre service. Ici, nous faisons une distinction très nette entre l'esprit de l'autorité établie et l'esprit de service, deux concepts parfois diamétralement opposés. C'est dans cet esprit de service que nous élisons, d'une façon rotative, des comités particuliers au sein des groupes, de l'Intergroupe régional et de la Conférence des Services généraux pour l'ensemble du Mouvement. Même nos Syndics qui, autrefois, constituaient un organisme indépendant, doivent maintenant rendre des comptes directement à toute la Fraternité. Ils sont les gardiens de nos Services mondiaux et ils en exécutent le travail.

Alors que le but de chaque membre des A.A. est d'assurer sa sobriété personnelle, le but de nos services est de mettre la sobriété à la porté de tous ceux qui peuvent la désirer. Si personne n'accomplissait les tâches inhérentes à la vie des groupes, si les appels téléphoniques au bureau régional demeuraient sans réponse, si nous ne répondions pas à notre courrier, le Mouvement des A.A., tel que nous le connaissons, cesserait d'exister. Les lignes de communication avec les personnes qui ont besoin de notre aide seraient rompues.

Tout en fonctionnant, le Mouvement des A.A. doit éviter la richesse, le prestige et le pouvoir: trois grands dangers qui menacent toute société humaine. Même si, de prime abord, la Neuvième Tradition ne semble traiter que de questions purement matérielles, son application s'appuie sur une profonde spiritualité. Notre Mouvement n'est pas organisé. C'est une société de service, une vraie fraternité.

Voici un exemple illustrant le processus selon lequel nous sommes arrivés à cette situation exceptionnelle. Joe Doe, membre d'une sobriété bien reconnue dans sa propre ville, se rend à Middletown, U.S.A. Il n'existe pas de groupe à Middletown. Joe s'ennuie et se sent un peu craintif. Et puis, il voudrait transmettre le message. Peut-être placera-t-il une modeste annonce dans le journal local pour annoncer que le Mouvement des A.A. est arrivé en ville. Peut-être ira-t-il rencontrer quelques pasteurs, médecins ou barmen afin de dénicher des candidats éventuels. Bientôt, on assiste à la fondation d'un petit groupe. Au début, Joe agit en dictateur et les premiers membres forment vraiment sa hiérarchie. Ils détiennent toute l'autorité. Ils enseignent tous les principes des A.A. et prennent toutes les décisions pour le groupe. Celui-ci prend de plus en plus d'importance à la base. Pendant un certain temps, on accepte tout ce que disent Joe et ses premiers disciples qui prennent, à bon droit, les décisions parce qu'à ce stade on n'a pas le choix.

Mais, peu à peu, la situation change. Joe et ses amis ont peut-être fait un faux pas, ou bien un membre plus actif commence à murmurer: «Pendant combien de temps encore ces vieux bonzes vont-ils continuer à nous régenter?»

Pendant ce temps, le fondateur et ses amis se glorifient de leur succès. Ils se disent entre eux: «Nous devrions sans doute continuer à diriger d'une main ferme les affaires du Mouvement dans cette ville, à cause de notre expérience et des immenses bienfaits accomplis pour ces alcooliques. Ils devraient nous en être très reconnaissants». Il arrive que certains fondateurs et leurs amis sont plus sages et plus humbles, bien qu'à ce stade, ils ne le soient guère.

Le groupe commence maintenant à ressentir les malaises de la croissance. Les problèmes s'accumulent. On entend de nouveau au sein de ce corps politique des murmures qui grondent et s'amplifient jusqu'à devenir un cri retantissant: «Ces vieux prétendent-ils continuer à tout diriger indéfiniment? Tenons une élection». Le fondateur et ses amis sont affectés et déprimés. Ils s'agitent d'une crise à une autre et courent pleurer sur l'épaule de chaque membre dans une attitude de supplication. Mais cela ne sert à rien. La révolution est en marche. Le groupe se prépare à prendre les choses en main. Si le fondateur et ses amis sont de bons serviteurs, il se peut qu'à leur grande surprise leur mandat soit prolongé pour un certain temps. Si, au contraire, ils ont opposé une farouche résistance à la marée montante de la démocratie, il se peut qu'on les laisse tomber sans cérémonie. Dans un cas comme dans l'autre, le groupe s'est maintenant doté de ce qu'on appelle un comité rotatif dont l'autorité est très limitée. Ses membres ne peuvent en aucune façon gouverner ou diriger le groupe. Ils n'ont parfois que l'ingrat privilège d'accomplir les tâches nécessaires au bon fonctionnement du groupe. Ils ne sont ni des conseillers spirituels, ni des juges de la conduite des autres, ni des législateurs. Tout membre d'un tel comité qui tenterait d'abuser de son influence serait démis de ses fonctions dès l'élection suivante. Tous réalisent qu'ils sont en fait des serviteurs et non des sénateurs. Ces expériences sont universelles chez les A.A. C'est ainsi que dans notre Fraternité, la conscience du groupe décide du rôle de ses élus.

Ces remarques nous conduisent directement à la question suivante: «Existe-t-il un véritable leadership chez les A.A.?» En dépit des apparences, la réponse est «oui». Retournons au fondateur détrôné et à ses amis. Qu'advient-il d'eux? Les plaies se sont cicatrisées. L'angoisse est disparue. Ce fut le début d'une subtile transformation. En général, les fondateurs de groupes se divisent finalement en deux catégories connues dans l'argot des A.A. comme les «cœurs vaillants» et les «cœurs saignants». Le «cœur vaillant» accepte la décision prise par le groupe de se gouverner lui-même et se soumet à son statut modeste. Fort d'une expérience considérable, il est doué d'un bon jugement. Il accepte de rentrer gentiment dans le rang, attendant patiemment la suite des événements. Le «cœur saignant», au contraire, demeure absolument convaincu que le groupe ne peut rien sans lui. Il intrigue constamment en vue de sa réélection et ne cesse de pleurer amèrement sur son sort. Chez quelques-uns l'hémorragie est tellement grave qu'ils en viennent à perdre l'esprit des A.A., à en oublier les principes, et finissent par s'enivrer. Parfois le paysage du Mouvement ressemble à un champ couvert de corps ensanglantés. Presque tous les vétérans de notre Association ont plus ou moins vécu cette expérience. Je n'y ai pas échappé. Fort heureusement, la plupart d'entre eux survivent et apprennent à devenir des «cœurs vaillants». C'est chez ces membres que se trouvent le véritable leadership et la stabilité des A.A. Ils expriment leurs opinions avec pondération, possèdent une connaissance éprouvée et, grâce à leur exemple discret, contribuent à dénouer bien des crises. Dans les moments de doute, le groupe se tourne vers eux pour obtenir des conseils. Ils deviennent la voix de la conscience du groupe. Ils sont, en fait, la véritable voix des Alcooliques anonymes. Ils n'ont pas de mandat pour gouverner; ils dirigent par leur exemple. C'est ainsi que la Neuvième Tradition fut élaborée. Voilà pourquoi le mouvement des A.A. ne pourra jamais être organisé sur le modèle de quelque gouvernement que ce soit.

Mais il demeure également très clair que nous pouvons et devons constituer des conseils et des comités de service directement responsables à ceux qu'ils servent.

Demain après-midi, dans cet auditorium, la Fraternité tout entière revivra le scénario du leadership chez les A.A. La conscience du groupe mondial des Alcooliques anonymes, représentée par les personnes que vous avez nommées et choisies comme membres de la Conférence des Services généraux, assumera en permanence la garde et la gestion des Services généraux de la Fraternité tout entière. Et selon l'esprit de la Neuvième Tradition, nous, les pionniers, nous nous écarterons, vous laissant la possibilité de recourir à nos conseils lorsque vous en sentirez le besoin. Il ne sera plus question, pour nous ou pour qui que ce soit, de diriger et de gouverner. Le Mouvement des A.A., comme entité, devra toujours demeurer non-organisé. Il nous appartiendra de sauvegarder précieusement ce principe.

Nous estimons que la sécurité future des Alcooliques anonymes dépend largement de la Dixième Tradition interdisant toute controverse publique, en ces termes: «*Le Mouvement des A.A. n'émet jamais d'opinion sur des sujets étrangers; le nom des A.A. ne doit donc jamais être mêlé à des controverses publiques*».

Depuis ses débuts, le Mouvement des Alcooliques anonymes n'a jamais été divisé par la moindre controverse d'importance. Notre Fraternité n'a jamais, non plus, pris parti publiquement dans les discussions qui divisent notre monde. Il ne s'agit pas ici d'une vertu acquise. Nous pouvons pratiquement dire qu'elle est innée en nous, car, pour employer l'expression de l'un de nos pionniers: «Je n'ai pratiquement jamais entendu une discussion violente entre membres au sujet de la religion, de la politique ou de certaines réformes. Si nous évitons ces sujets entre nous, il est tout à fait normal de n'en jamais discuter en public».

Comme si nous avions été guidés par un instinct profond, nous avons senti, dès les premiers jours de notre Mouvement, que peu importe les provocations, nous ne devions jamais prendre parti, au nom de la Fraternité des A.A. dans aucun conflit quelle qu'en soit l'importance. L'histoire universelle nous offre le spectacle de nations et de groupes qui se sont effondrés parce qu'ils étaient orientés vers la controverse ou qu'ils se sont laissés tenter par la polémique. D'autres sont tombés en ruines, pour avoir voulu imposer de pures prétentions égoïstes au reste de l'humanité. De nos jours, nous avons vu des millions d'êtres humains mourir dans des guerres économiques et politiques inspirées par des divergences religieuses et raciales. Nous vivons sous la menace imminente d'un nouvel holocauste provoqué par le désir d'enseigner aux peuples comment ils devraient se gouverner et partager les produits de la nature et de la technologie. C'est dans un climat spirituel que le Mouvement des A.A. a pris naissance et qu'il a néanmoins réussi, par la grâce de Dieu, à progresser.

Répétons encore, avec insistance, que notre répugnance à nous quereller entre nous ou avec qui que ce soit ne constitue pas une vertu qui nous permette de nous sentir supérieurs aux autres. Elle ne signifie pas non plus que les Alcooliques anonymes, maintenant rétablis dans leurs droits de citoyens à part entière, n'accepteront pas leurs responsabilités individuelles, selon les impératifs de leur conscience, dans les problèmes de notre époque. Mais lorsqu'il s'agit du Mouvement dans son ensemble, c'est tout à fait différent. Nous refusons, comme Fraternité, de nous engager dans la moindre controverse publique parce que nous ne voulons pas détruire le Mouvement. Nous considérons sa survivance et son progrès comme des réalités beaucoup plus importantes que l'appui que nous pourrions apporter à d'autres causes. Notre vie même dépend de notre rétablissement de l'alcoolisme et nous désirons sauvegarder dans toute sa vigueur ce moyen de survivance.

Ces considérations pourraient créer l'impression que les Alcooliques anonymes sont soudainement devenus pacifiques et forment une belle grande famille heureuse. Évidemment il n'en est rien. Nous sommes des êtres humains et nous nous chamaillons. Jusqu'au jour où notre Mouvement atteignit une certaine maturité, il ressemblait, du moins en surface, à un immense club de discussion. Quelques minutes après avoir voté un investissement de cent mille dollars pour son entreprise, un directeur de compagnie, participant à une réunion d'affaires des A.A., pouvait faire une colère bleue pour une simple dépense, pourtant impérieuse, de vingt-cinq dollars en timbres-poste. Parce qu'ils n'aimaient pas les tactiques employées par certains membres pour contrôler un groupe, la moitié des membres s'empressaient parfois d'en former un nouveau plus conforme à leurs vues. Des vétérans, victimes d'une crise de pharisaïsme, se mirent à bouder. Parfois, on attaquait violemment des membres soupçonnés d'intentions douteuses. Cependant, malgré le vacarme, nos disputes n'ont jamais causé de tort sérieux au Mouvement. Elles n'étaient que des étapes dans notre apprentissage de la vie et du travail en commun. Et remarquons également qu'elles visaient presque toujours à rendre le Mouvement plus efficace, en lui permettant de secourir au maximum le plus grand nombre d'alcooliques possible.

La *Washingtonian Society*, un mouvement qui était né un siècle plus tôt au sein des alcooliques de Baltimore dans le Maryland avait failli découvrir la réponse au problème de l'alcoolisme. Au début, cette société était entièrement composée d'alcooliques essayant de s'entraider. Les pionniers ne voulaient se consacrer qu'à la réalisation de ce seul objectif. Dans plusieurs domaines, les «Washingtonians» se rapprochaient des Alcooliques anonymes. À un moment de leur histoire, ils comptèrent un demi million de membres. S'ils s'en étaient tenus à leur but primordial, ils auraient peut-être découvert toute la solution. Mais, les «Washingtonians» permirent à des politiciens et à des réformateurs, alcooliques et non-alcooliques, d'utiliser leur mouvement à des fins personnelles. Par exemple, l'abolition de l'esclavage constituait alors une épineuse question politique. Bientôt, les orateurs de ce mouvement, selon leurs convictions personnelles, se prononcèrent publiquement pour ou contre cette question.

Cette société aurait sans doute survécu à cette controverse au sujet de l'abolition de l'esclavage, mais elle signa son arrêt de mort le jour où elle décida de réformer les façons de boire des Américains. Plusieurs de ses membres devinrent des croisés de la tempérance. En quelques années, les «Washingtonians» perdirent toute efficacité dans leur travail au service des alcooliques. Et ce fut l'effritement de cette société.

Le Mouvement des Alcooliques anonymes a su profiter de l'expérience des «Washingtonians». En étudiant le naufrage de cette société, nos pionniers décidèrent de garder notre Mouvement hors de toute controverse publique.

Si l'on tient compte de la passion que la plupart d'entre nous avaient pour la controverse, cette renonciation au privilège d'attaquer publiquement quelque chose ou quelqu'un constitue une remarquable réussite pour des gens aussi agressifs que nous. Pour assurer la survivance de notre Fraternité, nous sommes souvent allés loin dans la direction opposée. Il y a plusieurs années, par exemple, nous avions réellement peur que le nom des A.A. soit utilisé à mauvais escient par certains de nos membres et par des organismes de l'extérieur pour leurs campagnes de souscription, la défense de leurs idées ou des fins de publicité. Et nous avons compris que le danger grandirait dans la mesure même où notre Mouvement prendrait de l'ampleur. Nous avons donc réalisé que nous devions trouver un moyen légal de protéger le précieux nom de notre Fraternité.

Nos Syndics apprirent que l'incorporation du nom «Alcooliques anonymes» dans chaque État de l'Union et dans tous les pays étrangers constituait la seule solution à ce problème juridique. Nous avons donc entrepris cette tâche fastidieuse, complexe et dispendieuse. Il en résulta une foule de problèmes d'ordre technique, un amas de paperasse administrative et une multitude de chartes.

Mais l'affaire rebondit avec fracas lorsque l'un des grands de l'industrie cinématographique nous proposa le scénario d'un film qui devait s'appeler «Monsieur et Mademoiselle Anonymes».

L'analyse du Mouvement était faussée et présentée avec un mauvais goût déconcertant. Les producteurs acceptèrent de changer le titre du film, mais se refusaient obstinément à modifier leur scénario inacceptable. Alors, nous restait-il une autre solution?

Nous en sommes venus à la conclusion qu'il nous fallait demander une injonction contre la compagnie pour usage abusif du nom des A.A. La perspective d'une poursuite légale incita la compagnie à modifier le texte pour le rendre plus conforme à notre façon de penser. Autrement, nous aurions pu nous lancer dans une poursuite légale, au mépris de notre principe d'éviter les controverses publiques. Voilà à quel point nous étions énervés.

À la suite de cet incident du film, notre président, Bernard Smith, nous fit part d'une idée qui nous sembla merveilleuse. Étant avocat, il croyait que les Alcooliques anonymes pourraient facilement obtenir une charte du Congrès, une loi spéciale qui protégerait partout le nom de notre Fraternité. Un acte législatif de cette nature placerait notre Mouvement dans la même catégorie que la Croix-Rouge et plusieurs autres organismes bien connus. Nous pensions que la simple obtention d'une telle charte découragerait tous ceux qui seraient tentés d'utiliser sans droit le nom des A.A. On pourrait facilement recourir à cet argument contre tout violateur de la loi. L'idée nous semblait donc excellente et, aux Quartiers généraux, tous étaient parfaitement d'accord.

Mais la conscience des Alcooliques anonymes, telle qu'elle s'exprimait par la Conférence des Services généraux, voyait les choses différemment. Elle nous fit comprendre comment il serait ridicule de transformer le mode de vie des A.A. en un instrument légal pouvant servir à attaquer n'importe qui, quelle que soit la provocation. Mais aurions-nous la sagesse de n'utiliser cet instrument que dans un but modérateur? Poussés au pied du mur, nous serions forcés d'entreprendre des poursuites légales et de nous lancer ainsi dans le domaine de la controverse publique. Pourquoi construire un engin de guerre si on a la ferme intention de ne jamais s'en servir? Cette demande de charte spéciale signifierait l'organisation légale d'une Fraternité qui, dans ses Traditions, se déclare non-organisée. Les membres de la Conférence croyaient que nous devions renoncer aux avantages douteux de la légalité et de la controverse, en faveur de la confiance en l'opinion générale des groupes et du public comme ultime protection. Après un long débat, nous, des Quartiers généraux, devions nous rendre à l'évidence que la conscience des Alcooliques anonymes, telle qu'exprimée par les délégués, était plus sage que nous. Et c'est pour cette raison que le Congrès des États-Unis ne reçut jamais de demande d'incorporation de la part de notre Fraternité.

La résolution adoptée par la Conférence, lors de ce débat, doit être conservée à jamais dans nos archives. Elle fut rédigée par le délégué Bob T., un avocat du Mississipi. Parlant au nom de son comité, il dit:

Nous avons examiné tous les arguments présentés à ce sujet. Nous avons discuté cette question avec plusieurs membres des A.A. au sein de la Conférence et en dehors de celle-ci. Voici nos conclusions:

1. *Les tribulations qui ont fait naître cette question sont à toutes fins pratiques disparues.*
2. *Une incorporation par le Congrès créerait, en vertu d'une loi, un organisme nanti du pouvoir de gouverner, ce qui contredirait et violerait nos Traditions.*
3. *Une telle incorporation doterait la force spirituelle des A.A. d'un pouvoir légal qui, à notre avis, serait de nature à affaiblir sa puissance morale.*
4. *En réclamant des droits légaux, défendables devant une Cour de Justice, nous nous exposons à être nous-mêmes victimes de poursuites judiciaires.*
5. *Nous pourrions être facilement entraînés dans des litiges interminables qui, sans compter les dépenses et la mauvaise publicité incidentes, pourraient menacer notre existence même.*
6. *L'incorporation de notre Fraternité pourrait très bien ouvrir la porte à la politique et à la lutte pour le pouvoir dans nos propres rangs.*
7. *Sans interruption, depuis ses origines jusqu'à nos jours, notre Mouvement a été une Fraternité et non un organisme. L'incorporation en ferait nécessairement un organisme.*
8. *Nous croyons qu'une «foi spirituelle» et un «mode de vie» ne peuvent être incorporés.*

9. *Le Mouvement des A.A. peut survivre et, en fait, survivra aussi longtemps qu'il demeurera une foi spirituelle et un mode de vie accessibles à tous les hommes et à toutes les femmes qui souffrent d'alcoolisme.*

En conséquence, conscients de l'objectif élevé de la Conférence des Services généraux, tel qu'énoncé l'année dernière par le président en ces termes: «Ne recherchant pas un compromis, mais une certitude», votre Comité recommande à l'unanimité de ne pas incorporer les Alcooliques anonymes.

C'est ainsi que fut établi le principe fondamental de la Dixième Tradition: «*Les Alcooliques anonymes n'émettent jamais d'opinions sur des sujets étrangers; le nom des A.A. ne doit jamais être mêlé à des controverses publiques*».

La Onzième Tradition naquit d'une longue et fastidieuse expérience de relations publiques. Aujourd'hui, elle se lit comme suit: «*La politique de nos relations publiques est basée sur l'attrait plutôt que sur la réclame; nous devons toujours respecter l'anonymat dans nos rapports avec la presse, la radio, la télévision et le cinéma*».

Sans cette légion, de nos amis bienvaillants, les A.A. n'auraient jamais pu atteindre leur niveau actuel de croissance. Une publicité favorable, à travers le monde, s'avéra le meilleur moyen d'amener des alcooliques au sein de notre Fraternité. Dans les bureaux des A.A., dans leurs clubs et dans leurs maisons, le téléphone sonne continuellement. Une voix dit: «J'ai lu dans un journal...» Une autre: «Nous avons entendu parler de vous à la radio...» Ou encore: «Nous avons vu un film...» ou bien: «Nous avons regardé un programme de télévision...» En fait, il n'est pas exagéré de dire que la moitié de nos membres ont été conduits vers notre Mouvement grâce à ces média d'information.

Les appels ne parviennent pas seulement d'alcooliques ou de membres de leurs familles. Des médecins lisent des études médicales au sujet des A.A. et désirent en savoir davantage. Des membres du clergé voient des articles dans des revues religieuses et cherchent à se renseigner. Des employeurs apprennent que de grandes compagnies nous donnent leur appui et se demandent quoi faire au sujet du problème de l'alcoolisme dans leurs propres entreprises.

Il nous incombait donc d'élaborer la meilleure politique de relations publiques pour les Alcooliques anonymes. Plusieurs expériences malheureuses nous permirent de découvrir ce que devait être cette politique. À plus d'un titre, elle se dissocie des pratiques courantes de publicité.

Voyons comment fonctionnent ces deux idées opposées, attraction et publicité. Un parti politique désire remporter une victoire électorale. Alors, il concentre toute sa publicité sur les qualités de son équipe. Une œuvre de charité digne de confiance veut recueillir des fonds. Sa papeterie mentionne les noms des personnalités dont elle peut obtenir l'appui. Une grande partie de la vie politique, économique et religieuse du monde dépend de la publicité que reçoivent les leaders de ces groupements. L'humanité a besoin de héros qui personnifient les nobles causes et les grandes idées. Les A.A. ne doutent pas de cette réalité. Mais nous devons accepter le fait qu'il est toujours dangereux, spécialement pour nous, d'être en vedette. Par tempérament, plusieurs d'entre nous avaient été des promoteurs irresponsables, et nous étions effrayés à l'idée d'une Société composée de promoteurs. Nous savions que nous devions nous imposer certaines restrictions.

Elle ont produit des résultats surprenants. Nous avons obtenu pour les A.A. plus de publicité que le talent et la créativité de nos meilleurs agents de presse auraient pu nous fournir. Bien sûr, il nous fallait une certaine publicité. Nous avons tout simplement décidé de laisser nos amis la faire pour nous. Et ils ont répondu d'une façon merveilleuse. Des journalistes chevronnés, reconnus pour leur scepticisme, ont utilisé tous leurs talents pour transmettre notre message. Pour eux, nous représentons plus qu'une source de bons reportages. Des journalistes de toutes les sections de la presse, des hommes et des femmes, sont devenus d'excellents amis du Mouvement. Au début, ils ne comprenaient pas notre raison de refuser toute publicité personnelle. Ils n'en revenaient pas de notre insistance à respecter l'anonymat. Par la suite, ils comprirent nos raisons. Ils venaient de découvrir une perle rare: une société qui désirait de la publicité pour ses principes et son travail, mais qui la refusait pour ses membres pris individuellement. La presse fut enchantée de cette attitude. Depuis lors, ces amis ont raconté les activités des A.A. avec un enthousiasme dépassant souvent l'ardeur de nos propres membres.

Il y eut même une époque où la presse américaine attacha plus d'importance à notre anonymat que nos propres membres. À un moment de notre histoire, une centaine de nos membres violaient publiquement notre Tradition de l'anonymat. Avec les meilleurs intentions, ces gens déclaraient que le principe de l'anonymat était dépassé et ne convenait qu'à nos pionniers. Ils étaient convaincus que notre Mouvement pourrait aller beaucoup plus vite et beaucoup plus loin s'il utilisait des techniques modernes de publicité. Ils faisaient remarquer que les A.A. comptaient dans leurs rangs plusieurs personnalités de renommée locale, nationale ou internationale. Moyennant leur consentement, offert librement par plusieurs d'entre eux, ne serait-il pas avantageux de mettre leurs noms en évidence afin de stimuler le recrutement?

Même si ces arguments étaient fort justifiables, nos amis de la presse les rejetèrent. Quelques années auparavant, nos Quartiers généraux avaient écrit des lettres à presque tous les journaux d'Amérique du Nord, pour leur expliquer notre politique de relations publiques basée sur l'attrait plutôt que sur la réclame, en insistant sur le fait que l'anonymat personnel constituait la meilleure sauvegarde pour le Mouvement des A.A. À partir de ce jour, combien d'éditeurs, de rédacteurs et de réviseurs de copie avaient supprimé des noms et des photos de membres dans des textes concernant notre Mouvement. Ils ont souvent rappelé à des individus ambitieux la politique des A.A. au sujet de l'anonymat. Pour respecter notre politique, ils sacrifièrent même d'excellents articles. La vigueur de leur coopération nous rendit un incalculable service. Aujourd'hui, rares sont les membres des A.A. qui manquent délibérément à l'anonymat en public.

Une vieille histoire, relative à certains aspects du problème de relations publiques chez les A.A., me revient à l'esprit. Un de nos pionniers eut un jour l'idée de fonder un groupe dans sa ville par le truchement de la radio. La station locale, avec un rayon d'écoute d'une centaine de kilomètres, accepta de collaborer. Notre ami-promoteur rédigea donc une série de douze causeries sur les Alcooliques anonymes. C'était un curieux mélange de philosophie des A.A. et de convictions religieuses personnelles. Notre «fondateur» commença bientôt la diffusion de ses causeries avec l'ardeur d'un tribun populaire. Contrairement à notre attente, les résultats furent plutôt modestes. Notre ami reçut tout de même quelques demandes et il fonda un groupe.

Enivré par son succès, il eut une vision merveilleuse. Il écrivit aux Quartiers généraux pour nous dire qu'une importante compagnie d'assurance-vie acceptait de le commanditer sur un réseau national. Il allait diffuser ses douze causeries sous son véritable nom, à titre de membre des A.A. Pour ses interventions publiques il toucherait, bien sûr, un généreux cachet.

Nous lui avons fait les observations d'usage, mais en vain. Nous lui avons fait remarquer que, dans l'opinion des Syndics, ses causeries ne convenaient pas à une diffusion nationale. Il répondit de façon cinglante: «Au diable les Syndics. Le monde attend mon message. J'ai droit à la liberté de parole et j'irai sur les ondes, que ça vous plaise ou non».

Cet ultimatum posait un problème alarmant. Le projet de notre ami touchait à la fois à la promotion, à la déformation professionnelle et au bris de l'anonymat. Si cette aventure s'avérait un succès aux yeux du promoteur, tous les agents de publicité et tous les vendeurs au sein des A.A. se mettraient à vendre notre Fraternité, que nous le voulions ou non. Nous perdrions alors tout contrôle sur les relations publiques du Mouvement.

Les Quartiers généraux adoptèrent alors l'attitude suivante: Nous avons assuré notre ami sincère que nous respecterions son droit de parole, pourvu qu'en retour il respecte le nôtre. Nous l'avons assuré que s'il diffusait ses causeries, nous révèlerions toute l'histoire à chacun de nos groupes, les incitant à expédier à la compagnie d'assurance cette sorte de lettres que le commanditaire n'aimerait pas recevoir. Le programme ne fut jamais diffusé. À la suite de cet incident, les Syndics des A.A. se virent confier la responsabilité de toutes nos relations publiques, et le principe de l'attrait plutôt que de la réclame fut établi comme base de nos relations avec le monde extérieur. Ce n'est donc pas par pur hasard que la première ébauche du texte élaboré de la Onzième Tradition déclarait: «Il vaut mieux laisser à nos amis le soin de nous recommander».

Voilà en résumé la genèse de la Onzième Tradition des A.A. Elle représente pour nous beaucoup plus qu'une saine politique de relations publiques. Répudiant l'égocentrisme, cette Tradition nous rappelle surtout, d'une façon constante, que l'ambition personnelle n'a pas sa place chez les A.A. et que chaque membre doit devenir un gardien vigilant de notre Fraternité dans ses relations avec le public en général.

Comme nous l'avons vu, l'anonymat constitue le manteau protecteur couvrant notre Fraternité tout entière. Mais elle est beaucoup plus qu'un manteau. Elle prend une autre dimension d'envergure spirituelle. C'est ce qu'exprime la Douzième Tradition: «*L'anonymat est la base spirituelle de nos Traditions, nous rappelant toujours de placer les principes au-dessus des personnalités*».

À mon avis, l'avenir de notre Fraternité dépend entièrement de ce principe vital. Si nous continuons à être animés par l'esprit et la pratique de l'anonymat, aucun récif, aucun écueil ne peut nous faire sombrer. Si, au contraire, nous l'oublions, la boîte de Pandore s'ouvrira pour laisser se répandre parmi nous les forces de l'argent, du pouvoir et du prestige. Obsédés par ces génies, nous pourrions très bien nous effondrer et nous effriter. Sincèrement, je ne crois pas à l'éventualité d'une telle catastrophe. Aucun principe des A.A. ne mérite autant d'étude et de respect que celui-là. Je demeure convaincu que l'anonymat constitue la clef de la survivance de la Fraternité.

La substance spirituelle de l'anonymat est le sacrifice. Parce que les Douze Traditions nous invitent sans cesse à renoncer à nos désirs personnels au profit du bien commun, nous réalisons que l'esprit de sacrifice, dont l'anonymat est le symbole, constitue le fondement de toutes ces Traditions. C'est notre ferme consentement à ces sacrifices qui nous inspire à nous tous une profonde confiance en l'avenir de notre Mouvement.

Mais l'anonymat n'est pas né d'abord de la confiance. Il naquit de nos premières craintes. À l'origine, nos premiers groupes d'alcooliques étaient des sociétés secrètes, sans nom. Les futurs candidats ne pouvaient nous retracer que par l'intermédiaire de quelques amis en qui nous avions confiance. Une simple allusion à la publicité, même s'il ne s'agissait pas de nous mais de notre œuvre, nous indisposait, même si nous avions cessé de boire. Nous pensions que nous devions encore nous cacher de la méfiance et du mépris de la société.

Lors de la publication du Gros Livre en 1939, nous lui avons donné pour titre: «Alcooliques anonymes». L'avant-propos contenait cette déclaration révélatrice: «Il est important que nous demeurions anonymes parce que nous sommes, en ce moment, trop peu nombreux pour répondre au nombre incalculable d'appels qui peuvent résulter de la lecture de ce livre. Comme la plupart d'entre nous sommes des hommes d'affaires et des professionnels, nous ne pourrions pas facilement continuer notre travail dans de telles circonstances». Il est facile de déceler, entre les lignes, notre crainte à la pensée qu'un trop grand nombre de nouveaux candidats pourrait menacer notre anonymat.

À mesure que les groupes des A.A. ont proliféré, les problèmes concernant l'anonymat se sont multipliés. Impressionnés par le spectaculaire rétablissement d'un frère alcoolique, il nous arrivait parfois de discuter des aspects intimes et pathétiques de son cas, sujets qui n'étaient destinés qu'à l'oreille de son parrain. Blessée, la victime aurait pu déclarer, non sans raison, qu'on avait trompé sa confiance. Quand des histoires de ce genre furent connues en dehors du Mouvement des A.A., plusieurs candidats perdirent confiance en notre promesse de garder l'anonymat. Il est clair que le nom de chaque membre des A.A., aussi bien que le récit de sa vie, devraient rester confidentiels, s'il le désire. Ce fut notre première leçon dans l'application pratique de l'anonymat.

D'autre part, emportés par une intempérance propre aux alcooliques, certains nouveaux membres se désintéressaient complètement de leur anonymat. Ils voulaient crier le nom des A.A. du haut des toits, et ils l'ont fait. Des alcooliques, à peine dégrisés dans le Mouvement, se précipitaient, les yeux encore vitreux, raconter à qui voulait les entendre l'histoire de leur vie. D'autres eurent tôt fait de se présenter devant un microphone ou une caméra. Quelques fois, ils prenaient une cuite, et quittaient leurs groupes en claquant les portes. De simples membres, ils étaient devenus des vedettes des A.A.

Ces attitudes contrastantes au sujet de l'anonymat nous forcèrent à réfléchir. La question se posait, brutale: «Dans quelle mesure un membre des A.A. doit-il rester anonyme?» Notre croissance rendait évident le fait que nous ne pouvions être une société secrète. Il était aussi évident que nous ne pouvions pas nous transformer en une troupe de vaudeville. Il nous fallut beaucoup de temps pour trouver le juste milieu entre ces deux extrêmes.

En règle générale, le nouveau venu souhaitait d'habitude que sa famille sache immédiatement ce qu'il essayait de faire. Il voulait aussi le dire à d'autres personnes qui avaient tenté de l'aider: son médecin, son pasteur et ses amis intimes. À mesure qu'il prenait confiance, il trouvait normal d'expliquer son nouveau mode de vie à son employeur et à ses associés en affaires. Quand les occasions d'être utile se présentaient, il se rendait compte qu'il pouvait facilement parler des A.A. à presque n'importe qui. Ses confidences calmes l'aidaient à se libérer des stigmates alcooliques et répandaient la nouvelle de l'existence des A.A. dans les environs. Plusieurs nouveaux membres, hommes et femmes, sont venus aux A.A. à la suite de conversations semblables. Même si ces entretiens n'étaient pas toujours selon la lettre de l'anonymat, ils se conformaient à l'esprit des Traditions.

Mais il devint évident que le contact individuel était un moyen très limité pour répandre le Mouvement. Nos activités exigeaient plus de notoriété. Des groupes des A.A. cherchaient à rejoindre le plus grand nombre possible d'alcooliques désespérés. Ils commencèrent alors à tenir des réunions où des amis intéressés et le pubic en général étaient invités, pour permettre aux gens de découvrir la vraie nature de notre Fraternité. La réponse à ces invitations fut très encourageante. Les groupes reçurent bientôt des demandes pour que des membres des A.A. adressent la parole à des organisations civiques, des groupements religieux et des sociétés médicales, qui désiraient entendre parler des A.A. Les résultats furent excellents, lorsque l'on prit la précaution d'avertir les journalistes présents d'éviter de mentionner les noms de familles et d'éviter de prendre des photos.

Puis vinrent nos premières incursions dans le domaine de la grande publicité de façon remarquée. À la suite d'une série d'articles parus dans le *Cleveland Plain Dealer*, le nombre de nos membres dans cette ville passa, du jour au lendemain, d'une vingtaine à quelques centaines. Les nouvelles du dîner offert par M. Rockefeller aux Alcooliques anonymes contribuèrent à doubler le nombre de nos membres en l'espace d'une seule année. Le fameux article de Jack Alexander dans le *Saturday Evening Post* donna à notre Mouvement un statut national. D'autres éloges aussi flatteurs ajoutèrent encore à notre réputation. Des journaux et des revues désiraient des entrevues avec les A.A. Des compagnies fabriquant des films voulaient nous photographier. La radio et, finalement, la télévision sollicitèrent notre coopération. Quelle décision devions-nous prendre?

Cet engouement du public nous fit réaliser qu'il pouvait nous causer un bien ou un mal incalculable, suivant notre façon de le canaliser. Nous ne pouvions tout simplement pas courir le risque de laisser certains membres bénévoles se présenter comme des Messies et des porte-parole officiels de notre Fraternité. Notre désir d'expansion pouvait causer notre ruine. Si même un seul de ces témoins s'enivrait publiquement ou était poussé à se servir du nom des A.A. dans son propre intérêt, le dommage pourrait être irréparable. Dans de telles circonstances, s'agissant de la presse, de la radio, du cinéma et de la télévision, l'anonymat à cent pour cent, était la seule réponse possible. Ici, les principes devaient passer, sans exception, avant les personnalités.

Ces expériences nous ont démontré que l'anonymat c'est la véritable humilité en action. C'est une qualité spirituelle qui pénètre partout et caractérise aujourd'hui la vie des A.A. dans le monde entier. Animés par l'esprit de l'anonymat, nous essayons en tant que membres des A.A. de renoncer à nos désirs naturels de distinction personnelle, aussi bien parmi nos compagnons que devant le grand public. Nous croyons qu'en rejetant ces aspirations très humaines, chacun d'entre nous aide à tisser le manteau protecteur qui recouvre notre Société tout entière et favorise notre croissance et notre activité dans l'unité.

Nous sommes convaincus que l'humilité, exprimée par l'anonymat, constitue la meilleure sauvegarde que les Alcooliques anonymes puissent jamais trouver.

Il est merveilleux et réconfortant de constater qu'au cours des dernières années nous sommes devenus plus conscients de la signification profonde de l'anonymat.[10] Il fut un temps où un grand nombre de membres ne respectaient guère l'anonymat. J'ai été l'un de ceux-là. Aujourd'hui, ils ne sont plus qu'une poignée, malgré notre manie alcoolique de rechercher la gloriole. C'est une merveilleuse garantie de progrès encore plus promotteurs pour l'avenir.

Une conversation que j'avais récemment avec une certaine dame du Texas illustre bien le genre de sacrifices que nous aurons toujours à accepter. Pour elle, la tentation fut extrême, car elle

---

(10) Pour des renseignements supplémentaires sur l'anonymat, voir l'article: «Pourquoi les Alcooliques anonymes sont anonymes», à l'Annexe B.

fait partie du monde du spectacle et jouit d'une grande popularité sur le plan national. Elle me disait: «Je ne chante que dans les bars les plus huppés et je fais ce travail depuis quinze ans. Moins d'un an après mon adhésion aux A.A., j'avais perdu cinq kilos et... les poches sous mes yeux. Je commençais à ressembler à un être humain. Mon gérant n'en revenait pas. Je me décidai donc à lui raconter ce qui m'était arrivé. Il me dit aussitôt: 'Mais pourquoi ne pas le révéler au public? Quelle publicité ce serait pour toi et pour les A.A.' – 'Vois-tu', lui répondis-je, 'cela aiderait sans doute pour un temps. D'autres l'ont prouvé. Mais, je t'en prie, je ne le ferai pas. Les Alcooliques anonymes ont un principe qui s'appelle l'anonymat: pas de vedettariat. Nous savons que le Mouvement des A.A. ne peut être administré comme le monde du spectacle, quels que soient les bénéfices à court terme. Les A.A. ont sauvé ma vie et ma carrière. Par conséquent, le bien-être futur des A.A. est plus important pour moi que toute la publicité que je pourrais obtenir en m'affichant comme membre'». Puis, elle ajouta avec un peu de mélancolie: «Tu sais, Bill, j'aperçois souvent dans la salle des personnes en état d'ivresse et je me demande comment je pourrais les aider. Si seulement je pouvais leur dire au micro que je suis membre des A.A. Mais cela ne pourrait pas durer, n'est-ce pas? Si chacun agissait de la sorte, ce serait bientôt notre perte à tous». Je regardais mon amis du Texas et je me sentais heureux, très heureux.

Parce que j'ai toujours eu moi-même de fortes tendances à rechercher le prestige, la richesse et le pouvoir, toutes les Traditions des A.A. me sont apparues comme un lourd fardeau. Vous vous rappelez l'épisode dans mon salon de la rue Clinton. Mon groupe m'avait alors signifié que je ne pourrais jamais devenir un thérapeute professionnel chez les A.A. J'ai vécu une expérience semblable pour chacune des Traditions. J'ai d'abord obéi par nécessité, pour ne pas perdre mon prestige chez les A.A. Au bout d'un certain temps, j'ai obéi parce que j'ai compris que les Traditions étaient sages et justes. Même si je me conformais parce qu'il le fallait, je sentais encore une résistance intérieure.

Ce fut particulièrement vrai dans le cas de l'anonymat. Aujourd'hui, j'espère que je suis parvenu à cette phase de ma vie chez les A.A., où j'obéis parce que je le veux, à cause des Traditions tant pour moi-même que pour la Fraternité tout entière. Par conséquent, chaque Tradition est vraiment l'expression du dégonflement de l'ego, que chacun de nous doit accepter et l'expression du sacrifice que nous devons tous faire pour vivre et travailler ensemble.

Le Dr Bob était fondamentalement plus humble que moi. Il était en quelque sorte «naturellement» spirituel et le respect de l'anonymat lui était facile. Il ne pouvait pas comprendre pourquoi certaines personnes recherchaient tellement la publicité. Durant les années précédant sa mort, son respect personnel de l'anonymat m'aida grandement à garder le silence. Je pense en particulier à un fait émouvant que chaque membre des A.A. devrait connaître. Lorsqu'il fut évident qu'il était mortellement atteint par la maladie, quelques-uns de ses amis firent la suggestion d'ériger un monument à sa mémoire et à celle de son épouse, Anne; un monument digne d'un fondateur et de sa femme. Évidemment, l'idée de leur rendre un tel hommage était bien naturelle et fort émouvante. Le comité alla jusqu'à lui soumettre une esquisse d'un projet d'édifice. Le Dr Bob me parla de ce projet, en riant, et me dit: «Dieu les bénisse! Ils pensent bien faire. Mais, pour l'amour du ciel, pourquoi ne serions-nous pas, toi et moi, inhumés comme tout le monde?»

Un an après sa mort, je visitai le cimetière d'Akron, où reposent le Dr Bob et Anne. La modeste pierre tombale ne fait aucune allusion aux Alcooliques anonymes. Certaines personnes pensent que ce merveilleux couple poussa trop loin le respect de l'anonymat en refusant avec fermeté que les mots «Alcooliques anonymes» soient gravés sur leur épitaphe. Pour ma part, je ne le crois pas. Je pense que cet ultime exemple de modestie représente, de façon permanente pour les A.A., une plus grande valeur que toute reconnaissance publique ou tout monument prestigieux.

LES PRINCIPES DE SERVICE DES A.A.

(Tels qu'énoncés dans les Douze Traditions et les Douze Étapes)

Chaque groupe des A.A. n'a qu'un but primordial: la transmission de son message à l'alcoolique qui souffre encore.

Chaque groupe des A.A. doit subvenir par lui-même à ses propres besoins financiers.

Les Alcooliques anonymes devraient toujours se méfier du professionnalisme.

Le Mouvement des A.A., comme entité, ne devrait jamais être organisé, même s'il peut créer des comités ou centres de services, responsables directement envers ceux qu'ils servent.

Nos chefs sont des serviteurs en qui nous plaçons notre confiance; ils ne gouvernent pas.

Nous essayons de transmettre ce message aux alcooliques et de mettre ces principes en pratique dans tous les domaines de notre vie.

Note: Les principes traditionnels du service chez les A.A., mentionnés ci-haut, ont été largement expliqués par Bill W. et font partie du «Manuel des services des A.A.» ainsi que des «Douze Concepts des Services Mondiaux».

LE TROISIÈME LEGS: LE SERVICE

Nous voici rassemblés pour vivre ensemble les dernières heures du vingtième anniversaire des A.A.

Au-dessus de nous flotte un drapeau arborant le nouveau symbole des A.A.: un triangle inscrit dans un cercle. Le cercle représente le monde des A.A. et le triangle symbolise notre triple héritabe: Rétablissement, Unité, Service. C'est à l'intérieur de ce nouvel univers des A.A. que nous avons trouvé la libération de notre obsession fatidique. Et le choix de notre symbole n'est peut-être pas le fait du hasard. Les prêtres et les prophètes de l'Antiquité considéraient ce cercle entourant un triangle comme un moyen de se protéger des esprits maléfiques. Chez les A.A., le cercle et le triangle du Rétablissement de l'Unité et du Service ont certainement eu ce sens, mais ils ont eu une signification beaucoup plus vaste.

Le premier soir, ici à Saint-Louis, nous avons contemplé ensemble la base de notre triangle, le Rétablissement, le premier legs des A.A., sur lequel tout repose et dont tout dépend. Le deuxième soir, nous avons parlé de la seconde tranche de notre héritage, l'Unité, et de son importance capitale pour notre avenir. Maintenant, nous voulons examiner le troisième côté de notre triangle, notre legs du Service qui, en cette fin de journée, sera déposé entre vos mains de façon permanente. Alors, notre symbole prendra toute sa signification. Puissent le Rétablissement, l'Unité et le Service, ces moyens utilisés par Dieu pour créer notre Fraternité, demeurer sous Sa gouverne aussi longtemps qu'Il voudra bien se servir de notre Fraternité.

La Douzième Étape des A.A., qui consiste à transmettre le message, constitue le service fondamental offert par notre Mouvement. C'est là notre but primordial et notre principale raison d'être. Le Mouvement des A.A. est beaucoup plus qu'un ensemble de principes; c'est une association d'alcooliques réhabilités, en mouvement. Nous *devons* transmettre le message des A.A.; autrement, nous risquons de causer notre propre ruine et la mort des alcooliques qui n'ont pas encore vu la lumière. C'est pourquoi nous disons si souvent que la solution réside dans le mot «*Action*». La transmission du message des A.A. se situe au cœur de notre Troisième Legs du Service.

Pourtant, certains d'entre nous ne comprennent pas très bien la nature de ce Troisième Legs des A.A. Nous nous demandons encore: «Qu'est-ce que ce Troisième Legs, au juste? Quelle est l'importance du 'service'?»

La réponse est bien simple. Chez les A.A., tout moyen susceptible de nous aider à atteindre l'alcoolique qui souffre encore peut être considéré comme un service. Comme nous l'avons déjà mentionné, l'activité de la Douzième Étape constitue, pour les A.A., le plus grand de tous les services. Mais, la publicité qui déclenche chez le futur candidat le désir de nous rejoindre, l'automobile dans laquelle nous prenons place, l'essence que nous fournissons, le café que nous servons: voilà autant de moyens nécessaires pour rendre possible et efficace une activité de Douzième Étape. Et ce n'est qu'un début. Nos services comprennent des salles de réunions, la coopération avec les hôpitaux, des bureaux d'Intergroupes et de la littérature. Ils requièrent également des comités, des délégués, des syndics et des conférences. Ils supposent aussi de modestes contributions volontaires d'argent pour que les groupes, les régions et le Mouvement tout entier puissent fonctionner. Nos services vont de la simple tasse de café jusqu'aux activités nationales et internationales des Quartiers généraux du Service mondial des A.A. L'ensemble de tous ces services constitue notre Troisième Legs. De tels services sont d'une nécessité vitale pour l'existence et la croissance du Mouvement. Animés par notre désir de tous simplifier, nous nous sommes souvent demandé si nous ne pourrions pas nous dispenser de certains des services actuels. Comme ce serait merveilleux de s'éviter tout dérangement, toute politique, tout souci d'argent et toute responsabilité; Mais cette éventualité n'est qu'un rêve de simplicité et ne pourrait représenter la véritable simplicité. Sans ses services essentiels, le Mouvement des A.A. deviendrait rapidement une anarchie informe, nébuleuse et irresponsable.

Face à un service quelconque, nous n'avons qu'une question à nous poser: «Est-ce que ce service est absolument nécessaire?» S'il ne l'est pas, retranchons-le. S'il l'est, nous devons le maintenir, pour ne pas manquer à notre engagement envers tous les alcooliques qui sont à la recherche du Mouvement des A.A. Depuis vingt ans, nous, les Alcooliques anonymes, avons essayé de déterminer parmi les services ceux qui sont essentiels et ceux qui ne le sont pas. J'espère que le récit de la croissance des services chez les A.A. nous permettra de mieux comprendre la nature de notre Troisième Legs.

Commençons par mon parrain Ebby. Lorsqu'il apprit la gravité de mon alcoolisme, il décida de venir me voir. Il se trouvait à New York; j'étais à Brooklyn. Sa résolution ne suffisait pas, il devait *agir* et *dépenser de l'argent.* Il m'appela au téléphone et prit le métro. Total: dix cents. Par la conjugaison de l'appel téléphonique et du ticket de métro, la spiritualité et l'argent commençaient à se mêler. L'un sans l'autre n'aurait rien donné. Grâce à Ebby, dès ce moment-là, le principe devint clair: «Le mouvement des A.A. en action requiert le sacrifice de beaucoup de temps et d'un peu d'argent.

Maintenant, transportons-nous dans une de ces modestes réunions que nous avons tenues durant notre premier été à Akron. Nous étions réunis dans le salon du Dr Bob; Anne avait organisé la maison, nous procurant ainsi un toit au-dessus de nos têtes; le Dr Bob fournissait le café. Sans la générosité du Dr Bob et de son épouse, nous n'aurions pas eu d'assemblée.

Comme le groupe d'Akron devenait de plus en plus considérable, il se transporta dans la aison de T. Henry et de Clarace Williams. Ils achetèrent plusieurs chaises supplémentaires, servirent un grand nombre de repas et acceptèrent le désordre dans leur résidence, sans exiger la moindre contribution de notre part. T. Henry et Clarace sacrifièrent beaucoup de temps et d'argent. S'ils ne l'avaient pas fait, nos réunions n'auraient pas eu lieu.

À la lumière de ces exemples frappants, je crois que nous pouvons saisir la vraie nature du service chez les A.A. Qu'il s'agisse de la publication d'un livre, d'une traduction ou d'une convention de vingtième anniversaire, la pierre de touche ne ment pas et le principe ne varie pas: Ce service est-il vraiment nécessaire? Nous n'avons pas d'autre question à nous poser.

Alors que le Mouvement des A.A. grandissait, les résidences privées devinrent trop petites pour nos réunions. Nous avons dû déménager dans des salons d'hôtels ou des salles publiques. De cette croissance naquit la cotisation dans les groupes. Puisque les propriétaires exigeaient de l'argent, il fallut demander la contribution du groupe. La contribution à ces collectes était facultative et, pourtant, les récriminations ne manquèrent pas. «Le Mouvement des A.A. ne devait rien coûter», nous disait-on. Et on ajoutait: «Nous ne pouvons pas mélanger cette grande aventure spirituelle avec l'esprit mercantile des propriétaires». Les propriétaires ne furent pas impressionnés. Il nous fallait payer ou quitter. Alors, nous avons payé et les contributions volontaires devinrent une partie intégrante de la vie des A.A. Nous ne pouvions pas fonctionner sans elles. De plus, quelqu'un devait recueillir l'argent, le déposer à la banque et en être responsable. Il fallait donc un trésorier. Et bientôt le groupe ressentit le besoin de se choisir un secrétaire et parfois un président. Une certaine organisation devenait nécessaire et il fallait nommer ou élire des personnes pour assumer les tâches. Souvent, les séances de sélection provoquèrent de la discorde et déclenchèrent une certaine course au pouvoir, mais nous avons découvert que le groupe devait fonctionner et survivre, en dépit de tous ces inconvénients. Il nous fallait trouver les moyens pour minimiser l'influence des fauteurs de trouble et des assoiffés du pouvoir. On trouva la réponse dans un mélange d'ingrédients: un comité des services adéquat, une bonne dose de discipline tout empreinte de douceur, beaucoup d'amour et de compréhension. Alors, ces expériences, parfois douloureuses, ne furent pas mauvaises pour nous. Elles nous permirent d'atteindre une plus grande maturité. Pendant ce temps, le groupe continuait à fonctionner, comme il le devait, pour atteindre son véritable but.

Les villes et les régions avaient leurs problèmes particuliers. Incapables de contacter le Mouvement par téléphone, des alcooliques et leurs familles se découragèrent alors qu'ils essayaient de nous atteindre. Cette situation occasionna des souffrances inutiles et, dans certains cas, des pertes de vie. Dans les hôpitaux, on se lassait de cette ridicule admission de patients irresponsables. On ne simplifiait pas les choses; on les compliquait. Le parrainage, à l'intérieur comme à l'extérieur de ces établissements, devenait impératif; autrement, les hôpitaux risquaient de s'indisposer et de nous refuser leur coopération. Ignorant les lamentations des partisans du «Gardons ça simple», aiguillonnés par l'urgence réelle de la situation et conscients de leurs lourdes responsabilités, les pionniers se virent souvent contraints de louer un modeste local, d'embaucher une secrétaire et de former un comité d'administration pour le centre de service. Puis, ils sollicitèrent la contribution volontaire des groupes avoisinants afin d'assurer le bon fonctionnement du centre. Quand les groupes ne réussissaient pas à défrayer les dépenses plutôt modestes du centre, les initiateurs durent souvent puiser dans leurs propres goussets. Et, si par hasard on apprenait que la nouvelle secrétaire était membre des A.A., elle devenait presque toujours une cause de dissension dans les groupes. Alors, la petite secrétaire effrayée apprenait qu'on la considérait comme une «professionnelle» qui profitait du Mouvement pour s'enrichir. C'était faux, évidemment, puisqu'elle accomplissait surtout du travail de secrétariat. Avec les années, les régions apprirent les mêmes leçons que les groupes. Elles en vinrent à discerner, parmi toute la gamme de moyens suggérés, ceux qui étaient vraiment nécessaires au bon fonctionnement de la région. Tout ce travail et cette lutte constante nous acheminèrent vers la fondation de l'Intergroupe régional ou des Bureaux de Région. Dans bon nombre de villes, ces organismes accomplissent un travail indispensable.

Durant ce temps, nous avons découvert le besoin de services essentiels qui dépassaient notre compétence. En tête de liste, venait l'hospitalisation adéquate pour nos membres et nos candidats. Les soins médicaux et les traitements physiques pour les grands malades ne relevaient certainement pas de notre juridiction. Dans ce domaine, nos boins amis, le Docteur Silkworth et Sœur Ignatia, nous furent d'un précieux secours. Depuis, un nombre toujours croissant d'hôpitaux et de cliniques nous ont accordé leur étroite collaboration. Parmi ces pionniers, mentionnons l'Hôpital Charles B. Towns de New York, le St-Thomas d'Akron, le St-Vincent-de-la-Charité de Cleveland et le Knickerbocker de New York. Ces établissements, et plusieurs autres, témoignent de la contribution que nos amis de l'extérieur ont apportée pour que notre Mouvement réussisse à mieux fonctionner et à mieux servir.

En plus de ces hôpitaux, nous comptons aujourd'hui sur une liste impressionnante de centres spécialisés dans la désintoxication: des fermes, des cliniques subventionnées par l'État ou la Province, et une grande variété d'organismes civiques ou professionnels, tous intéressés à la solution du problème de l'alcoolisme. Nous sommes secondés par des juges, des juristes, des éducateurs, des psychiatres et des industriels. L'importance de l'aide et de l'appui moral que ces organismes ont apportés à notre Fraternité demeure inestimable.

La religion est également venue à notre aide. Nous jouissons de l'appui de presque toutes les sectes et dénominations religieuses. Beaucoup d'entre nous ont été, sur le plan individuel, conseillés et guidés dans leur croissance spirituelle par de bienveillants membres du clergé.

Sans cette collaboration du monde extérieur, notre Mouvement n'aurait peut-être jamais vu le jour et n'aurait jamais pu se développer comme il l'a fait par la suite. Cet appui favorable à notre cause a été et demeure un service indispensable à notre Fraternité.

Nos fidèles amis de la presse, de la radio et des autres média d'information nous ont également apporté une aide appréciable. Ces organismes ont donné aux A.A. des millions de dollars en publicité gratuite. Ils ont incité des milliers d'alcooliques à se joindre aux A.A. Et, en retour, ils n'ont demandé que l'opportunité de raconter au monde l'histoire merveilleuse de notre Mouvement. Quant à nous, nous réalisons que, sans l'aide de ces amis, notre croissance aurait été beaucoup plus lente.

Venons-en maintenant à l'historique de nos Services mondiaux. Les activités de cet organisme se déroulent si loin de nous que plusieurs en ignorent l'existence et le fonctionnement. Pour ceux qui en connaissent l'histoire véritable, il s'agit du développement le plus vital et le plus excitant au sein de notre Fraternité.

Lorsque le Dr Bob et moi avons réalisé, à l'automne de 1937, qu'une vingtaine d'entre nous avaient vaincu l'alcoolisme, nous nous sommes immédiatement demandés: «Comment partager cette bonne nouvelle? Comment la faire connaître au monde entier?» Le Dr Bob était alors sobre depuis deux ans et demi, et moi depuis trois ans.

Il nous avait fallu tout ce temps pour perfectionner le programme de rétablissement et aider une poignée d'alcooliques à acquérir la sobriété. Et dire qu'il y avait encore à travers le monde des millions d'alcooliques qui cherchaient une solution à leur problème. Comment pourrions-nous les faire bénéficier de la chance inouie que nous avions eue? Ce n'était certainement pas en maintenant notre rythme d'escargots que nous arriverions à atteindre la plupart d'entre eux.

Nous ne pouvions plus demeurer une sorte de société secrète dont on parle rarement. La conversation intime avec quelques alcooliques que nous avions contactés à l'aide de nos méthodes désuètes constituait un moyen de communication très lent et même dangereux. Le mot dangereux n'est pas trop fort, puisque le message de rétablissement dans lequel nous avions placé tout notre espoir risquait de se dénaturer et de se déformer au point de devenir méconnaissable. De toute évidence, il nous fallait donner de la publicité à notre Fraternité en pleine croissance et à son message.

À peine une poignée d'alcooliques, disséminés dans le monde, pouvaient se rendre à New York ou à Akron pour bénéficier d'un traitement. Nous devions trouver un moyen de les atteindre là où ils étaient. Il nous faudrait peut-être rémunérer des membres pour qu'ils agissent en missionnaires. Les hôpitaux, de toute évidence, ne voulaient plus accepter les alcooliques. Leurs lits étaient occupés par des patients qui semblaient mieux coopérer. Nous avons alors pensé qu'il nous faudrait peut-être créer une chaîne d'hôpitaux, avec l'espoir que les profits d'une telle aventure nous permettraient de couvrir les dépenses de nos missionnaires. Mais, en priorité, nous nous devions de coucher notre méthode sur papier. Un livre, relatant nos expériences, pourrait certes porter notre message dans tous ces endroits lointains où nous ne pourrions jamais nous rendre. Et surtout, l'existence d'un tel livre empêcherait les interprétations erronnées susceptibles de surgir à la suite de notre publicité. Ce livre ferait beaucoup plus que guider les alcooliques vers la sobriété; il deviendrait un résumé de cette histoire que nous voulons raconter au monde et servirait de guide dans nos relations avec le public. Nous y pensions et nous faisions des plans.

Le Dr Bob se montra favorable à l'idée d'un livre. Mais il se montra plus sceptique devant notre projet de missionnaires rémunérés et d'hôpitaux à but lucratif. Vendeur d'idées que j'étais, je ne partageais pas beaucoup ses craintes. J'avais l'impression qu'il nous faudrait de l'argent et peut-être beaucoup d'argent. Nous ne pouvions, ni l'un ni l'autre, consacrer tout notre temps à ces projets sans une certaine rémunération. Et il était inconcevable que nos membres laissent leur travail et ignorent les besoins de leurs familles pour devenir des missionnaires bénévoles. Si nous avions nos propres hôpitaux, nous aurions besoin de subsides. Ni le Dr Bob ni moi ne possédions d'argent; nous n'avions que des dettes. Et nous pouvons en dire autant de la plupart des autres membres. Il nous fallait donc solliciter de l'argent, ou ne rien faire. À demi-convaincu, le Dr Bob se demandait, avec raison, si ces complications n'influenceraient pas l'esprit de notre entreprise et la libre transmission de notre message aux alcooliques. Finalement, il proposa de réunir les membres d'Akron dans la maison de T. Henry et de discuter ces idées devant eux.

À la maison de T. Henry, dix-huit alcooliques d'Akron écoutèrent stoïquement nos propositions. Avec tout l'enthousiasme dont j'étais capable, je leur présentai mes arguments en faveur des missionnaires, des hôpitaux et du livre. Malgré ses doutes, le Dr Bob m'appuya fortement, surtout sur la question du livre.

Dès la fin de notre exposé, ces alcooliques nous mirent à l'épreuve. Ils rejetèrent l'idée des missionnaires. Selon eux, le recours à des missionnaires rémunérés détruirait notre engagement à l'égard des alcooliques; ce serait un échec pur et simple. Si nous nous lançions dans le commerce de l'hospitalisation, tout le monde crierait à l'exploitation. Plusieurs participants estimaient que nous devions éviter toute publicité susceptible de nous amener une clientèle incontrôlable. Certains manifestèrent leur opposition à notre projet de brochures et de livres. «Après tout», disaient-ils, «les Apôtres n'ont pas eu besoin d'imprimerie».

Le Dr Bob et moi sommes revenus à l'attaque en utilisant de nouveaux arguments. Mais notre insistance produisit peu de fruits et il nous fallut demander un vote. Par une très faible majorité, au milieu des objections les plus virulentes, le groupe d'Akron décida finalement que nous devrions accepter l'ensemble du projet: les missionnaires, les hôpitaux et le livre. Même là, aucun des participants ne voulait s'impliquer dans la réalisation de ce programme. Et, s'il nous fallait beaucoup d'argent, il serait préférable que je retourne à New York, où il y en avait beaucoup, et que j'essaie d'en recueillir moi-même. Tel fut le verdict, très controversé, de cette réunion. Avec les années, je développai une très vive reconnaissance envers cette forte minorité. L'expérience démontra clairement qu'ils avaient eu raison de prétendre que nos grands projets financiers et l'embauche de missionnaires rémunérés auraient pu causer notre perte. Par ailleurs, si l'opinion des ultra-conservateurs avait prévalu et que nous n'ayons rien entrepris, le Mouvement des A.A. aurait pu continuer à végéter. Même si je ne m'en rendais pas compte à l'époque, la conscience du groupe des Alcooliques anonymes était déjà en train de forger les bonnes décisions pour le bien-être futur de notre Fraternité. La majorité de l'assemblée m'avait accordé la permission de procéder comme je l'entendais; à ce moment-là, il était facile d'ignorer les mises en garde de la minorité. Mais, comme nous allons maintenant le voir, cette minorité ne cessa pas pour autant de se faire entendre.

Enivré de joie, je pris le train pour retourner à la maison. J'étais convaincu que nos nouveaux projets exigeraient des millions de dollars. Notre petit groupe de New York me prodigua beaucoup plus d'encouragements que celui d'Akron. Mes rêves grandioses emballaient la plupart de nos membres. Ils étaient persuadés qu'il nous serait très facile de trouver l'argent nécessaire à une cause aussi noble. Nous nous répétions sans cesse: «Il s'agit probablement du plus grand projet médical et spirituel de tous les temps. Les riches vont sûrement nous aider. Comment pourraient-ils faire autrement?» À ce moment-là aussi, le groupe de New York avait accueilli quelques super vendeurs qui partageaient mes idées. Et c'est ainsi que démarra, d'une façon éblouissante, notre première, et dernière, croisade pour recueillir de l'argent.

Armés d'une liste de riches philanthropes, nous avons commencé à solliciter des fonds. À notre grand étonnement, nous n'avions aucun succès. Quelques richards nous manifestèrent un peu d'intérêt et de sympathie, mais ils n'étaient pas vraiment intéressés. D'une façon presque unanime, ils semblaient croire qu'un investissement dans la lutte au cancer ou à la tuberculose et dans la Croix rouge était beaucoup plus valable. Pourquoi devraient-ils venir en aide à une bande d'alcooliques déchus, responsables de leurs propres malheurs? Avec tristesse, nous avons finalement réalisé que les alcooliques ne seraient peut-être jamais un sujet bien populaire pour une compagne de charité.

J'étais passablement révolté et déprimé. C'est dans ces dispositions que je me rendis au bureau de mon beau-frère. Le Dr Leonard, à qui je servis une violente charge contre l'indifférence et l'avarice des riches. Notre Mouvement était sans doute appelé à rayonner dans le monde entier. Qu'est-ce que les gens voulaient de plus? Leonard avait déjà entendu tous ces propos et, quelque peu fatigué, il me dit: «J'ai connu un dénommé Willard Richardson il y a des années; si je me souviens bien, il s'occupait des dons de charité de la famille John D. Rockefeller. Je crois même qu'il était un ami intime de la famille Rockefeller. S'il est encore vivant, je pense qu'il se souviendra de moi. Peut-être est-il encore au service de Rockefeller. Je vais téléphoner pour m'en assurer».

Leonard composa le numéro et, immédiatement, la voix de M. Willard Richardson, qui devait devenir l'un de nos meilleurs amis, se fit entendre à l'autre bout du fil. Il s'exclama: «Bien le bonjour, Leonard. Où étais-tu ces dernières années? J'aimerais bien te voir». Mon beau-frère répondit: «J'ai devant moi l'un de mes parents, qui a connu un certain succès dans le rétablissement des alcooliques. Pouvons-nous aller vous en parler?» — «Bien sûr», reprit M. Richardson, est-ce que demain vous plaîrait?»

Le lendemain matin, Leonard et moi montions au 56ième étage de l'Édifice RCA où M. Rockefeller avait ses bureaux. Bientôt, nous serrions la main à M. Richardson, un homme mûr d'une grande distinction, dont les yeux pétillants égayaient l'une des physionomies les plus sympathiques que j'aie jamais rencontrées. Il nous reçut avec une chaude cordialité et manifesta beaucoup d'intérêt à mon récit sur le cheminement de notre Fraternité. Il m'écouta jusqu'à la fin, puis me dit: «Je crois que nous devrions nous rencontrer de nouveau. Peut-être devrions-nous déjeuner ensemble? Que diriez-vous de la semaine prochaine?»

Dans le corridor des ascenseurs, mon beau-frère croisa un ami de banlieue, qui lui dit: «Alors, vous avez rencontré M. Richardson? Si vous cherchez à obtenir une faveur de M. Rockefeller, il est certainement l'homme à voir. Il est responsable de toutes les œuvres de charité de M. Rockefeller depuis des années». C'était merveilleux! Nous avions mis le pied dans la maison! Nous avions enfin un protecteur! Nos problèmes d'argent étaient finis! Nous pouvions être fiers de notre travail de promotion.

La semaine suivante, au déjeuner avec M. Richardson, mes espoirs furent confirmés. Il manifesta un réel intérêt pour l'histoire et les besoins de notre Fraternité. Il me proposa une autre rencontre qui, cette fois, aurait lieu dans le bureau privé de M. Rockefeller. Il serait accompagné de M. Albert Scott, président des syndics de l'église Riverside; de M. Frank Amos, un agent de publicité et un ami intime, ainsi que de M. A. LeRoy Chipman, un de ses collègues, qui gérait certaines affaires personnelles de M. Rockefeller. Le Dr Strong, qui nous avait mis en contact, serait sûrement de la partie. De mon côté, je devais amener le Dr Silkworth et quelques membres du groupe de New York, de même que le Dr Bob et quelques membres du groupe d'Akron. Je courus chez-moi pour téléphoner au Dr Bob. Nous voguions à haute altitude sur le nuage rose numéro 17.

Puis, ce fut enfin ce soir mémorable de décembre 1937. Après le dîner, nous nous sommes retrouvés dans la salle de conférence privée de M. Rockefeller Jr. Le siège que j'occupais était encore tiède. On m'expliqua que M. Rockefeller venait de le quitter. Alors la chaise me sembla encore plus chaude. Nous allions atteindre notre but.

Il y eut d'abord un silence embarrassant, alors que nos amis attendaient que nous disions quelque chose. Je crois que nous étions légèrement intimidés. Alors, quelqu'un suggéra que chaque alcoolique présent raconte sa propre histoire, comme il le ferait à la réunion des A.A.. Pendant que se déroulaient les récits variés de notre misère alcoolique et de notre rétablissement, nous réalisions que nous étions en train de produire une très profonde impression. Après nous avoir écoutés, M. Scott qui présidait la réunion s'exclama: «Mais, votre histoire ressemble à celle de la chrétienté du premier siècle! «Puis, précisant davantage sa pensée, il ajouta: «Que peut-on faire pour vous aider?»

Le moment, tant attendu, était enfin arrivé. Je parlai de notre besoin d'argent, de missionnaires rémunérés, de chaînes d'hôpitaux et de littérature. Même si nous envisagions de commencer modestement, il nous faudrait éventuellement d'importantes sommes d'argent pour réaliser nos projets. Je m'aventurai même à parler de l'urgence de nos besoins. Si notre plan d'action comportait des risques, l'inactivité constituerait un danger beaucoup plus grand encore. Le Dr Silkworth et les autres membres de notre délégation exprimèrent la même opinion.

Alors, M. Scott posa une question dont l'écho se répercute encore dans le Mouvement: «Est-ce que l'argent ne risque pas de gâter cette merveilleuse aventure?» La discussion s'anima et les questions fusèrent de tous côtés: «Est-ce que l'argent ne va pas créer une classe choisie de professionnels?» – «Est-ce que la présence de membres professionnels ne ruinera pas cette approche intime qui réussit si bien présentement?» – «Est-ce que l'administration d'hôpitaux, avec les titres de propriétés et les problèmes financiers, ne serait pas un coup fatal pour votre Fraternité?» Ce barrage de questions devenait déconcertant. Avec tout leur calme, ces hommes s'exprimaient au nom du monde entier comme cette minorité tapageuse l'avait fait à Akron. Et nous avons tous réalisé que, venant d'amis impartiaux, ces questions étaient vraiment importantes. Nous avons répondu que nous avions déjé évalué ces dangers et en avions conclu que la stagnation serait encore plus périlleuse. Profondément convaincus de cette vérité, nous avons poursuivi la défense de notre cause avec les mêmes arguments que nous avions utilisés à Akron. À la fin, impressionnés par cette logique, nos nouveaux amis commencèrent à céder. Ils admirent que nous avions besoin d'argent, du moins d'un peu d'argent.

C'est alors que M. Amos, qui devait devenir l'un de nos bons amis et servir pendant longtemps comme Syndic des A.A., promit de mener sur notre société une enquête complète qui servirait de document de base pour solliciter des fonds de M. Rockefeller. M. Amos ne nous avait jamais rencontrés et nous étions profondément touchés par l'intérêt et la générosité qu'il nous manifestait.

Nous avons suggéré à M. Amos de commencer sa visite par le groupe d'Akron, notre premier groupe et le plus nombreux. De plus, les membres d'Akron travaillaient dans une communauté plus représentative que celle de New York. Si nous réussissions à ouvrir un hôpital, Akron serait le site idéal, d'autant plus que le Dr Bob pourrait le diriger. Pour ne pas embarrasser le Dr Bob, nous avons omis de mentionner une autre raison pour ce choix. Même s'il était sobre depuis plus de deux ans, le Dr Bob n'avait pas réussi à retrouver sa clientèle de chirurgien. Les gens se réjouissaient de sa sobriété, mais ils craignaient de le voir avec un bistouri en main. On se demandait: «Qu'arriverait-il s'il se saoûlait le matin d'une opération?» Nous savions que le Dr Bob devait rencontrer une échéance hypothécaire sur sa maison. Alors, si nous devions bientôt toucher de l'argent, il devait en être le premier bénéficiaire.

Une semaine plus tard, Frank Amos arrivait à Akron et passait la situation au peigne fin. Il questionna des citoyens et des confrères du Dr Bob. Il assista à plusieurs réunions et conversa avec chacun des membres alcooliques du groupe. Il visita également une grande maison susceptible de devenir un hôpital que le Dr Bob aurait dirigé. Frank partagea notre enthousiasme et lorsqu'il retourna à New York il était complètement gagné à notre cause. À la fin de son rapport, il recommanda à M. Rockefeller de nous accorder un octroi initial de $50,000. Cette somme pourrait subventionner deux ou trois d'entre nous, servir de paiement initial pour un hôpital et soulager le Dr Bob de son hypothèque.

M. Richardson s'empressa de présenter ce formidable rapport à son ami M. Rockefeller qui, pensions-nous, serait intéressé au plus haut point. Notre projet englobait, dans une même entité, la médecine, la religion et une noble cause. Dick Richardson lut le rapport préparé par Frank, puis ajouta ses propres commentaires et ses impressions personnelles. M. Rockefeller écouta avec attention. Il fut grandement impressionné et ne le cacha pas. Il n'a pas cessé de le dire et, encore aujourd'hui, il raconte que ses expériences avec les Alcooliques anonymes comptent parmi les meilleures et les plus touchantes de sa vie.

Néanmoins, M. Rockefeller refusa de nous accorder une somme importante d'argent, même si notre projet convenait à ses vues charitables. Après une seconde lecture du rapport de Frank, il dit à M. Richardson: «Dick, j'ai vraiment peur que l'argent ne gâte cette entreprise». Et il expliqua les raison de son refus. Elles étaient identiques à celles invoquées par la minorité du groupe d'Akron. À ce moment-là, John D. Rockefeller Jr fut inspiré et sauva notre Fraternité de ses faiblesses internes, des dangers de l'argent, des soucis de la propriété et de la déformation professionnelle. Ce fut un point tournant dans l'histoire du Mouvement des A.A. Une trop grande richesse aurait pu nous ruiner.

C'est alors que Dick Richardson lui parla des conditions financières désespérées dans lesquelles nous nous débattions, le Dr Bob et moi-même. À cette nouvelle, M. Rockefeller lui dit: «Je vais déposer $5,000., à leur intention, dans le compte de la paroisse Riverside. Tu pourras l'utiliser à ta guise. Cette somme fournira une assistance temporaire à ces deux hommes. Mais, leur Mouvement devrait bientôt se supporter lui-même. Si toi et les autres n'êtes pas d'accord et si vous pensez réellement que cette société a besoin d'argent, vous êtes bien libres de l'aider à en trouver. Mais, je vous en prie, ne m'en demandez jamais plus».

C'était une très bonne nouvelle pour les Alcooliques anonymes, même si à l'époque elle nous semblait mauvaise. Nos espoirs en prenaient un coup terrible. Cependant, le Dr Bob et moi étions des plus heureux de ce soulagement temporaire. Le Dr Bob remboursa son hypothèque et nous avons commencé à recevoir trente dollars chacun par semaine jusqu'à l'épuisement du don de M. Rockefeller. Exception faite de ce modeste changement, la situation demeurait exactement comme elle l'avait toujours été. Nos projets de missionnaires, d'hôpitaux et de livre restèrent en suspens. L'oncle Dick Richardson était sûrement déçu, ainsi que nos amis Amos, Chipman et Strong. Voyant leur désaccord avec M. Rockefeller, nous avons réitéré nos demandes d'aide. Peut-être connaissaient-ils d'autres personnes riches qu'ils pourraient solliciter avec plus de succès. À notre grande joie, tous les quatre envisagèrent cette possibilité et on se réunit à plusieurs reprises pour en discuter.

Au printemps de 1938, on en vint à établir un programme précis. Nous nous étions mis d'accord sur la nécessité d'une fondation ou d'un fonds de charité exempt de taxes. Nos bienfaiteurs pourraient alors déduire leurs dons de leurs rapports d'impôts. Une telle fondation serait le dépositaire et la gardienne responsable du bon usage de toutes les contributions. Messieurs Richardson, Amos et Chipman, ainsi que mon beau-frère le Dr Strong acceptèrent d'en devenir les syndics. Nous avions là l'embryon de la *Alcoholic Foundation*, connue maintenant sous le nom de Conférence des Services généraux des Alcooliques anonymes.

Puis, Frank Amos s'assura l'aide d'un jeune ami, John Wood, un avocat prometteur dans une étude légale des plus renommées de New York. Ce geste nous assurait la collaboration d'un excellent homme de loi. John Wood participa à nos réunions et notre travail commença.

Notre première préoccupation fut de choisir un nom pour notre nouvel organisme. Après de longues discussions, nous avons décidé de l'appeler *Alcoholic Foundation.* Ce nom semblait être un titre rentissant, susceptible de créer l'impression d'un organisme de grande importance. Toujours emportés par de vastes projets, nous pensions que notre conseil d'administration devrait être mandaté pour s'occuper de toutes les questions touchant l'alcool et l'alcoolisme, à l'exception de la lutte pour la Prohibition. Nous cherchions une formule nous permettant de nous impliquer dans la recherche, l'éducation et beaucoup d'autres domaines. Le soin de nos membres ne serait qu'une de nos nombreuses fonctions. C'est ainsi que *Alcoholic Foundation* eut sa charte et son nom.

Nous sommes alors tombés dans un imbroglio légal. Nous avions pensé que le Conseil des Syndics devrait être formé d'alcooliques et de non-alcooliques, ces derniers détenant toujours la majorité par la marge de un. Cette clause serait pour nos membres et nos autres collaborateurs une garantie que des non-alcooliques tiendraient les cordons de la bourse. Alors, M. Wood demanda aimablement de définir un alcoolique et un non-alcoolique. Nous lui avons répondu qu'un alcoolique est une personne malade, qui ne peut consommer aucun alcool, sous quelque forme que ce soit. Par ailleurs, pensions-nous, le non-alcoolique est un être en bonne santé, capable de boire s'il le désire. Ces définitions n'avaient aucune valeur devant la loi et Monsieur Wood, toujours perplexe, abandonna finalement tout espoir de donner un sens légal à la définition d'un alcoolique. Et il trouva bientôt une solution à cette impasse en nous conseillant de rédiger une simple entente administrative entre nous et de la signer. Cette formule nous éviterait les complications d'une charte en bonne et due forme. Ce document fut bientôt complété et *Alcoholic Foundation* commença à opérer.

Notre premier Conseil était formé de cinq Syndics: Dick Richardson, Frank Amos et le Dr Strong étaient les membres non-alcooliques, alors que nous avions délégué le Dr Bob et un membre du groupe de New York pour représenter les alcooliques. Peu de temps après, le membre de New York s'enivra, mais cette éventualité était prévue. L'enivrement d'un Syndic entraînait une démission immédiate. On nomma donc un autre alcoolique comme Syndic et le Conseil se lança en affaires. C'était au mois de mai 1938.

Tel que promis, nos amis nous remirent une liste de personnes riches que nous pouvions solliciter. Du commencement de l'été jusqu'au début de l'automne, nous avons essayé de contacter tous ces bienfaiteurs éventuels. Considérant les avantages fiscaux inhérents à notre Fondation et la qualité de nos nouveaux amis, nous étions convaincus que nos problèmes financiers seraient bientôt résolus. Pourtant, l'attrait d'exemptions fiscales et un conseil d'administration responsable ne semblaient faire aucune différence. Pendant un certain temps, un ami de Dick Richardson, Carlton Sherwood, nous donna un coup de main. M. Sherwood était un promoteur talentueux et expérimenté dans l'organisation des campagnes de charité. Mais il découvrit bientôt qu'il pouvait très peu nous aider parce que nous étions trop incertains et trop renfrognés sur nous-mêmes. Ainsi toute l'affaire s'enlisa et les coffres de notre Fondation demeurèrent vides. On aurait dit que c'était la fin de tout.

Vers le mois de mars ou d'avril 1938, j'avais commencé à rédiger les textes qui devaient devenir le livre, *Alcoholics Anonymous.* Au moment de notre campagne de financement, j'avais complété la rédaction de mon histoire personnelle et j'avais fait le brouillon de ce qui est aujourd'hui le deuxième chapitre du livre. Des copies miméographiées de ces deux chapitres faisaient partie de la publicité entourant cette croisade financière qui avait avorté.

Cherchant à nous encourager, nos amis insistaient sur la tenue de réunions mensuelles pour le Conseil. Pendant un certain temps, ces réunions ne produisirent aucun résultat, si ce n'est de nous fournir l'occasion de nous lamenter sur l'état déplorable de notre caisse vide. Mais au début de l'automne de 1938, Frank Amos nous proposa une idée qui ouvrit toute grande la porte de notre avenir réel. Il nous dit: «Un de mes amis, Eugene Exman, est l'éditeur de livres religieux chez Harper. Peut-être serait-il intéressé à publier votre nouveau livre. Pourquoi ne pas lui soumettre les quelques chapitres déjà terminés? Je vais vous obtenir un rendez-vous».

J'ai donc rencontré Eugene Exman qui allait devenir un autre merveilleux ami de notre Fraternité. Je lui fis le récit de nos luttes et lui tendis mon premier travail d'auteur littéraire. Pendant que j'attendais, Gene étudia sérieusement les deux chapitres. Puis, il me demanda: «Pourriez-vous écrire tout un livre dans le même style? Et combien de mois cela vous prendrait-il?» J'en tremblais, mais ma réponse était déjà prête: «Je crois que je le pourrais, mais il faudrait m'accorder neuf ou dix mois». Alors, il me fit une proposition surprenante: «Si cela peut vous aider, je crois que Harper peut vous avancer $1,500, pour vos droits d'auteur. Ce montant serait déduit de vos gains une fois le livre terminé en 1939».

Flottant encore dans les nuages, je quittai Harper pour courir annoncer la bonne nouvelle aux copains. Je voulais dabord passer chez Frank Amos, mais en cours de route des pensées inquiétantes troublèrent mon enthousiasme. Supposons que cet embryon de livre devienne un jour le texte de base de notre Fraternité, notre principal actif serait alors entre les mains d'une compagnie étrangère, sûrement une bonne compagnie d'édition, mais tout de même une compagnie n'appartenant pas au Mouvement. C'est alors que je me suis demandé si notre Fraternité ne devrait pas posséder son propre livre. Puis, je rêvai aux $1,500. promis comme une avance sur les droits d'auteur. Quand le livre paraîtrait, pour remettre cette somme à Harper, il nous faudrait vendre plusieurs volumes. Et, si la publicité accompagnant la publication du livre nous inondait de demandes d'aide de la part des alcooliques et de leurs familles, nous n'aurions plus un sou pour affronter une telle situation!

Je gardai ces appréhensions pour moi. Quel réconfort de voir le visage de Frank s'illuminer en apprenant la merveilleuse nouvelle! De toute façon, c'était consolant de savoir qu'une maison comme Harper acceptait de publier ce livre et qu'un éditeur du calibre de Gene anticipait un succès. Cette expérience nous redonna confiance et nous avons continué à travailler au projet du livre à travers toutes sortes de difficultés, grandes ou petites.

Lors de la réunion suivante de la Fondation, nos amis souriaient de bonheur en entendant les détails de la proposition Harper. C'était le premier rayon d'espoir que nous avions depuis longtemps. Les Syndics étaient unanimes à déclarer que la solution se trouvait dans la proposition Harper.

J'avais confié à quelques amis de New York mes inquiétudes au sujet de la proposition Harper, mais je n'en avais soufflé mot nulle part ailleurs. Alors, très hésitant, j'en fis part aux Syndics qui ne furent pas très impressionnés par mes craintes. Ils soulignèrent que d'ordinaire les auteurs publient eux-mêmes leurs œuvres et s'en tirent pourtant fort bien. La réunion se termina sur une note sombre. Le jury était partagé et ne pouvait s'entendre sur un verdict.

Tout de suite après ces événements, une des personnes les plus dynamiques que j'ai jamais connues se mit de la partie. C'était mon ami Henri P., un ancien administrateur de la Standard Oil et le tout premier alcoolique du groupe de New York à demeurer sobre pendant un certain temps. Il avait été un protégé du Dr Silkworth et un visiteur assidu à l'Hôpital Towns. À cette époque, il était sobre depuis deux ans. Henri avait les cheveux roux, au moins une nouvelle idée à la minute et de l'énergie à revendre. Il n'était pas Syndic de la Fondation et officiellement n'avait pas à se prononcer sur la question. Mais cela ne le dérangeait aucunement. Il était un vendeur chevronné et savait présenter son produit. Il me dit: «Écoute-moi bien, Bill, pourquoi s'encombrer de ces Syndics et de la Fondation? Ces gens-là n'ont pas trouvé un seul sou et n'en trouveront pas non plus. Pourquoi ne pas lancer ce livre sur une base d'affaire en formant une compagnie à actions. Vendons des actions à nos amis, ici même à New York. Si nous savons leur apporter les bons arguments, je te garantis qu'ils vont nous avancer l'argent». Je suis un ancien courtier de la bourse et j'y avais pensé. Mais Henry avait de bien meilleures idées que moi et il inspirait confiance. Notre Fraternité pourrait organiser sa propre compagnie d'édition et peut-être bien que nous pourrions oublier la Fondation. Je lui répondis que les Syndics ne seraient pas d'accord avec notre façon d'agir et que je ne voulais pas les blesser. Mais Henry avait la peau plus épaisse que la mienne. Il était implacable; il me disait qu'il fallait tout simplement le faire. À la fin, je lui donnai mon accord.

Encore préoccupé par toute cette affaire, je retournai voir Gene Exman et lui expliquai franchement la tournure des événements. À ma grande surprise, il était d'accord, même si c'était contraire à ses intérêts, qu'une société comme la nôtre se devait de contrôler et de publier sa propre littérature. De plus, il était convaincu que nous pourrions mener à bien une telle entreprise. L'opinion de Gene ne changea pas celle des Syndics, mais elle nous donna, à Henry et à moi, l'encouragement dont nous avions besoin.

Henry ne perdit pas de temps et commença tout de suite à vendre l'idée à nos membres de New York. Il les contacta l'un après l'autre, les persuadant, les intimidant et les hypnotisant. Je marchais dans son sillage, calmant les sentiments blessés et essayant de dissiper les doutes sur nos intentions. Après une couple de semaines de promotion intense, les membres de l'Est nous accordaient un consentement peu enthousiaste. Le Dr Bob était incertain, mais il finit par se rallier à nous. Il croyait cependant que, dans les circonstances, il serait préférable de ne pas présenter le problème aux membres d'Akron. Il estimait aussi qu'il serait sans doute avantageux de promouvoir notre idée à New York, mais selon lui peu de membres d'Akron seraient prêts à l'accepter. Il pensait également que nous devrions présenter notre projet au Conseil des Syndics. Nous ne pouvions sûrement pas les ignorer.

Durant ce temps, Henry et moi mettions notre plan au point. Nous avions besoin d'un prospectus convaincant pour persuader les alcooliques d'investir leur argent dans une compagnie qui n'avait pas encore publié un seul livre. Plus nous scrutions notre projet, plus il nous semblait valable. Nous sommes allés voir Edward Blackwell, président de Cornwell Press, l'un des plus grands éditeurs aux États-Unis. Nous avons alors appris que le coût d'impression d'un livre de format ordinaire s'élève à environ dix pour cent du prix de détail. Un volume de 440 pages pouvait être imprimé pour moins d'un dollar l'unité. Si nous fixions le prix de notre volume à $3.50, comme Henry et moi projetions de le faire, ce montant ne serait à toute fin pratique que du profit. Nous n'aurons pas à nous préoccuper des commissions aux libraires, des frais de publicité et des pertes habituellement encourues par les éditeurs pour les livres non vendus. Il était évident que notre livre se vendrait facilement et nous n'aurions aucune difficulté à l'écouler. Notre projet avait l'air trop beau pour être vrai.

Je présentai tous ces renseignements aux Syndics à l'occasion d'une assemblée régulière. Je m'attendais à une mauvaise réaction de leur part et je fus servi à souhait. Le fait de me trouver en désaccord complet avec ces bons amis constitua certainement l'une de mes tâches les plus pénibles. De nouveau, on ajourna la réunion sans que nous ayons pu en venir à une entente. Et je sentais qu'il nous faudrait réaliser notre projet en dépit de toutes les objections. La situation était déprimante.

Pourtant, Henry ne se sentait pas déprimé malgré toutes les longues nuits consacrées à la rédaction du prospectus. Voici son raisonnement: Harper nous avait assurés que le livre serait un succès; même si nous devions offrir $1.00 aux groupes et aux libraires professionnels pour la vente de chaque exemplaire, notre marge de profit serait encore très intéressante. Le coût d'impression était minime et nous pouvions le vendre $2.50 au prix du gros ou $3.50 au détail. Et, une fois la publicité en marche, nous le vendrions à pleins camions.

Le plan de mise en marché proposé par Henry prévoyait la formation d'une compagnie fiduciaire émettant des actions au coût de $25. l'unité. Les alcooliques de New York et leurs amis pourraient acheter un tiers de ces actions au comptant. Les deux autres tiers seraient divisés entre Henry et moi et constitueraient un salaire pour notre travail. Afin d'attendrir les Syndics, nous avions décidé de verser à *Alcoholic Foundation* les revenus des droits d'auteur, qui normalement m'appartenaient. Et Henry ajouta à son prospectus un diagramme qui établissait l'échelle de nos profits selon que la vente se chiffrerait à 1,000, 500,000 ou même un million d'exemplaires. J'ai oublié les détails de ses prévisions, mais je sais qu'elles étaient fantastiques. Mon enthousiasme n'était pas aussi grand, mais je demeurais convaincu que notre projet permettrait à certains d'entre nous d'occuper des postes à plein temps et d'établir des Quartiers généraux pour notre Fraternité. Sans me préoccuper du succès ou de l'insuccès de notre projet, j'étais persuadé que notre Mouvement se devait de contrôler et de posséder sa propre littérature.

Il manquait encore deux choses essentielles à notre entreprise: l'incorporation et un nom. Henry s'en chargea. Puisque le livre en préparation ne devait être que le premier d'une longue série, notre compagnie, croyait-il, devait s'appeler «*Works Publishing Inc.*». Ce nom me convenait. Cependant, j'étais de l'opinion que pour émettre des actions, il nous fallait nous constituer en corporation et en payer le prix. Mais, le lendemain, je découvris qu'Henry avait acheté un paquet de certificats dans une papeterie. En haut de chaque certificat, il avait dactylographié: «*Works Publishing Inc.*», valeur de $25.00. Au bas, apparaissait une signature: Henry P.______, président. Comme je protestais de ces irrégularités, Henry répliqua qu'il ne fallait pas perdre de temps. Et il ajouta: «Pourquoi se tracasser avec d'aussi menus détails?»

Ainsi la grande entreprise était lancée. Restait à voir si elle réussirait. Henry connaissait tous les trucs d'un super-vendeur. Il s'abattit comme une tornade sur les alcooliques de New York et certains de leurs amis, les invitant à acheter des actions dans cette entreprise si prometteuse. N'étant pas le dernier venu dans ce genre d'opération, j'emboîtai le pas.

Eh bien, nous n'avons pas réussi à vendre une seule des 600 actions de *Works Publishing Inc.*, même si nous prétendions qu'elles étaient une aubaine. Les alcooliques de New York nous dirent: «Vous, les copains avez du toupet de venir ainsi nous solliciter et de nous faire croire que nous investirions de l'argent dans la publication d'un livre qui n'est pas encore écrit?» Mais Henry ne se laissa pas décourager. Il n'était pas à court d'idées. Il me dit: «Bill, toi et moi savons que ce livre va se vendre: Harper le sait également; mais ces alcooliques de New York ne veulent pas y croire. Certains qualifient notre projet de farce et d'autres s'insurgent farouchement devant la fusion de la spiritualité et de l'argent. Mais s'ils croyaient réellement au succès du livre, ils en achèteraient des actions et vite. Pourquoi, alors, ne pas contacter les gens de *Reader's Digest* pour leur suggérer de publier un article sur notre Fraternité et notre livre? Si le *Digest* publie le moindre article à notre sujet, le livre se vendra à la tonne. Tout le monde peut comprendre ça, même ces avares d'alcooliques. Qu'est-ce qu'on attend? Allons-y.»

Deux jours plus tard, nous nous retrouvions, à Pleasantville dans l'État de New York, assis dans le bureau de M. Kenneth Payne, alors rédacteur en chef du *Reader's Digest*. Nous lui avons fait une splendide description de notre Fraternité et de notre futur livre. Nous lui avons souligné le vif d'intérêt que M. Rockefeller et ses amis portaient à notre projet. M. Payne parut intéressé. Puis, il nous dit: «Je suis presque certain que le *Digest* aimerait publier cette histoire, mais il faudrait que j'en discute d'abord avec les autres éditeurs. Personnellement, je crois que c'est précisément le genre d'histoire qui nous intéresse. Lorsque votre livre sera terminé, le printemps prochain, avertissez-moi et nous pourrons alors déléguer un de nos rédacteurs spécialisés dans ce genre de nouvelles. Ce sera sans doute une bonne histoire. Mais je devrai d'abord vérifier le texte avec notre personnel. Vous comprenez, n'est-ce pas?».

Henri et moi avons ramassé nos chapeaux à toute vitesse et avons rapidement gagné New York. Nous étions maintenant bien armés. Le soir même nous commençions une nouvelle campagne et les anciens incrédules acceptèrent de signer. Puisque la majorité des membres étaient alors fauchés, nous leur avons facilité les choses. Ils pouvaient acheter des actions par paiement différés: cinq paiements mensuels de cinq dollars par action. Plusieurs ne pouvaient en acheter qu'une seule. Une fois mis au courant des derniers développements, nos Syndics emboîtèrent le pas sans réserve. Des amis de certains membres apportèrent leurs modestes contributions. Quelques-uns de mes anciens collègues de Wall Street investirent de leurs deniers. Des personnes comme le Dr Silkworth et le Dr Tiebout nous donnèrent aussi un coup de main. En peu de temps, nous avions vendu 200 actions pour un montant de $5,000. et un peu d'argent liquide commença à rentrer dans la caisse. Néanmoins, l'appât du gain n'était pas le seul motif de nos collaborateurs. Dès qu'ils eurent un faible espoir qu'ils pourraient un jour récupérer leur argent, ils épaulèrent vigoureusement notre projet.

Au 17 de la rue William, à Newark dans le New Jersey, Henry occupait un bureau qui servait de quartiers généraux pour une entreprise moribonde. Il avait aussi à son service une secrétaire, Ruth Hock, qui allait devenir un vrai pionnier des A.A. L'ameublement consistait en un immense pupitre et un mobilier somptueux.

Tous les matins, je partais de Brooklyn pour me rendre à Newark. Et pendant que j'arpentais le bureau d'Henry, je commençai à dicter le brouillon des différents chapitres de notre futur livre. Incapable d'établir le véritable plan du livre, je travaillais à partir d'une liste improvisée de titres de chapitres. Semaine après semaine, Henry sollicita nos souscripteurs afin de recueillir leurs paiements différés. Entre temps, nous obtenions de M. Charles B. Towns la somme de $2,500. qui s'ajoutaient aux modestes sommes recueillies par Henry. La plupart de ces fonds devait servir à défrayer les dépenses du bureau et de la nourriture pour Henry, Ruth, Lois et moi-même. Nous avons poursuivi notre travail dans ces mêmes conditions jusqu'au mois d'avril 1939, date de publication du livre «*Alcoholics Anonymous*».

Alors que, lentement, les chapitres prenaient forme, je les lisais aux membres du groupe de New York à l'occasion des réunions hebdomadaires dans notre salon de la rue Clinton. Nous en faisions parvenir des copies au Dr Bob et aux membres d'Akron pour qu'ils puissent les vérifier et les amender. Ils nous ont apporté le support le plus chaleureux. Mais à New York, les chapitres subissaient un épluchage en règle. Je dictais de nouveaux textes et Ruth les redactylographiait, encore et encore. Malgré toutes ces chaudes discussions, les critiques du groupe de New York nous furent salutaires. Malgré tout, l'enthousiasme et la confiance de ces membres grandissaient.

C'est ainsi que la rédaction du livre est parvenue au fameux chapitre 5. Jusque là, j'avais terminé mon histoire personnelle et j'avais ébauché trois autres chapitres: «*Il y a une Solution*», «*L'Alcoolisme*» et «*Nous les Agnostiques*». Nous avons alors réalisé que nous avions suffisamment parlé de l'histoire et de la présentation du Mouvement, et qu'il nous fallait maintenant décrire notre méthode de rétablissement. Il nous fallait maintenant attaquer la partie essentielle du livre.

Dans mon for intérieur, j'avais toujours craint ce problème. Je n'avais jamais rien publié auparavant et les membres de New York non plus. Certains souscripteurs déploraient la lenteur de la rédaction du livre. Ils avaient eux aussi ralenti la fréquence de leurs paiements. La discussion sur les quatre premiers chapitres avait été pénible. J'étais exténué, au point qu'à plusieurs reprises j'ai été tenté de lancer le livre par la fenêtre.

C'est dans cette disposition, qui n'avait rien de spirituel, qu'une nuit j'ai rédigé les Douzes Étapes des Alcooliques anonymes. J'étais fatigué et abattu à l'extrême. Je me suis étendu sur le lit, au 182 de la rue Clinton, un crayon à la main et une tablette sur les genoux. Je n'arrivais pas à me concentrer sur mon travail et encore moins à y mettre mon cœur. Mais, je sentais qu'il me fallait accomplir cette tâche. Peu à peu, le calme se fit dans mon esprit.

Depuis la visite d'Ebby à l'automne de 1934, nous avions progressivement développé ce que nous appelions la méthode de la «conversation intime». La plupart de nos principes fondamentaux provenaient des Groupes d'Oxford, de William James et du Dr Silkworth. Malgré les interprétations variées du programme, il se résumait toujours en six étapes. En voici à peu prês l'essentiel:

1. Nous avons admis que nous étions battus, que nous étions impuissants devant l'alcool.
2. Nous avons fait un inventaire moral de nos défauts et de nos offenses.
3. Nous avons confidentiellement avoué ou confié nos défauts à une autre personne.
4. Nous avons réparé les torts causés aux personnes lésées par notre alcoolisme.
5. Nous avons essayé d'aider d'autres alcooliques sans attendre de récompense en argent ou en prestige.
6. Nous avons prié Dieu, tel que nous Le concevions, de nous accorder la force de mettre en pratique ces principes.

Ces propositions contenaient l'essentiel du message que nous livrions aux nouveaux candidats à l'automne de 1938. Nous avions définitivement éliminé de notre programme plusieurs autres idées et attitudes des groupes d'Oxford, y compris celles qui auraient pu provoquer des controverses théologiques. Sur des questions importantes, nous étions encore loin de l'unanimité entre les groupes de l'est et ceux du midwest. Nos membres de cette dernière région militaient toujours au sein des groupes d'Oxford, alors que ceux de la région de New York s'en étaient séparés l'année précédente. À Akron et dans les alentours, on parlait encore des absolus des groupes d'Oxford: honnêteté, pureté et amour absolus. À New York, ce programme nous semblait beaucoup trop exigeant et nous en avions même abandonné les expressions. Mais nous commencions tous, aussi bien dans l'est que dans l'ouest, à attacher plus d'importance à la description de l'alcoolisme telle que proposée par le Dr Silkworth:

une obsession doublée d'une allergie. L'expérience nous avait déjà enseigné que le nouveau membre se devait d'accepter la Première Étape s'il voulait obtenir le moindre résultat.

En cette soirée mémorable, alors que je resassais toutes ces considérations dans mon esprit, notre programme me semblait manquer de précision. Nos lecteurs éloignés devraient peut-être attendre encore bien longtemps avant que nous ne puissions les contacter personnellement. C'est pourquoi notre littérature se devait d'être aussi claire et aussi compréhensible que possible. Nos Étapes devaient être plus explicites. Il fallait éviter à l'alcoolique raisonneur la moindre faille susceptible de provoquer un conflit. Il serait peut-être préférable de subdiviser nos six parcelles de vérité. Ainsi, nous pourrions mieux nous faire comprendre du lecteur éloigné et, par la même occasion, nous serions capables d'élargir et d'approfondir la portée spirituelle de notre programme. En autant que je puisse m'en souvenir, je n'avais que ces considérations en tête lorsque je commençai à écrire.

Lorsqu'à la fin je me mis à écrire, j'entrevoyais plus que six étapes. Combien? Je ne le savais pas. Je me suis détendu et demandai l'inspiration. À une vitesse surprenante, dans l'ébullition de mes émotions, je complétai le premier brouillon, en moins d'une demi-heure. Les mots affluaient de façon continue. Parvenu à la fin, je numérotai les nouvelles Étapes. Il y en avait douze. Ce nombre me parut significatif. Pour aucune raison particulière, je l'associai aux Douze Apôtres. Alors, me sentant tout à fait libéré, je commençai à relire mon brouillon.

À ce moment précis, deux couche-tard firent leur apparition. L'un d'eux était Howard A., mon bon compagnon de beuveries. Il était accompagné d'un nouveau membre, sobre depuis à peine trois mois. J'étais enchanté de ce que je venais d'écrire et je leur fis lecture de la nouvelle version du programme, maintenant les «*Douze Étapes*».[11] Howard et son ami réagirent d'une façon virulente et me demandèrent: «Pourquoi *Douze* Étapes?» Et ils

---

(11) Voir les Douze Étapes, p. 62.

Des personnes
et des endroits...

Premier ami des Alcooliques anonymes dans le monde de la médecine, le Dr William Silkworth prodigua ses soins à Bill dès le début et l'assista durant son expérience au Towns Hospital.
«Silky» manifesta envers notre Fraternité plus de foi que nous n'en avions nous-mêmes dans les premiers temps.
Il nous encouragea et nous appuya ouvertement alors que nous étions presque inconnus.
Il nous dévoila la nature de notre maladie: «une allergie physique doublée d'une obsession mentale».
Sa contribution au développement du programme de rétablissement des A.A. fut indispensable.
Durant sa carrière, le «bon petit docteur» prodigua ses soins à 40,000 alcooliques.
Le Dr Silkworth incarne la compréhension et l'aide que les Alcooliques anonymes ont reçues de la profession médicale.
(Voir pages 16, 64, 78, 83).

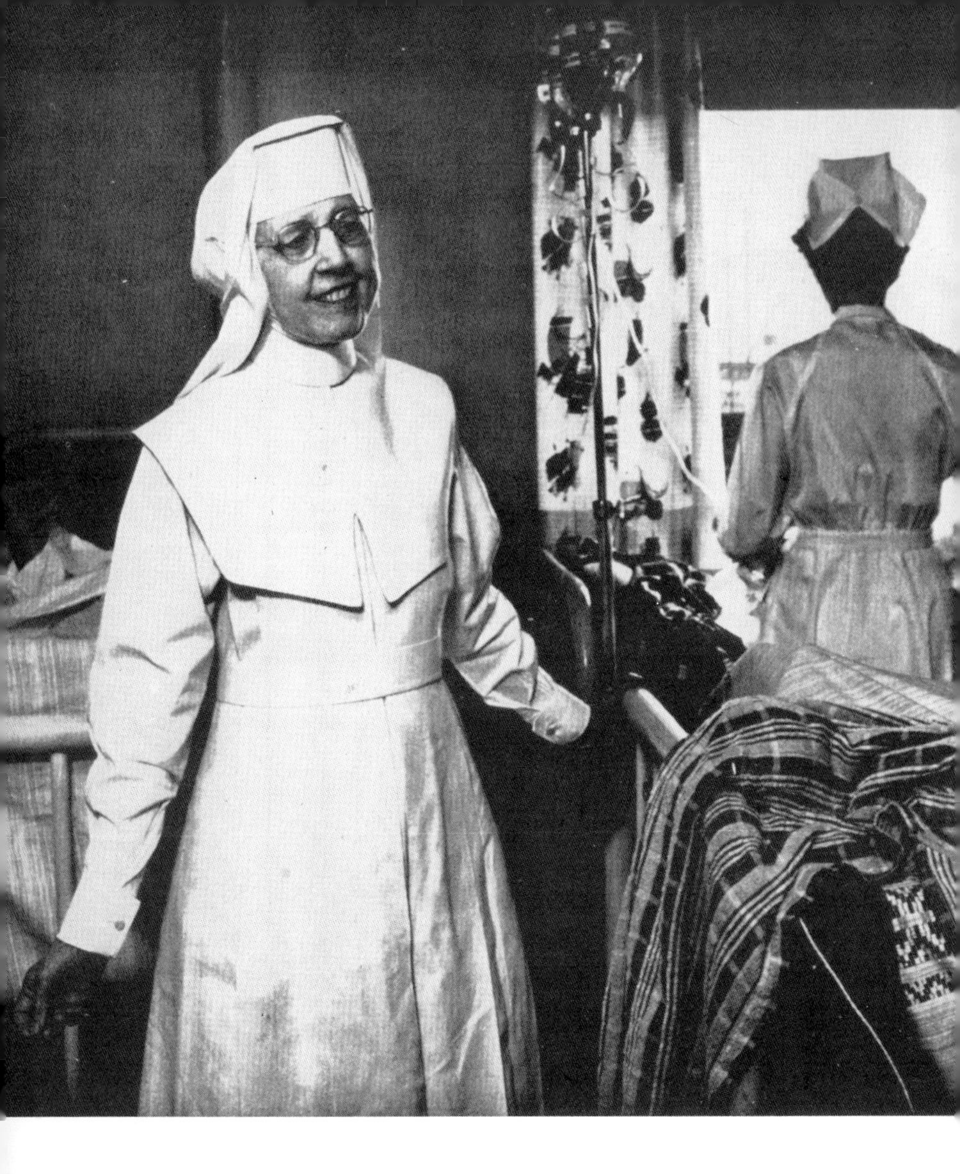

«L'incomparable Sœur Ignatia», l'associée du Dr Bob dans cette œuvre avant-gardiste de l'hospitalisation des futurs membres du Mouvement.
«Le dévouement du Dr Bob, de son épouse Anne, de Sœur Ignatia et des pionniers d'Akron constitue un exemple inoubliable de mise en pratique de notre Douzième Étape».
(Voir pages 9, 10, 176, 252)

Une décision historique fut prise dans ce coin du hall d'entrée de l'hôtel Mayflower à Akron. C'est ici que l'un de nos co-fondateurs renonça à un premier verre et plaça un appel téléphonique qui devait le conduire à l'autre co-fondateur et amorcer la chaîne de rétablissement qui fait maintenant le tour du monde.
(Pages 80, 81)

Le trophée Lasker (à droite) est un symbole de l'approbation des Alcooliques anonymes par la profession médicale.
Offert par Albert et Mary Lasker, il fut présenté aux A.A., à San Francisco, en 1951, sur recommandation des douze mille médecins de l'Association de la Santé publique des États-Unis.
(Voir pages 5, 361)

(à gauche)

Le Dr Harry Tiebout fut le premier psychiatre à reconnaître le travail des Alcooliques anonymes et à utiliser nos principes avec ses propres patients.
Depuis son premier contact avec notre Fraternité en 1939, le Dr Harry n'a cessé de recommander notre Mouvement à la profession psychiatrique.
De concert avec les docteurs Kirby Collier, Foster Kennedy, A. Wiese Hammer, Dudley Saul et d'autres, le Dr Tiebout accéléra et consolida l'acceptation de notre Mouvement chez les médecins du monde entier.
(Voir pages 3, 250, 285 et suivantes, 370)

C'est ici que tout a commencé.
À droite, la maison où le Dr Bob et Anne habitaient à Akron, où Bill et le Dr Bob mirent en pratique les premiers principes de rétablissement, où Lois et Anne établirent les fondations du Mouvement des Al-Anon.
Ci-dessus, la cafetière dont Anne se servit pour préparer le premier café des A.A.
Ci-dessous, la maison du gardien du domaine Seiberling à Akron où le Dr Bob et Bill se rencontrèrent pour la première fois.

AA

WESTERN UNION
TELEGRAM

SY WA 283 GOVT NL PD - LA MAISON BLANCHE - WASHINGTON DC

5 JUILLET 1955

ALCOOLIQUES ANONYMES

AUDITORIUM KIEL SAINT-LOUIS MO -

JE VOUS PRIE DE TRANSMETTRE A TOUS LES PARTICIPANTS AU CONGRES DE VOTRE VINGTIEME ANNIVERSAIRE MES MEILLEURS VOEUX POUR QUE CETTE RENCONTRE SOIT FRUCTUEUSE. LE DEVELOPPEMENT DE VOTRE ASSOCIATION ET LES SERVICES QU'ELLE A RENDUS SONT UNE SOURCE D'INSPIRATION POUR TOUS CEUX QUI, GRACE A LEUR RECHERCHE, A LEUR PERSEVERANCE ET A LEUR FOI, APPORTENT DES SOLUTIONS A DE SERIEUX PROBLEMES DE SANTE PERSONNELLE ET PUBLIQUE.

SIGNE: DWIGHT D. EISENHOWER

À droite, la maison de la rue Clinton à Brooklyn. Au sous-sol, se trouvait la fameuse table de cuisine sur laquelle s'accouda Ebby, lorsqu'il transmit le message à Bill.
C'est là qu'eurent lieu les premières réunions du groupe de New York.
Bill et Lois l'habitèrent et en furent chassés à cause de leur incapacité à payer l'hypothèque.
Ci-dessus, leur demeure actuelle, un endroit que des milliers de membres ont visité à Bedford Hills dans l'État de New York.
Tout près de la maison, se trouve la «cabane» où Bill travaille sur le pupitre représenté ci-dessous. (Voir pages 13, 123, 212)

Voici Sam Shoemaker, ministre de l'église episcopale, dont l'enseignement inspira les co-fondateurs et les pionniers des A.A. Bill déclare: «Son honnêteté absolue et sa grande franchise m'ont profondément frappé. Dès la naissance du Mouvement, il fut la source où le Dr Bob et moi-même avons puisé la presque totalité des principes qui furent par la suite enchâssés dans les Douze Étapes... Sam Shoemaker nous enseigna les moyens pratiques pour nous en sortir... Il nous procura les clés spirituelles de notre libération».
(Voir pages 48, 79, 316)

À l'époque de la plus grande contribution de Sam, les réunions des A.A. avaient souvent lieu dans les demeures d'amis, tels que T. Henry et Clarace Williams à Akron. Ci-dessus, nous apercevons leur résidence, où débuta le Groupe Numéro Un.
(Voir page 92)

Voici le Père Ed, ce prêtre catholique dont l'influence personnelle et le ministère au service des A.A. ont si largement contribué à façonner notre Fraternité.
Le Père Edward Dowling, de l'Ordre des Jésuites, collabora à la fondation du premier groupe des A.A. à Saint-Louis.
Il fut pour nous un ami, un conseiller, un exemple vivant et bien davantage.
«Que j'aie été joyeux ou triste», raconte un de nos membres, «il m'apporta cette sensation de grâce et de présence divine. Il est fait de l'étoffe des saints».
Bien des gens, face au Père Ed, ont éprouvé cet avant-goût de l'éternité.
Par ailleurs, le Père Ed nous confiait: «Si je me retrouve un jour au ciel, ce sera parce que j'ai fui l'enfer».
(Voir pages 46, 47, 307)

Ci-dessous, nous apercevons l'ancien club de la 24ième Rue à New York et son fameux corridor conduisant à la salle de réunion. (Voir page 221)

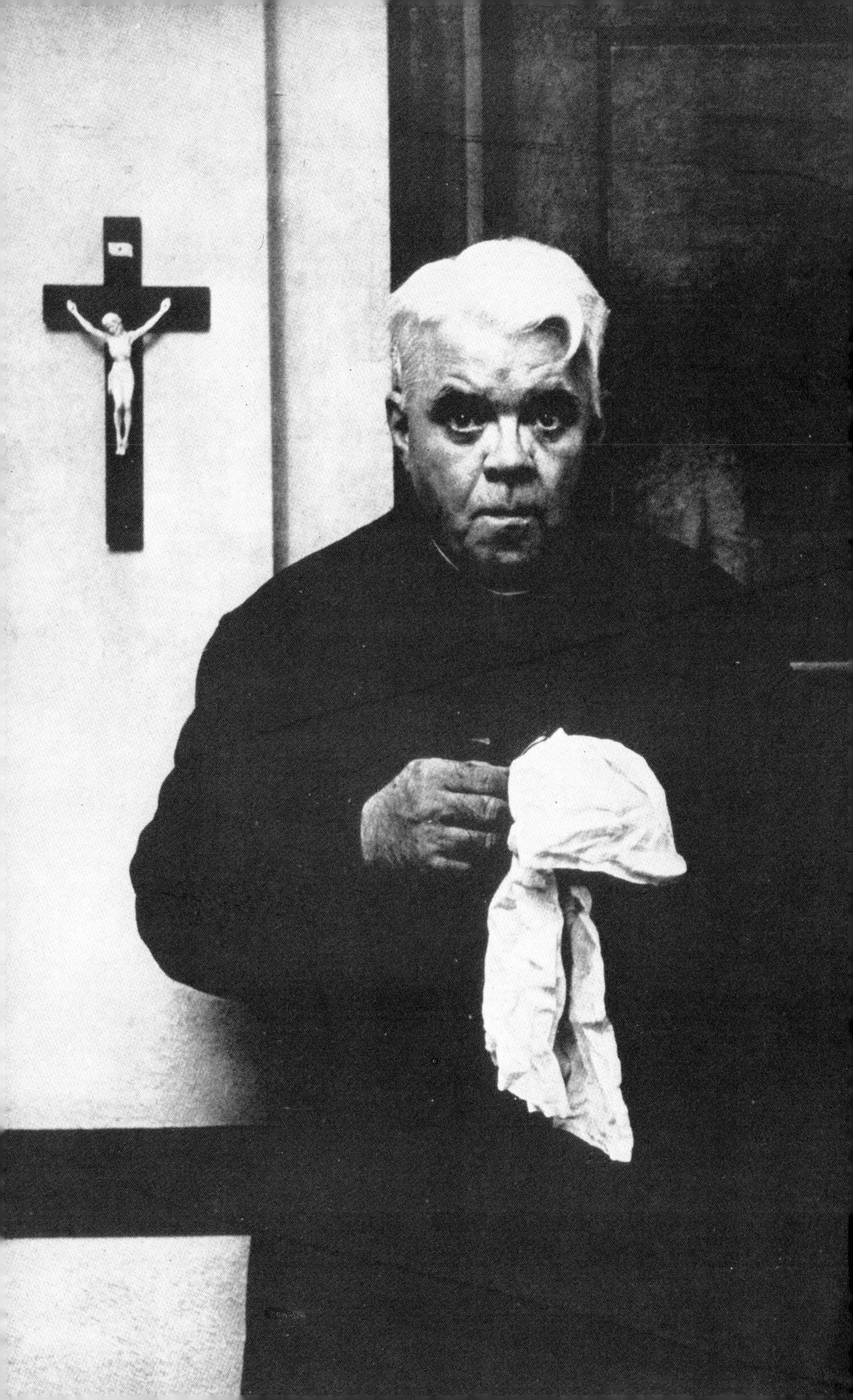

«Un des plus merveilleux serviteurs de Dieu et de l'homme que j'aie jamais eu la chance de rencontrer». Cette affirmation décrit de façon adéquate Willard Richardson dont la photo apparaît sur la page précédente.

Jusqu'à sa mort en 1952, «l'Oncle Dick» Richardson remplit un rôle de premier plan dans le développement de notre Fraternité et de ses Quartiers généraux. (Voir pages 18, 181)

Il représente ce groupe de personnes envers qui les Alcooliques anonymes conservent une dette de reconnaissance: ces non-alcooliques, dynamiques et dévoués, qui ont apporté bienveillance, soutien, temps et efforts à la solution de nos problèmes depuis le début. Nous pensons à des pionniers, tels que Frank Amos, John D. Rockefeller Jr. A. LeRoy Chipman, Dr Leonard Strong, Jack Alexander et Leonard Harrison; à des amis plus récents, tels que Fulton Oursler, Bernard Smith, Frank Gulden et le Dr Jack Norris; à des amis de vieille date remplissant de nouvelles fonctions, tel que le Dr Harry Tiebout qui fait maintenant partie de notre Conseil des Syndics.

Grâce à la coopération de ces non-alcooliques de toutes professions et des représentants de la médecine, de la religion et des communications, Dieu nous a comblés et aidés, nous les alcooliques, et nous en sommes profondément reconnaissants.

ajoutèrent: «Tu parles trop de Dieu dans ces Étapes; tu vas effrayer le nouveau. Et puis, pourquoi cherches-tu à faire plier les genoux à tous ces alcooliques, alors qu'ils ne veulent que l'élimination de leurs défauts? D'ailleurs, quels sont ceux qui souhaitent la disparition de toutes leurs lacunes?» Voyant mon désarroi, Howard ajouta: «Il est vrai qu'une certaine partie de tes idées est tout de même valable. Mais, Bill, tu fais mieux d'adoucir le ton. C'est trop rigide. L'alcoolique ordinaire n'acceptera jamais ton programme dans cette nouvelle version».

Je me lançai dans la défense de chaque mot de la nouvelle formulation des Étapes. S'ensuivit une vive discussion qui ne s'apaisa qu'à l'arrivée de Lois quelques heures plus tard. «Pourquoi ne pas oublier cette question pour le moment», dit-elle, «et prendre un bon café?» C'est ce que nous avons fait.

Des membres d'Akron, comme Paul et Dick S. aimaient beaucoup les nouvelles Étapes. Alors que je continuais à rédiger le reste du volume, en me basant sur le texte des Douze Étapes, ils ne cessaient de m'exprimer leur approbation. Mais, à New York, la discussion sur les Étapes devenait de plus en plus violente, à mesure que le livre prenait de l'ampleur. Nous entendions des opinions conservatrices, libérales et radicales. Fitz M., fils d'un ministre épiscopalien du Maryland et le deuxième membre à se rétablir de l'alcoolisme à l'Hôpital Towns, venait régulièrement à New York pour défendre sa tendance conservatrice. Fitz demeurait convaincu que l'orientation du livre devrait être chrétienne et qu'il fallait le présenter comme tel. Et, pour enlever toute équivoque, il nous encourageait même à citer des passages de la Bible. Un autre membre de New York se montrait encore plus catégorique que Fitz.

Notre groupe était surtout formé de membres libéraux. Ils n'avaient pas d'objection à l'emploi du mot «Dieu» dans le livre, mais s'opposaient catégoriquement à toute prise de position sur des questions doctrinales. Ils ne voulaient rien savoir de quelque doctrine que ce soit. La spiritualité, oui. La religion, non et non. La majorité de nos membres croyait en une certaine forme de divinité. Mais, quand il s'agit de théologie, nous ne parvenons jamais à nous entendre. Alors, comment pourrions-nous écrire un livre traitant de théologie? Aucune position de groupe n'existait et ne pourrait jamais exister dans ce domaine. Les alcooliques qui avaient fréquenté les centres d'accueil se plaignaient constamment du climat religieux qu'on y retrouvait. La révolte spontanée de l'alcoolique contre toute approche religieuse avait grandement paralysé l'efficacité des centres d'accueil. Les libéraux nous certifiaient qu'ils ne cherchaient pas à critiquer, mais qu'ils voulaient simplement nous rappeler une pénible réalité, impossible à nier. Il était évident que l'ensemble de notre Fraternité ne pourrait jamais atteindre l'unanimité au plan religieux et que l'approche strictement religieuse n'avait réussi que dans de rares cas.

Ainsi, les libéraux influencèrent grandement l'orientation et l'accent spirituels de notre livre. Mais, les athées et les agnostiques, qui formaient notre gauche, devaient aussi nous apporter leur immense contribution. Animé par mon bon ami Henry et encouragé par Jim B., un vendeur nouvellement arrivé au Mouvement, ce contingent commença à se faire entendre. Dès le début, ces membres voulaient que le mot «Dieu» disparaisse complètement du livre. Henry en était venu à croire à une sorte de «puissance universelle», alors que Jimmy nous sidéra en s'attaquant à Dieu dans nos réunions. Certains membres étaient tellement révoltés par l'attitude de Jimmy qu'ils voulaient l'exclure du groupe. Mais la plupart d'entre nous croyaient préférable de le laisser s'exprimer, convaincus qu'un jour il modifierait sa façon de penser, évolution qui ne manqua pas de se produire. Henry, Jimmy et leurs disciples voulaient un livre à base psychologique, pour attirer l'alcoolique. Une fois entré dans le Mouvement, il pourrait accepter Dieu ou Le mettre de côté, comme il lui plairait. Pour nous, ce fut un choc; mais heureusement, nous avons prêté l'oreille et en avons tiré une leçon salutaire. La conscience du groupe était au travail afin de préparer le livre le plus acceptable et le plus constructif possible.

Chacun tenait un rôle dans l'élaboration de cet instrument providentiel.

Comme rédacteur du livre, je me trouvais au beau milieu de toute cette polémique. Les libéraux formaient la majorité du groupe, mais ils dépassaient à peine en nombre les éléments conservateurs et radicaux réunis. Pendant un certain temps, nous avons eu l'impression que le conflit s'éterniserait. Convaincu que je n'arriverais jamais à satisfaire tout le monde, je demandai au groupe de m'accepter comme juge souverain dans ce débat sur le contenu du livre. La majorité des membres comprit le bien-fondé de ma requête et m'accorda son appui. Nous avons donc pu continuer le travail.

Nous avions à peine rédigé quelques nouveaux fragments du livre, lorsque nous avons découvert la nécessité d'y ajouter une nouvelle section. Le livre devrait contenir un certain nombre de récits personnels. Il nous fallait apporter des preuves évidentes, au moyen d'exemples vécus et de témoignages personnels puisés au sein de notre Fraternité. De plus, nous pensions que ces récits personnels, beaucoup plus que le reste du livre, permettraient au lecteur éloigné de s'identifier à nous. Dans ce domaine, le Dr Bob et les membres d'Akron jouèrent un rôle primordial. Le groupe d'Akron étant le plus nombreux offrait une plus grande variété d'expérience vécues et possédait les moyens d'en assurer la rédaction. Deux ans plus tôt, un ancien journaliste, Jim S., avait été sorti de l'ornière et ramené à la santé et à la sobriété. Jim et le Dr Bob contactèrent les membres jouissant d'une sobriété bien établie pour recueillir des témoignages valables. Dans la plupart des cas, Jim interviewait les candidats et rédigeait lui-même les récits. Le Dr Bob écrivit sa propre histoire. Dès le début de janvier, les membres d'Akron nous avaient déjà fourni dix-huit biographies intéressantes. Deux d'entre elles provenaient de membres de Cleveland, qui avaient fréquenté le groupe d'Akron. Une troisième racontait la vie de Marie B., l'épouse d'un alcoolique d'Akron et un précurseur de nos Groupes familiaux.

D'une façon beaucoup plus laborieuse, le groupe de New York prépara dix récits personnels. À cette époque, nous formions une équipe drôlement disparate. Puisque nous n'avions aucun membre comparable à Jim, le journaliste d'Akron, nous avons suggéré à chaque membre vraiment sobre de New York de rédiger sa propre histoire. Personne n'avait la moindre expérience d'écrivain. Et, lorsque nous avons voulu, Henry et moi, imprimer ces travaux d'amateurs, nous avons rencontré passablement de difficultés. Les protestations provoquées par la publication des récits de nos écrivains angoissés finirent par s'estomper et cette section du livre fut terminée vers la fin de janvier 1939. Du moins, la rédaction du texte était enfin complétée. Nous n'avions presque plus d'argent et nous nous préparions à courir chez l'éditeur.

Soudain, quelqu'un, je ne me rappelle plus qui, nous lança un avertissement. Les inquiétudes se résumaient ainsi: «Sommes-nous assurés que ce livre sera accepté par tout le monde? Ce livre contient peut-être des erreurs médicales ou des affirmations susceptibles de blesser le clergé. Ne serait-il pas sage, avant de le confier à l'éditeur, d'en imprimer nous-mêmes un nombre réduit de copies et d'en faire l'expérience auprès de nos membres et chez des représentants de tous ces organismes impliqués dans le problème de l'alcoolisme? Plusieurs s'opposèrent à ce procédé qui allait encore exiger beaucoup de temps et d'argent. Mais, finalement, nous en avons conclu que la prudence valait mieux que le regret. Nous avons donc polycopié quatre cents exemplaires du livre et nous les avons expédiés à toutes les personnes susceptibles de s'intéresser aux alcooliques. Pour protéger nos futurs droits d'auteurs, nous avions inscrit sur chaque exemplaire: «Cette copie est un prêt».

Pendant que nous attendions le retour de nos copies, deux controverses commencèrent. J'avais intitulé les exemplaires polycopiés: «Alcooliques anonymes». Mais voilà que plusieurs membres n'acceptaient pas ce titre.

Depuis des mois, les groupes de New York et d'Akron se prononçaient par vote sur des titres éventuels. Cette question était devenue une sorte de jeu et un centre d'intérêt dans les partages qui suivaient les réunions. Le titre «Alcooliques anonymes» avait été proposé dès le début, en octobre 1938, par un auteur demeuré inconnu. Depuis que nous nous étions dissociés des Groupes d'Oxford, nous nous présentions souvent comme un «groupe sans nom d'alcooliques». Il n'y avait qu'un pas à franchir pour en arriver à «Alcooliques anonymes». C'était le cheminement normal.

Au départ, j'aimais beaucoup ce titre. Mais, alors que la controverse se poursuivait, je commençai à avoir des doutes et des tentations. Dès le début, le titre «La Porte de Sortie» fut populaire. Si nous le choisissions pour le livre, je pourrais alors ajouter ma signature: «Par Bill W.»! Après tout, pourquoi un auteur ne signerait-il pas son livre? Je commençai à oublier que ce livre avait été écrit par tout le monde et que j'avais surtout servi d'arbitre des discussions qui l'avaient engendré. Dans un moment d'égarement, j'ai même songé à l'appeler: «Le Mouvement de Bill W.» J'en glissai un mot à quelques amis qui me rappelèrent vite à l'ordre. Je compris alors la nature de cette tentation, une poussée honteuse d'égocentrisme. Je recommençai donc à favoriser «Alcooliques anonymes».

Les membres proposèrent plus d'une centaine de noms. À New York, ils en étaient lentement venus à favoriser «Alcooliques anonymes». Cette tendance était due, en grande partie, à l'arrivée parmi nous de notre première autorité en littérature, Joe W. que nous avions rescapé des affres du Bowery. Plusieurs années auparavant, il avait été l'un des fondateurs d'une revue populaire et sophistiquée. Il ne voyait d'autre titre que «Alcooliques anonymes». Il lança une campagne en faveur de son choix et la majorité du groupe de New York se rallia à lui. Mais nous avions compté sans nos amis d'Akron, où la majorité des membres favorisait «La Porte de Sortie». Et le vote combiné des deux groupes penchait toujours en faveur de ce dernier titre.

C'est alors que se présenta une opportunité dont nous nous sommes empressés de tirer profit. Dans un télégramme adressé à notre bon ami Fitz qui se trouvait à sa ferme du Maryland, je lui demandai de se rendre à la Bibliothèque du Congrès de Washington et de demander combien de livres apparaissaient sous le titre «La Porte de Sortie» et combien sous le titre «Alcooliques anonymes». Deux jours plus tard, nous recevions sa réponse: «La Bibliothèque du Congrès connaissait douze livres enregistrés sous le titre «La Porte de Sortie», alors qu'il n'y avait aucune inscription sous le titre de «Alcooliques anonymes». Nous en avons conclu: «Il ne faudrait quand même pas publier un treizième livre dont le titre serait «La Porte de Sortie». Et nous avons laissé «Alcooliques anonymes» sur le manuscrit confié à l'éditeur. C'est ainsi que notre livre reçut son titre, et notre Fraternité son nom.

Au moment même où nous terminions le manuscrit, survint un événement de grande importance. À l'époque, il nous sembla qu'il ne s'agissait que d'une autre querelle autour du livre. La scène se passa dans le bureau de Henry où nous avions rédigé la plus grande partie du livre. Fitz, Henry, notre dévoué secrétaire Ruth et moi-même en furent les acteurs. Nous nous retrouvions encore dans une discussion sur les Douze Étapes. Jusque là j'avais catégoriquement refusé de les modifier. Je ne voulais absolument rien changer dans le texte original qui, vous vous en souvenez, mentionnait constamment le nom de Dieu et, à un endroit, contenait l'expression «sur vos genoux». Henry considérait une prière à genoux devant Dieu comme un affront. Il discuta, supplia et menaça. Il nous rappela que Jimmy était de son avis. Il demeurait convaincu que ma formulation des Douze Étapes repousserait des alcooliques. Lentement, Fitz et Ruth se rallièrent à lui. Même si, au début, je ne voulais rien savoir, nous avons finalement parlé d'un compromis possible. Qui fut le premier à proposer l'arrangement, je l'ignore. Mais, l'amendement suggérait des expressions qui sont maintenant utilisées par tous les membres de la Fraternité. Dans la Deuxième Étape, nous avons décidé de décrire Dieu comme une «Puissance supérieure à nous-mêmes». À la Troisième et Onzième Étapes, nous avons ajouté l'expression «Dieu tel que nous Le concevions». Et nous avons fait disparaître l'expression «sur nos genoux» de la Septième Étape. Et nous avons inscrit le préambule suivant «Voici les Étapes que nous avons suivies et que nous suggérons comme Programme de Rétablissement». Les Douze Étapes des A.A. se devaient de n'être que des suggestions.

Telles sont les dernières concessions faites à nos amis qui n'avaient aucune foi ou peu de foi. Et ces amendements constituent la contribution remarquable de nos athées et de nos agnostiques. Ils élargirent la porte d'entrée pour permettre à tous ceux qui souffrent d'y passer, peu importe leurs croyances ou leur manque de croyances.

Dieu était certainement présent dans nos Étapes, mais Il y était maintenant présenté d'une manière que tout le monde, absolument tout le monde, pouvait accepter et essayer. Un nombre incalculable d'alcooliques nous ont depuis certifié que, sans cette preuve d'ouverture d'esprit, ils ne nous auraient jamais contactés et n'auraient jamais pu s'engager dans la voie du progrès spirituel. Encore une fois, Dieu avait agi d'une façon mystérieuse.

Plusieurs des quatre cents exemplaires polycopiés nous étaient déjà revenus. En général, la réaction était très bonne; on pourrait même dire excellente. Parmi les nombreuses suggestions valables contenues dans les réponses, deux nous semblaient d'une extrême importance.

L'une d'elles nous venait du Dr Howard, un réputé psychiatre de Montclair dans le New Jersey. Il nous faisait remarquer que notre livre faisait un trop grand usage des mots «tu» et «dois». Il nous suggérait de les remplacer, dans la mesure du possible, par les expressions «nous devrions» ou «nous aurions avantage à». Son intention était de faire disparaître toute forme d'impératif, de façon à établir notre Fraternité sur la base du «nous devrions» plutôt que sur celle de «tu dois». Le fait de modifier tout le texte du livre dans ce sens représentait une tâche immense. J'opposai une faible résistance, mais je cédai très rapidement devant la logique des arguments du docteur. Les Docteurs Silkworth et Tiebout nous donnèrent le même conseil et nous présentèrent beaucoup d'autres suggestions. Et nous ne devons jamais oublier que c'est le Dr Silkworth qui écrivit l'avant-propos de la première édition de «Alcooliques Anonymes», conférant au livre une certaine valeur médicale.

Durant tout ce temps, nous avions sans cesse reçu beaucoup d'encouragement et de conseils de la part de Dick Richardson, Frank Amos et le Dr Leonard Strong de notre Conseil des Syndics. Ils avaient suivi notre progrès avec un intérêt et un espoir toujours grandissants.

À ce stade-ci, il est important d'insister sur le fait que la préparation du livre des A.A. nous apporta beaucoup plus que de simples querelles sur son contenu. Pendant que le volume progressait, notre conviction de cheminer dans la bonne direction grandissait également. Nous avions déjà un aperçu du rôle que ce livre pouvait jouer et des merveilles qu'il pouvait accomplir. À la fin, nous en étions arrivés à éprouver un fidèle et profond sentiment de confiance inspiré par la foi. Comme le son du tonnerre qui s'éloigne, le tumulte de nos premières querelles n'était plus qu'un faible grondement. L'atmosphère se nettoya et le ciel devint clair. Nous ressentions tous une impression de bien-être.

Au milieu de toute cette réjouissance, nous avons vécu un autre merveilleux événement. Nous étions curieux de connaître l'accueil que le clergé réserverait à notre livre. Notre attente ne dura pas bien longtemps. Le Dr Harry Emerson Fosdick se montra très satisfait et promit de présenter un compte rendu du livre dès que celui-ci serait publié. Durant tout le temps que se déroula la rédaction du livre, notre groupe de New York ne comptait pas un seul membre catholique. Un membre catholique d'Akron avait écrit sa propre biographie, mais n'avait fourni aucun autre commentaire. Alors, nous n'avions pas la moindre idée de la réaction du clergé catholique devant notre livre. Un groupe de laïcs, sans formation théologique et sans expérience dans les questions religieuses, avaient écrit un livre prônant la libération de l'alcoolisme par des moyens spirituels. Qu'en penseraient nos amis catholiques? Nous n'en avions pas la moindre idée.

Puis, la bonne nouvelle nous arriva. Par messager spécial, nous avions fait parvenir une copie du livre «Alcooliques anonymes» au Comité catholique des publications du Diocèse de New York. Notre messager, Morgan R., était sorti quelques jours plus tôt de l'Asile Greystone et constituait le premier membre catholique du groupe de New York. Parce qu'il connaissait l'un des membres du Comité des Publications, nous l'avons délégué. Peu de temps après, il nous revenait porteur d'excellentes nouvelles.

Le Comité, nous dit-il, n'avait que des éloges à nous adresser. Selon eux, le contenu du livre était parfaitement acceptable. À la fin du chapitre sur la prière et la méditation, le Comité avait suggéré quelques améliorations, tout en affirmant que ces changements n'étaient pas essentiels. Morgan nous avait apporté une liste des modifications proposées et elles nous semblèrent si pertinentes que nous les avons adoptées sur le champ. En fait, le Comité n'avait trouvé dans tout le livre qu'une phrase dans laquelle un changement s'imposait. En conclusion de ma propre histoire, au chapitre 1 de la version originale, je m'étais laissé emporter par les fleurs de la rhétorique et j'avais écrit que «nous avons trouvé le ciel sur terre». L'ami de Morgan, membre du Comité, lui avait fait remarquer avec un sourire: «Ne crois-tu pas que Bill W. pourrait remplacer le mot «Ciel» par «Utopie»? Après tout, nous les Catholiques promettons pour l'autre vie quelque chose de réellement mieux»! Le Comité ne se prononça pas d'une façon officielle, mais nous fit simplement savoir que nous étions orthodoxes. En fait, nous avons reçu la même appréciation de toutes les dénominations religieuses et nous en sommes très reconnaissants.

Il ne nous restait plus qu'à préparer la copie de l'imprimeur. Henry choisit un de nos exemplaires polycopiés et, de sa belle plume, y transféra toutes les corrections. Les changements d'envergure étaient rares, mais les petites corrections étaient très nombreuses. Notre texte n'était pas facilement lisible et nous nous demandions si l'imprimeur l'accepterait. Henry et moi coururent à New York pour nous retrouver bientôt en présence de M. Edward Blackwell, président de l'imprimerie Cornwall. Tout émus, nous lui avons annoncé que nous étions prêts pour la publication.

M. Blackwell nous demanda le nombre de copies désiré. Toujours hypnotisés par la promesse d'un article dans le *Reader's Digest*, nous pensions encore aux pleins wagons. Sans se laisser impressionner, M. Blackwell suggéra 5,000 copies pour la première édition. Puis, il s'informa des modalités de paiements. Utilisant toute notre diplomatie, nous lui avons révélé la précarité de notre situation financière. Après avoir souligné l'importance que l'article du *Reader's Digest* représentait pour nous, Henry mentionna un versement initial de $500. pour les 5,000 livres. M. Blackwell était désarçonné et ne le cacha pas. Alors, il nous demanda: «Qu'advient-il de vos bonnes relations avec la Fondation Rockefeller?» Nous lui avons répondu que nous gardions cette ressource en réserve et que pour le moment nous tentions de nous en sortir par nos propres moyens. M. Blackwell partageait déjà l'esprit des A.A. Le regard lumineux, il nous dit: «Je crois que ça va suffire. Je suis heureux de vous aider». Alors, les presses pouvaient se mettre en marche et les Alcooliques anonymes venaient de se gagner un ami précieux.

Nous nous sommes entendus avec M. Blackwell pour fixer le prix du livre à $3.50 l'unité. Et c'est à la suite de longues et vives discussions que nous en étions arrivés à ce chiffre. Certains membres ne voulaient qu'un livre à $1,00, alors que d'autres en désiraient un à $2.50 Et lorsque Henry tentait de les convaincre que l'opération devait rapporter des profits, si nous voulions organiser des Quartiers généraux et surtout rembourser les actionnaires, tous refusaient de l'écouter. Finalement, Henry eut gain de cause et, pour amadouer les contestataires, nous avons demandé à M. Blackwell d'utiliser un papier très épais pour l'impression du livre. En conséquence, le livre de la première édition était si épais que nous l'avons baptisé «*Le Gros Livre*». Nous cherchions simplement à convaincre l'acheteur qu'il en obtenait beaucoup pour son argent!

Un peu plus tard, Ruth, Dorothy S. de Cleveland et moi nous rendions à l'immense usine d'imprimerie de M. Blackwell à Cornwall dans l'État de New York et nous nous installions au seul hôtel de la ville. Nous avions apporté avec nous la copie de l'imprimeur. Elle était passablement massacrée, mais combien précieuse! Lorsque le gérant de l'imprimerie constata l'état lamentable de notre manuscrit, il fut tellement désemparé qu'il faillit nous demander de lui en préparer un nouveau. Mais Henry utilisa ses talents de vendeur et réussit à convaincre le gérant de commencer les épreuves. Jour après jour, nous les corrigions à mesure qu'elles sortaient des presses.

Mais notre réserve d'argent s'épuisait. La note d'hôtel risquait de s'élever à un montant deux fois supérieur à ce que nous possédions. Pour Ruth, Dorothy et moi, la situation semblait alarmante. Mais Henry demeurait très confiant et nous déclara que Dieu y pourvoirait. Il en était venu à adopter la théorie très réconfortante que si Dieu désirait quelque chose, Il en assumait aussi le financement sans que nous ayons à nous en préoccuper. Henry nous donnait certainement une belle leçon de foi, mais son attitude ne règlait pas notre problème pratique de savoir quel agent de Dieu viendrait répondre à notre besoin d'argent. Nos actionnaires avaient déjà investi tout l'argent dont ils pouvaient disposer. Nous ne pouvions les taxer davantage. Notre seule planche de salut était peut-être ce bon vieux Charlie Towns. Je fus donc délégué pour le rencontrer à New York. M. Towns fut plutôt déçu de notre situation financière, mais il accepta quand même de payer la note d'hôtel et nous accorda $100. additionnels.

La situation nous parut alors plus encourageante. Bientôt, l'imprimeur aurait terminé les plaques, les presses se mettraient à rouler et 5,000 livres sortiraient de l'imprimerie, au moment même où notre article paraîtrait dans le *Reader's Digest*. Henry, Ruth et moi avons alors divisé les derniers $100. et nous sommes retournés à New York dans un véritable état d'euphorie. Nous pouvions maintenant être patients; la prospérité se trouvait à portée de la main.

Comment se fait-il que durant toute la préparation du livre aucun de nous ne se soucia d'entrer en contact avec les représentants du *Reader's Digest*? Je ne le saurai jamais. De toute façon, nous avions complètement oublié d'agencer la publication de notre article dans le *Reader's Digest* et celle du livre. Henry et moi y avons pensé, alors que nous roulions vers Pleasantville. Nous avons alors réalisé que la parution de notre article dans le *Reader's Digest* pourrait être retardée. Mais, à quoi bon s'inquiéter d'un détail aussi banal qu'un simple retard?

M. Payne, l'éditeur en chef, nous reçut à la porte de son bureau. Ils ne se souvenait pas de nous. Sur un ton enjoué, Henry lui lança: «Eh bien, M. l'Éditeur-en-chef, nous sommes prêts à publier». M. Payne parut surpris et demanda: «Publier quoi?» Nous lui avons vite raffraichi la mémoire en lui rappelant notre visite de l'automne précédant. «Évidemment, évidemment», nous dit-il. Et il ajouta: «Je me souviens de vous maintenant. Vous êtes les représentants de cette association d'alcooliques. Vous désiriez un article dans le *Digest* au sujet de votre association et du livre que vous étiez en train de préparer. Je vous avais dit, vous vous le rappelez sans doute, que je devrais d'abord en discuter avec les autres responsables de la rédaction. Les ayant consulté, à ma grande surprise, ils manifestèrent peu d'enthousiasme. Ils craignaient qu'un tel article ne susciterait pas beaucoup d'intérêt dans une société d'alcooliques. De plus, à leur avis, ce projet porterait à controverse dans le monde médical et religieux. Et, le pire de tout, c'est que j'ai oublié de vous prévenir. Je le regrette».[12]

---

(12) Comme plusieurs le savent, aucun périodique ne nous a manifesté plus de générosité que le *Reader's Digest*. Cette revue a publié un grand nombre d'articles dans lesquels notre travail fut analysé ou mentionné. Et nous avons grandement bénéficié de leur assistance pour la traduction de notre littérature en différentes langues. Un de leurs anciens éditeurs, Fulton Oursler, fut l'un des Syndics des A.A. pendant plusieurs années.

Nous étions sidérés. Même le dynamique Henry s'écroula. Nous avons protesté, mais ce fut en vain. La décision était finale. Tous nos rêves au sujet du livre venaient de s'effondrer.

Sur le chemin du retour, encore tout étourdis par le choc, nous nous demandions comment affronter les groupes, les actionnaires, l'imprimeur et M. Towns. À ce moment-là, notre Fraternité comptait une centaine de membres. Nous avions promis vingt-huit volumes aux rédacteurs de récits personnels et nous devions en expédier quarante-neuf aux actionnaires alcooliques et à leurs amis-souscripteurs. Bientôt, on livrerait 5,000 livres dans l'entrepôt de Cornwall et nous n'avions aucun marché pour les écouler. L'imprimeur serait sans doute forcé de les reprendre pour couvrir ses frais. Il ne nous restait pas un sou et le versement initial de $500. serait une bien pauvre compensation pour M. Blackwell. Et, que diraient les Syndics de toute cette histoire? Sans doute avaient-ils eu raison depuis le début de cette aventure? Que faire? Comment réagir devant cette catastrophe? Nous n'en avions pas la moindre idée.

En arrivant parmi les nôtres, l'accueil ne fut pas aussi mauvais que nous l'avions anticipé. Quelques-uns de nos membres grommelèrent en répétant: «Nous vous l'avions bien dit», mais la plupart se montrèrent très compréhensifs et firent appel à notre esprit de foi. Les Syndics firent également preuve d'une grande délicatesse. Ils nous proposèrent une série de réunions hebdomadaires pour étudier les moyens de promouvoir la vente du livre. Mais, le plus encourageant de tous fut certainement M. Edward Blackwell. Il nous assura qu'il n'avait aucunement l'intention de remettre notre livre à une autre maison d'édition. Il promit de nous aider à nous en sortir. Et il tint parole, pendant des mois et des années.

Il était bien évident qu'il nous fallait dénicher un agent de publicité pour vendre nos livres. Nous avons contacté les journaux, les revues, les périodiques, sans obtenir le moindre résultat. Alors que nous étions plongés dans ce pétrin, l'imprimerie Cornwall nous annonça que l'impression du livre était terminée.

C'était en avril 1939. Henry était fauché et cherchait du travail. Ruth était retournée chez-elle, après avoir reçu comme salaire des actions sans valeur de notre défunte entreprise «Works Publishing». Elle les accepta avec joie et ne ménagea jamais ses efforts par la suite. Nous nous enlisions tous dans les dettes, en essayant simplement de survivre.

C'est alors qu'en ce premier mai 1939 une nouvelle calamité s'abattit sur le 182 de la rue Clinton. Lois et moi vivions dans une maison qui avait appartenu à ses parents avant leur décès. La banque s'en était emparé et nous la louait pour un montant symbolique. L'hypothèque était tellement élevée que la banque n'avait pas réussi à trouver d'acheteur. Nous avions donc pu l'occuper durant plusieurs années. Mais, la banque venait de la vendre et nous devions déguerpir. Tous les meubles des quatre étages de la vieille maison de brique s'entassèrent dans le camion de déménagement. Le propriétaire de l'entrepôt fut même obligé de payer le déménageur, puisque nous étions incapables de le faire. Notre avoir matériel se trouvait remisé dans l'entrepôt où il devait demeurer pendant deux ans. Où nous refugier?

Les amis se concertèrent. Un fonds spécial, représentant le premier argent de la *Foundation*, fut organisé sous le nom de «Fonds de remplacement pour la maison de Lois». Des A.A. des environs et leurs familles ajoutèrent leurs modestes contributions. Modestes, en effet, car tout le monde était fauché. Les Syndics utilisèrent ce fonds spécial pour nous verser, à Lois et à moi, la somme de $50. par mois. Un nouveau membre, Jack C., nous prêta une vieille bagnole en très mauvais état. Mais, où allions-nous habiter? Ce problème fut résolu par Howard et sa mère qui possédaient un camp d'été sur le bord d'un lac éloigné dans l'ouest du New Jersey. Nous allions l'occuper jusqu'aux premières neiges de novembre, période qui nous permit de nous occuper du projet du livre en difficulté.

Peu de temps après la publication de «*Alcoholics Anonymous*» au mois d'avril, le Dr Fosdick en avait fait une analyse très élogieuse, tout comme il nous l'avait promis. Sa critique du livre imprimée dans beaucoup de revues, surtout religieuses, n'eut cependant aucune influence sur la vente. Nous étions ravis du compte rendu publié dans le New York Times, bien qu'il n'eut aucun effet. Nous n'avions encore reçu aucune commande. Durant tout l'été de 1939, nos innombrables démarches pour obtenir la publication d'un article dans les revues nationales échouèrent.

Puis, un jour, Morgan, notre Irlandais, nous fit la suggestion suivante: «J'ai déjà travaillé dans le domaine des commerciaux et j'avais beaucoup de relations dans le monde de la radio. Je connais très bien Gabriel Heatter et je suis sûr qu'il serait prêt à nous aider». Il se précipita chez Heatter et ne tarda pas à revenir, sourire aux lèvres. Il nous annonça: «C'est certain. Gabriel va nous aider». À ce moment-là, M. Heatter, à l'emploi d'un réseau national, animait son propre programme intitulé «*We The People*», consistant en des entrevues de trois minutes chacune. Notre histoire lui plut immédiatement. Il se proposait d'interviewer Morgan pour souligner brièvement sa dégringolade et son relèvement pour en tirer certains avantages en faveur des A.A., tout en glissant un mot de publicité pour notre livre. Nous pensions que c'était tout à fait formidable, surtout sur un réseau national!

Cette nouvelle réveilla chez Henry l'instinct de la promotion. À l'occasion de ce programme radiophonique, il désirait expédier un déluge de cartes postales pour rejoindre tous les médecins à l'est du Mississipi. On évaluait leur nombre à 20,000. La carte aurait pour but de les inviter à écouter le programme de Heatter et à acheter le livre «Alcoholics Anonymous», «un remède infaillible pour l'alcoolisme». Nous étions donc en face d'un autre projet merveilleux; il ne nous manquait que les ressources financières. Nous comptions, parmi les nouveaux membres, un certain nombre de personnes passablement prospères. Henry se mit à leur poursuite, muni de ses certificats d'actions pour «*Works Publishing*». Ils refusèrent catégoriquement les actions, mais se déclarèrent prêts à accepter des billets promissoires faits au nom de la compagnie défunte, à condition qu'ils soient endossés par Henry et moi. Même si la chose est difficile à croire, Henry leur soutira $500. Et il obtint la liste de tous les médecins de l'est du pays en s'adressant à une agence qui se chargea également de l'expédition des cartes. Nous étions convaincus que cette démarche nous vaudrait quelques milliers de commandes du livre.

Entre temps, Gabriel Heatter avait cédulé l'entrevue de Morgan pour son émission radiophonique. L'événement aurait lieu une semaine plus tard. Nous étions passablement énervés. Se rappelant les fiascos du passé, un certain membre lança un cri d'alarme: S'il fallait que Morgan, nouvellement libéré de l'asile, se présente en état d'ébriété au rendez-vous radiophonique! Des expériences pénibles nous permettaient d'entrevoir cette possibilité. Comment conjurer une telle calamité?

Avec toute la délicatesse qui s'imposait, nous avons suggéré à un Morgan en furie qu'il devrait se laisser confiner jusqu'au soir du programme. Grâce à ses talents de vendeur, Henry réussit à le convaincre. Il restait tout de même un problème à résoudre: où et comment pourrions-nous enfermer Morgan? Animé d'une foi nouvellement reconquise, Henry déclara: «Dieu y pourvoira». C'est alors qu'il s'est souvenu qu'un de nos nouveaux membres prospères possédait une carte de membre du Club athlétique du Centre-Ville. En y mettant le prix, nous pourrions probablement y réserver une chambre double. Malgré ses protestations, Morgan se résigna à la captivité. Et, pendant plusieurs jours, nous nous sommes relayés pour lui tenir compagnie, vingt-quatre heures par jour, sans jamais le perdre de vue.

Les cartes postales étaient en route et tout était prêt. Pourquoi n'avions-nous pas pensé plus tôt aux ressources de la radio? Cette nouvelle expérience ne serait qu'un début. Déjà, nous avions recommencé à parler de vente à la tonne. Une heure avant le début du programme, tous nos membres et leurs familles se rassemblèrent autour de leur appareil pour attendre le grand moment. Enfin, Gabriel commença son émission. Des soupirs de soulagement s'échappèrent de tous les foyers des membres de New York lorsque la voix de Morgan se fit entendre. Ces trois minutes furent très émouvantes. Gabriel Heatter était passé maître dans cet art et il faut bien dire que Morgan le secondait comme un vrai professionnel. Nous étions convaincus que cette émission aurait un impact puissant sur toute l'Amérique et en particulier chez les 20,000 médecins récipiendaires d'une carte postale. Nous nous imaginions qu'en moins de trois jours notre Boîte postale 658 à la succursale de la Church Street à New York serait inondée d'appels au secours et de commandes du livre.

Dans un effort héroïque de contrôle personnel, nous nous sommes contenus pendant trois longues journées avant de nous précipiter à la poste et d'ouvrir frénétiquement notre boîte postale, chacun de nous étant pourvu d'une couple de valises pour recueillir et transporter l'abondant courrier attendu. Lorsque nous avons regardé par la petite porte vitrée, nous avons tous été abasourdis de constater que la boîte postale ne contenait qu'une poignée de lettres. Henry, notre optimiste, se resaisit et s'écria: «Il n'y a rien là, les amis. Il est bien évident qu'ils ne pouvaient pas tout mettre dans la case. Je parie qu'ils doivent en avoir un plein sac à l'arrière». Le commis nous remit exactement douze cartes. Henry lui dit: «Vous devez en avoir beaucoup d'autres. Où sont-elles?» Le commis lui répondit: «C'est tout ce que nous avons, monsieur». La mort dans l'âme, nous avons commencé à lire les douze réponses. Certaines ne renfermaient que des insultes. D'autres, probablement écrites sous l'effet de drogue ou d'alcool, étaient absolument illisibles. Les deux dernières commandaient le livre «Alcoholics Anonymous». La radio perdit beaucoup de son prestige dans notre milieu et nous, notre investissement de $500.

Quelques jours plus tard, le propriétaire de notre bureau de Newark se fit intraitable. Sous la menace d'éviction du huissier, nous avons transporté nos pénates dans un édifice à bureaux avoisinant où nous avons loué une pièce minuscule. C'était à peine assez grand pour loger le gros bureau d'Henry, son immense fauteuil capitonné, quelques classeurs et Ruth avec sa machine à écrire. Les visiteurs devaient rester debout. Nous avons réussi, je ne sais trop comment à verser une avance sur le loyer, tout en nous demandant combien de temps nous pourrions occuper ce bureau avant de recevoir une nouvelle visite du huissier.

Le camp d'été d'Howard, à proximité des eaux calmes du lac, était un endroit merveilleux pour se détendre et récupérer ses forces. De plus, nous recevions cinquante dollars par mois et nous avions une auto pour nos déplacements. Mais, que ferions-nous en hiver? Lois commençait à se demander si elle n'aurait pas dû garder son emploi au magasin à rayons. Au moment où la publication du livre permettait tous les espoirs, je l'avais convaincue de quitter son travail. Il ne nous restait plus qu'à continuer dans la même direction. De toute façon, il fallait ressusciter notre projet au sujet du livre. Mais je reconnais que nous avons souvent réfléchi à ma situation qui, après quatre années de sobriété, ne me laissait entrevoir aucune possibilité de revenu, ni aucune garantie d'habitation.

Et ce fut bientôt le mois de juillet. Henry s'était décroché un emploi. Alors, toute la publicité pour le livre devenait la responsabilité de Ruth et la mienne. En théorie, Ruth devait recevoir $25. par semaine. En fait, son salaire hebdomadaire lui était versé à l'aide d'une action de *Works Publishing*. Nous avions évalué les actions à $25. l'unité. Nous étions dans l'impossibilité de lui donner un sou comptant. Et il nous fallut attendre jusqu'au mois d'octobre suivant pour la rétribuer en argent.

Durant le mois de juillet, je me rendis à New York pour visiter M. Charles Towns. Nous lui devions passablement d'argent, de même qu'à M. Blackwell de l'Imprimerie Cornwall. Mais, ils se montraient tous les deux compréhensifs et patients. Comme je sortais de l'ascenseur à l'étage du jardin-terrasse de l'hôpital, Charlie m'accueillit avec un large sourire. Il avait remué ciel et terre pour nous obtenir une source de publicité. Et il avait réussi. Il connaissait depuis longtemps Morris Markey, un journaliste de vieille date. Intéressé par l'histoire des Alcooliques anonymes, M. Markey en avait parlé à Fulton Oursler, l'éditeur de la revue *Liberty.* Cet homme réputé, à la fois éditeur et journaliste, qui allait devenir notre ami, découvrit l'importance de la question et chargea Morris Markey d'écrire un article. «Alors», demanda Charlie, «à quel moment pourrais-tu rencontrer Morris?»

À notre grande satisfaction, Morris rédigea très rapidement un article qu'il intitula: «Les Alcooliques et Dieu». Cet article devait paraître en septembre dans le *Liberty.* Cette fois, nous étions réellement convaincus que la situation allait changer. Et nous avions vu juste.

Il nous faudrait cependant attendre jusqu'au mois d'octobre pour recevoir les premières commandes du livre. Entre temps, comment pouvions-nous solutionner nos problèmes financiers? Nous avions besoin d'argent, non seulement pour le loyer, mais aussi pour de modestes remboursements à Messieurs Blackwell et Towns, ainsi qu'à d'autres créanciers. Nous avions un besoin urgent de $1,000.

Un de nos membres de New York, Bert T., possédait sur la Cinquième Avenue une boutique à la mode que son père lui avait laissée en héritage. À cause de son alcoolisme, Bert avait presque ruiné son commerce et la situation continuait à s'aggraver. Je lui téléphonai pour lui faire part de nos besoins et l'informer que la revue «*Liberty*» publierait certainement un article à notre sujet au mois de septembre. «Êtes-vous vraiment sûrs, cette fois-ci?», s'écria-t-il. Après tout, vous étiez, toi et Henry, passablement confiants lors de votre aventure avec le *Reader's Digest.* Mais, viens me voir. Je suis peut-être capable de vous aider».

La clientèle de Bert comprenait plusieurs personnes riches. En parcourant la liste, nous avons retenu le nom d'un candidat que nous appellerons Monsieur G.

Bert nous dit: «Monsieur G. est parfaitement au courant de nos activités. Il manifeste beaucoup d'intérêt pour le problème de l'alcoolisme. Mais je vous préviens qu'il est plutôt un partisan de la Prohibition». Alors que je semblais hésitant à accepter la collaboration d'un partisan de cette croisade, Bert me lança sèchement: «Écoute, Bill, ce n'est pas le temps de tergiverser. Il nous faut mille dollars et nous allons les prendre quelle qu'en soit la provenance». Bert décrocha le téléphone et demanda l'interurbain. Tout d'abord, il demanda à Monsieur G. de nous faire un don. Monsieur G. hésitait. Alors, Bert lui expliqua que *Works Publishing* possédait un important inventaire de livres, mais aucun argent liquide. Par ailleurs, l'article du *Liberty* déclencherait une avalanche de commandes. Il lui demanda s'il serait intéressé à acheter des actions dans l'entreprise. Monsieur G. était encore plus perplexe. C'est alors que Bert proposa à Monsieur G. d'accorder un prêt à *Works Publishing.* Après tout, l'inventaire de la compagnie constituait une certaine garantie. Une fois mis au courant de la véritable situation financière de *Works Publishing*, Monsieur G. refusa catégoriquement. Mais Bert ne lâcha pas. «Monsieur G.», lui dit-il, «accepteriez-vous un billet promissoire de *Works Publishing* pour une somme de mille dollars si je l'endosse? Comme vous le savez, je possède un excellent commerce sur la Cinquième Avenue».

La réponse de Monsieur G. ne se fit pas attendre: «Si vous l'endossez, j'accepterai certainement ce billet. Faites-le moi parvenir et je vous envoie l'argent tout de suite». Ce prêt fut une véritable bénédiction du ciel. Il sauva de la faillite l'entreprise du livre et nous permit de fonctionner jusqu'à la fin de l'automne de 1939. Bert avait hypothéqué son propre commerce, probablement en faillite à l'époque, pour sauver le livre «*Alcoholics Anonymous*». C'était un véritable ami.

La revue *Liberty* publia son article au mois de septembre 1939. C'était un peu aride et nous pensions que le titre, «Les Alcooliques et Dieu», pourrait effrayer bon nombre de candidats. S'il détourna certains lecteurs, de nombreux alcooliques et leur familles l'acceptèrent. Le *Liberty* reçut 800 demandes d'aide qu'ils nous transmirent immédiatement à Ruth et à moi. Ruth adressa une belle lettre personnelle à chacun de ces correspondants, y incluant un feuillet publicitaire pour notre livre. Le résultat ne se fit pas attendre, au point que nous avons vendu d'un seul coup sept cents exemplaires du livre, au plein prix de détail de $3.50 l'unité. Mais ce qui était encore plus important, nous commencions à correspondre avec les alcooliques, leurs familles et leurs amis à l'échelle nationale. Chaque semaine, Ruth pouvait maintenant recevoir quelques dollars en véritable argent. Et tous ces appels à l'aide nous faisaient oublier nos problèmes. Jusqu'en 1940, notre principale occupation consistera à correspondre par lettres avec ces nouveaux amis, à les mettre en contact les uns avec les autres et à les diriger vers les groupes d'Akron, de New York et de Cleveland. Peu de temps après la publication de l'article du *Liberty*, le *Plain Dealer* de Cleveland commença cette série d'articles dont nous avons déjà parlé. Ces écrits nous amenèrent des commandes additionnelles du livre, mais aussi une foule de problèmes. Le Mouvement des Alcooliques anonymes était lancé: il sortait de son enfance et entrait de plein pied dans son adolescence.

Comme nous l'avons déjà décrit, Lois et moi avions aménagé dans la maison de Bob et Mag à Monsey dans l'État de New York où nous devions passer l'hiver de 1939 et le printemps de 1940. Un peu plus tard, nous allions vivre chez un ami dans la ville de New York, puis dans une chambre du Greenwich Village et finalement dans le premier Club des A.A., «le Vieux Vingt-quatre», où nous sommes demeurés jusqu'au printemps de 1941. Les souscripteurs au «Fonds de remplacement pour la Maison de Lois» continuaient leur bon travail. De cette façon, nous jouissions d'un certain confort et notre bonheur grandissait à la vue des progrès réalisés par notre Fraternité.

Le printemps de 1940 devait être marqué par un incident fort malheureux. Ne sachant trop où chacun de nous pourrait aller s'établir dans le futur, nous avions cru que la Boîte postale 658 dans une succursale du Centre-Ville de New York serait au centre de la région métropolitaine incluant également Long

Island et le New Jersey. Il nous apparaissait logique maintenant de louer un modeste bureau à proximité de cette succursale. Avec l'encouragement de Ruth et des actionnaires du livre, j'en fis une proposition. Henry, qui travaillait maintenant dans la partie ouest du New Jersey, s'objecta violemment. Il voulait que l'organisation de la vente du livre et Ruth l'accompagnent dans tous ses déplacements. Il ne se plaisait pas dans son travail et traversait ce que nous appelons maintenant «une crise d'ivresse mentale». Plus nous insistions, plus il s'emportait, jusqu'à en devenir violent. Il était aux prises avec d'autres difficultés. Finalement, il défaillit et s'enivra, après quatre années de sobriété. Par la suite, il ne manifesta aucun désir de se rétablir et continua à boire jusqu'à sa mort récente. Nous parvenions difficilement à accepter cette pénible perte d'un collaborateur dans la publication du livre et de l'un des pionniers du groupe de New York. De plus, mon propre parrain, Ebby, continuait à boire et ne manifestait aucune intention d'arrêter. La consternation était générale dans notre groupe et nous nous demandions: «Si de tels géants peuvent tomber, qu'adviendra-t-il de nous tous?» Cependant, ces exemples nous aidèrent à redoubler de prudence. Et, le décès du pauvre Henry ne déclencha aucune vague de rechutes.

L'article du *Liberty* et la croissance frénétique à Cleveland avaient grandement accéléré notre expansion. Le Mouvement commençait à s'installer dans plusieurs villes et nous utilisions des épingles pour désigner ces endroits sur la carte posée au mur de notre bureau. Au début de l'année 1940, nous pensions que 800 alcooliques s'étaient déjà rétablis. Ce nombre représentait un progrès géant, par comparaison aux 100 membres que notre Fraternité comptait au moment de la publication du livre au mois d'avril de l'année précédente. Dans le livre, nous avions exprimé l'espoir qu'un jour nos membres pourraient trouver un groupe des A.A. dans n'importe quel endroit du monde. Ce rêve commençait à devenir une réalité.

Nos amis non-alcooliques, membres du Conseil des Syndics, nous étaient tous demeurés fidèles durant les difficultés de l'année 1939. Un autre membre du groupe de New York accéda au poste de Syndic et un observateur de longue date, M. A. LeRoy Chipman, se joignit aux officiers du Conseil et devint le trésorier de la *Foundation.* La caisse continuait pourtant d'être vide.

L'année 1940 fut marquée par la fondation de notre premier club et l'organisation d'une première ferme de repos.

Depuis longtemps, les membres de notre groupe de New York trouvaient insuffisante notre réunion hebdomadaire dans le salon de Steinway Hall. Nous avions besoin de nous rencontrer plus souvent et dans un endroit où nous nous sentirions plus chez-nous, quelque chose comme un club. L'idée fit son chemin. Puis, deux de nos pionniers, Howard et Bert, dénichèrent bientôt l'endroit rêvé au 334½ de la Vingt-Quatrième Rue et signèrent le bail comme cautions, un autre de nos pilliers, Tom B., se portant également garant pour la lumière, le chauffage et le téléphone.

À l'origine l'édifice où logeait notre club n'avait été qu'une étable à l'arrière de deux maisons en brique. Il était relié à la rue par une sorte de passage couvert. Plus tard, les chevaux faisaient place aux artistes qui avaient décoré les murs de panneaux de bois, rendant le local fort attrayant. Trouvant le local trop exigu pour leur *Illustrators Club*, ils l'abandonnèrent et nous en avons pris possession. Le rez-de-chaussée pouvait accueillir un groupe assez nombreux, alors qu'il y avait à l'étage une salle de récréation et deux petites chambres. Tom, notre premier et remarquable concierge s'installa dans l'une d'elles; Lois et moi avons occupé l'autre pendant presque une année. Nous n'oublierons jamais les liens que nous avons forgés avec des personnes telles que Herb et Ida, Bobbi et Dick, Wilbur et Ruth, Henry et Lilian, et combien d'autres.

Évidemment, le Club de New York connut des périodes difficiles, comme des centaines d'autres clubs en traverseront par la suite. Mais, comme dans la plupart des autres cas, ce premier Club nous procura beaucoup plus d'avantages que d'inconvénients, surtout à partir du moment où nous avons réalisé que ces clubs ne faisaient pas partie intégrante du Mouvement et ne pouvaient pas être administrés de façon officielle par les groupes des A.A. Un endroit toujours recherché, ce premier Club constitue un véritable site historique que les membres du monde entier se plaisent à visiter. Au cours de l'année 1940, d'autres Clubs, semblables mais beaucoup plus vastes, ouvrirent leurs portes à Philadelphie et à Minneapolis. Des centaines d'autres clubs sont maintenant à l'œuvre. Dans certains cas, surtout au Texas, ils sont tellement luxueux qu'il faut les voir pour le croire.

Dans l'intervalle, un intéressant projet commençait à prendre forme dans les collines du Connecticut. Une dame, que l'affection nous faisait appeler Sœur Francis, y possédait un ensemble de fermes. Cette personne vraiment merveilleuse puisait continuellement dans sa bourse pour alimenter les œuvres de charité qu'elle maintenait dans ces fermes: L'une servait pour les personnes âgées, la deuxième était réservée aux enfants et la troisième recevait les vagabonds. Durant l'été de 1939, une de nos membres de New York, Marty, avait servi de marraine à une alcoolique du nom de Nona W. L'une des premières femmes à devenir membres des A.A., Nona avait déjà expérimenté l'hospitalité de la ferme. Elle nous conduisit au Connecticut où nous avons rencontré Sœur Francis.

Les temps avaient été difficiles pour Sœur Francis qui n'avait pu conserver qu'une seule ferme. Elle l'avait baptisée le Service de la Haute Garde. Sœur Francis semblait nous apprécier autant que nous pouvions l'estimer. Elle nous offrit l'usage exclusif de la ferme, pourvu que nous la confiions à un conseil de syndics. Plus tard, elle nous avouait, avec le sourire, que les premiers visiteurs alcooliques l'avaient scandalisée aussi bien que charmée. Jusque là, disait-elle, le plus grand scandale de la famille s'était produit à Rome, lorsque sa jeune sœur avait osé se ballader avec un officier de l'armée italienne, sans la présence d'un chaperon! Mais, Sœur Francis s'adapta très vite à nous. Notre amour pour elle grandit avec les années et elle ne nous ménagea pas son affection.

Cette ferme de repos, don de Sœur Francis, peut héberger plus de vingt personnes à la fois, grâce aux différents chalets dispersés dans un site enchanteur. Cet endroit constitue un lieu de convalescence merveilleux après un stage à l'hôpital et plusieurs membres des A.A. s'y rendent régulièrement en vacances. Nos membres peuvent maintenant bénéficier de refuges similaires un peu partout dans le monde. Bien qu'ils ne soient pas sous la juridiction directe du Mouvement, plusieurs d'entre nous y trouvent un milieu et des divertissements salutaires. Je me permets donc, au nom de tous, d'exprimer notre reconnaissance à Sœur Francis et à son ministère amélioré de la Haute Garde.

Lors de notre réunion du mois de février 1940, «l'Oncle Dick» Richardson nous apparut à la fois rayonnant et mystérieux. Il nous annonça que M. John D. Rockefeller Jr, dont nous n'avions pas entendu parler depuis 1937, avait suivi avec beaucoup d'attention les progrès de notre Fraternité.

M. Rockefeller avait décidé d'apporter sa contribution à la cause des Alcooliques anonymes. Il désirait nous convier à un dîner auquel il inviterait également quelques centaines de ses amis et connaissances, pour leur permettre d'évaluer les débuts de notre remarquable Mouvement. L'oncle Dick nous présenta la liste des invités. Elle contenait environ 400 noms, une véritable constellation des personnalités les plus en vue et les plus riches de New York. La somme des valeurs financières représentées par ce groupe dépassait certainement le milliard. Pour nous, alcooliques, ce geste signifiait que M. Rockefeller avait finalement changé d'idée et que nos soucis d'argent seraient bientôt une chose du passé. Et il était réconfortant d'apprendre que le responsable des campagnes de financement de M. Richardson, M. Carlton Sherwood, avait mis son influence et ses talents au service de ce projet.

Plus tôt dans ce livre, nous avons déjà fait allusion à ce dîner offert par M. Rockefeller, mais je crois qu'un récit détaillé de cet événement mémorable devrait être inclus dans nos archives. Car, c'est à l'occasion de cette rencontre que notre tradition de refuser toute contribution de l'extérieur commença à prendre une allure et une forme bien précises.

Au soir du 8 février 1940, les convives se réunirent au *Union Club* de New York, une organisation encore plus conservatrice que le *Union League.* Soixante-quinze des 400 invités avaient répondu à l'appel et formaient une assistance distinguée. Mais, alors qu'ils pénétraient dans la salle à dîner, la plupart d'entre eux avaient l'air intrigués. De toute évidence, ils ne savaient rien du Mouvement des Alcooliques anonymes. Certains d'entre eux avaient peur, et ils le disaient, que notre Fraternité ne soit qu'une autre campagne de Prohibition nationale. Afin de mieux répondre à leurs questions, nous avions placé l'un de nos membres de New York à chacune des tables. Ce stratagème réussit très vite à détendre l'atmosphère. Les questions fusaient de toutes parts et certaines de nos réponses surprirent plusieurs de ces notables. À l'une des tables se trouvait notre héros, Morgan, qu'on aurait pris pour un jeune premier dans les annonces publicitaires. Un banquier grisonnant lui demanda: «De quelle institution venez-vous, M. R.?» Morgan sourit et lui dit: «Je ne suis pas actuellement un patient dans une institution. Il y a neuf mois, cependant, j'étais interné à l'asile de Greystone». D'un seul coup, tous les convives à cette table redoublèrent d'intérêt.

Le Dr Bob était accompagné de Paul, l'un des pionniers d'Akron et de Clarence, l'un des fondateurs de notre groupe progressif de Cleveland. En compagnie du Dr Silkworth, nous apercevions le Dr Russell Blaisdell qui nous avait permis l'automne précédent d'œuvrer auprès de ses patients à l'asile public de Rockland dans l'État de New York.

Le Dr Bob et moi devions prendre la parole. Plusieurs alcooliques devaient répondre aux questions, secondés par un représentant du clergé, le Dr Harry Emerson Fosdick et par le Dr Foster Kennedy, un réputé neurologue qui traiterait de l'aspect médical.

À ce moment-ci, nous rendons un hommage spécial à ces deux merveilleux amis. Le Dr Fosdick avait été le premier membre du clergé à reconnaître publiquement la valeur de notre Mouvement. Dès le début de l'année 1939, il avait parcouru le brouillon de notre livre *Alcoholics Anonymous* et avait bien voulu en faire un compte rendu. Cette remarquable critique, reproduite à l'annexe E-d, illustre à merveille sa profonde compréhension et sa vigoureuse approbation du Mouvement. Dans le même esprit, le Dr Kennedy, notre premier ami dans le domaine de la neurologie, ne manqua jamais une opportunité d'afficher sa confiance indéfectible en notre Fraternité.

M. Rockefeller tomba soudainement malade et fut incapable d'assister. Son fils, Nelson, que nous aimions beaucoup le remplaça et agit comme président de la réunion. J'étais assis entre le Dr Blaisdell et Nelson Rockefeller, face à Wendell Wilkie. Comme plât principal, on nous servit des pigeonneaux sur pain grillé. Notre groupe d'alcooliques se comporta à merveille. L'intérêt de M. Rockefeller pour un mouvement d'alcooliques aussi obscur et chancelant que le nôtre ne cessait de nous étonner.

À la fin du dîner, M. Rockefeller se leva pour exprimer les regrets de son père de n'avoir pu assister à la réunion. Il nous décrivit la profonde impression que le Mouvement des Alcooliques anonymes avait créée chez son père. Manifestant son vif intérêt pour le programme de la soirée, Nelson Rockefeller commença la présentation des conférenciers. Le Dr Fosdick nous accorda un vibrant témoignage et exprima la plus complète confiance en notre avenir. Le Dr Kennedy fit notre éloge et fit lecture de sa lettre de protestation adressée au Journal de l'Association médicale d'Amérique, parce que cette revue avait semblé nous ridiculiser dans sa critique de notre livre «*Alcoholics Anonymous*». Le Dr Bob prononça une courte allocution. Puis, je fis un résumé de mes expériences de buveur, de mon rétablissement et de la formation de la Fraternité. À en juger par l'expression sur la figure des invités, il était évident que nous avions gagné leur sympathie et provoqué leur intérêt. Nous pourrions bientôt bénéficier d'une influence considérable et d'une grande prospérité, mettant fin ainsi à une ère d'angoisse et de souci.

Finalement, l'heure fatidique arriva. Visiblement ému, M. Nelson Rockefeller se leva encore une fois pour nous remercier, au nom de son père, de notre présence. Il nous répéta que son père avait connu peu de phénomènes aussi importants que celui des Alcooliques anonymes, en ajoutant qu'il serait ravi de constater le nombre imposant d'invités venus assister aux débuts d'une aventure aussi prometteuse que le Mouvement des Alcooliques anonymes.

Nous retenions notre souffle, en attendant la mention du point névralgique, la question d'aide financière. Nelson Rockefeller sembla deviner notre impatience. Il ajouta: «Messieurs, vous réalisez que cet organisme est fondé sur le principe de la bonne volonté. Sa puissance découle du fait qu'un membre porte le message à un autre, sans attendre une récompense ou un avantage pécuniaire. Nous croyons donc que, dans le domaine financier, les Alcooliques anonymes devraient se suffire à eux-mêmes. Il ne leur manque que notre sympathie». Les invités applaudirent chaudement cette déclaration. Et, après les salutations et les poignées de mains d'usage, la caravane s'en alla avec son milliard.

Nous étions abasourdis. Dans quel but M. Rockefeller s'était-il donné tout ce trouble, s'il voulait en arriver là? Nous n'arrivions pas à comprendre. Mais, quelques jours plus tard, la lumière commença à se faire et, avec les années, le Mouvement des Alcooliques anonymes en est venu à saisir clairement le sens et la portée du geste de M. Rockefeller.

Dick Richardson avait conservé les textes de tous les discours prononcés à l'occasion de ce dîner. Il me demanda de les résumer et de les publier. Nous pouvions très bien éditer le discours du Dr Bob et le mien. Mais, au nom de quel organisme publierions-nous ceux du Dr Harry Emerson Fosdick et du Dr Foster Kennedy? Dick nous annonça que M. Rockefeller désirait acheter 400 copies de notre livre que nous nous sommes empressés de lui livrer au prix de faveur de $1.00 l'unité. Il désirait en adresser un exemplaire à chacune des personnes invitées au dîner, en y ajoutant une copie des discours prononcés à cette occasion. De plus, M. Rockefeller se proposait d'écrire une lettre personnelle à chacun des invités, présents ou non, promettant de nous en faire parvenir une copie.

Dans cette lettre adressée à tous les invités, présents ou absents au dîner, M. Rockefeller insistait sur trois points: sa confiance inébranlable en la Fraternité des A.A., la satisfaction qu'il avait éprouvée en apprenant que plusieurs de ses amis avaient assisté au lancement d'un mouvement si riche en promesses, et sa profonde conviction que notre Fraternité se devait de demeurer financièrement indépendante. Il ajoutait, cependant, qu'estimant qu'une assistance modeste et exceptionnelle semblait opportune, il offrait donc aux Alcooliques anonymes une contribution de $1,000. Selon toute vraisemblance, ce geste avait sans doute pour but d'inciter les autres invités à nous faire parvenir, s'ils le désiraient, une modeste somme d'argent.

Malgré la curiosité des journalistes, aucun n'avait été autorisé à pénétrer dans la salle du dîner. Cette décision de M. Rockefeller était facile à comprendre: il ne voulait courir aucun risque. S'il avait fallu qu'un seul alcoolique se présente à la réception en état d'ébriété, toute cette initiative aurait sombré dans l'ignominie. Mais, étant donné le succès retentissant de la réunion, on nous demanda de rencontrer la compagnie de Ivy Lee, agents de publicité pour M. Rockefeller, pour rédiger conjointement un communiqué de presse.

La publicité qui en découla nous fut favorable et se répandit dans toutes les régions. La nouvelle d'un dîner de M. Rockefeller avec des alcooliques fut annoncée dans le monde entier. Quelques-unes des histoires racontées étaient un peu morbides et apparaissaient sous des titres étonnants. Une de ces manchettes disait: «John D. Rockefeller invite des ivrognes à dîner». Mais tous les articles servirent quand même à faire connaître le Mouvement des A.A. Même les tabloïds se mirent de la partie.

À la fin, notre Fraternité y gagna, dans l'esprit du public, une réputation de dignité et de qualité. Encouragés par une telle publicité, un nombre considérable de personnes achetèrent le livre des A.A. Les commandes affluèrent et nos difficultés financières s'en trouvèrent allégées. De plus, des centaines d'alcooliques et leurs familles, de tous les coins du pays, sollicitèrent notre aide. Nous ajoutions ces noms à la liste, déjà longue, de nos correspondants, avec l'espoir qu'un jour notre Mouvement, mieux organisé, pourrait les contacter personnellement. À ce moment-là, nous avions déjà oublié la déception ressentie au moment où les invités quittaient la salle à dîner.

Pendant ce temps, le nombre de nos Syndics augmentait. M. Robert Shaw, avocat et ami de l'Oncle Dick, était élu au Conseil. Deux membres de New York, mes amis Howard et Bert, y étaient nommés. Et, un peu plus tard, Tom B. et Dick S. se joignirent à eux. Dick avait été l'un des pionniers d'Akron et demeurait maintenant à New York. Il y eut aussi Tom K., un membre dévoué et fidèle du New Jersey. Par la suite, plusieurs non-alcooliques, en particulier Bernard Smith et Leonard Harrison, acceptèrent de nous aider durant de longues années.

Le Conseil des Syndics conçut l'idée de solliciter une contribution des invités au dîner de M. Rockefeller. Puisque celui-ci avait fait un don symbolique de $1,000., il était prévisible que notre campagne ne pourrait produire que des résultats mitigés. Mais, la moindre somme recueillie pourrait nous aider. M. Rockefeller donna son assentiment et on adressa une demande à chacun des invités au dîner. Comme nous l'avions prévu, les contributions furent petites, mais nombreuses. Elles s'échelonnaient de $10. à $300., celle-ci venant du frère d'un alcoolique. L'ensemble des dons s'éleva à $2,000. Si nous y ajoutons le cadeau de $1,000. fait par M. Rockefeller, notre caisse, jusque là vide, commença à se garnir.

Financièrement, le Dr Bob et moi étions encore mal foutus. Le Conseil nous accorda donc à chacun, une allocation de $30. par semaine, avec l'assurance que cette assistance pourrait se prolonger durant toute une année. Par conséquent, les invités au dîner furent sollicités sur une base annuelle et les résultats divisés de la même manière. Quatre ans plus tard, nous pouvions nous permettre d'annoncer à M. Rockefeller et à ses amis que nous n'avions plus besoin de leur soutien financier. À ce moment-là, les droits d'auteur du livre nous procuraient, au Dr Bob et à moi, les ressources dont nous avions besoin et les groupes des A.A. avaient commencé à défrayer les dépenses des Quartiers généraux. Alors, la Tradition du refus catégorique de «toute aide de l'extérieur» s'implanta, définitivement dans notre Fraternité. M. Rockefeller et ses amis nous avaient fait un don beaucoup plus précieux que l'argent. Ils nous avaient sauvé la vie.

Retournons, pour un moment, au printemps de 1940. Malgré les objectifs présentés par Henry, nous avions quitté notre minuscule bureau de Newark pour nous transporter dans une pièce légèrement plus grande au 30 de la rue Vesey à New York, à proximité de notre boîte postale. Ruth et moi pouvions alors commencer à répondre au flot de demandes d'aide, déclenché par le dîner de M. Rockefeller et la publicité qui s'ensuivit. Les groupes se multiplièrent, alors que les membres de groupes bien établis, munis de listes de candidats, se mirent à visiter d'autres localités. Les difficultés de ces groupes lointains se réflétèrent rapidement dans les lettres de demandes d'aide pour solutionner leurs problèmes grandissants. Chaque semaine, nous avions la joie d'ajouter une autre épingle sur notre carte pour souligner la formation d'un autre groupe.

La vente du livre progressait à un rythme régulier. Nous pouvions maintenant payer le loyer, les timbres et les dépenses du bureau. Et, plus important encore, nous pouvions rémunérer Ruth d'une façon raisonnable, Lois et moi étant dispensés de payer un loyer au Vieux Club de la Vingt-Quatrième Rue, les contributions annuelles des invités du dîner de M. Rockefeller et les dons répétés au «Fonds de remplacement pour la Maison de Lois» permettaient à la *Foundation* d'assurer notre subsistance. Tout le monde commençait à respirer plus librement.

Cependant, la situation de *Works Publishing* était assez chaotique. Cette entreprise n'avait jamais été incorporée et la seule preuve de son existence résidait dans ces certificats qu'Henry et moi avions fabriqués, dans ces livres qui dormaient à l'entrepôt et dans ces talons de chèques qui nous donnaient une vague idée de nos opérations financières. Quatre cents actions, devant être divisées à parts égales entre Henry et moi, n'avaient jamais été mises sur le marché et ne pourraient jamais l'être, tant et aussi longtemps que les autres actionnaires n'avaient pas été remboursés. Cette clause découlait de notre entente originale.

En apprenant que la vente du livre commençait à rapporter des revenus, certains actionnaires, dont Charlie Towns, devinrent quelque peu nerveux. Ils se demandaient pourquoi tous les profits du livre servaient à financer les Quartiers généraux des A.A. Nous leur avons répondu que nous ne pouvions agir autrement, à moins de rejeter toutes les demandes d'aide qui nous parvenaient. Quelques actionnaires exigeaient, néanmoins, un remboursement et il nous fallait trouver une solution.

Alors, Ruth et moi avons préparé un premier rapport financier pour les actionnaires. Nous avons résumé l'histoire de l'entreprise, en y ajoutant le tableau d'une perspective attrayante pour l'avenir. À l'aide des talons de chèques, des factures et des reçus nous avons établi un rapport financier approximatif. En autant que je m'en souvienne, l'entreprise du livre accusait un profit de $3,000. qui avaient été utilisés pour défrayer les dépenses du bureau.

Puis, une fois de plus, nous avons eu recours aux certificats d'actions. Sur un certain nombre d'entre eux, nous avons écrit: «*Works Publishing, Inc.*, actions privilégiées, valeur de $100.»

Munis de ces certificats en blanc, je partis pour Washington. Le groupe des A.A. de cette ville comprenait maintenant quelques membres très à l'aise: Bill E., Hardin C., et Bill A. Ils s'empressèrent d'acheter ces certificats, fort irréguliers, pour un montant de $3,000. Cette transaction nous permit de satisfaire les actionnaires les plus rébarbatifs et de rembourser à Charles

Towns tout l'argent qu'il nous avait avancé pour la publication du livre. Il était ravi et nous aussi.

Durant cette période, un ami non-alcoolique nous rendit un service inestimable. M. West, un comptable de la firme West, Flint et Associés, secondé par un ami intime de Dick Richardson, s'occupa de l'incorporation de *Works Publishing* et vérifia personnellement les livres de cette entreprise ainsi que ceux de la *Foundation*, pendant la période allant de notre fondation jusqu'en 1938. Ruth n'avait pas le temps de tenir les livres et, en ce qui me concerne, j'étais incapable de le faire. Dans ces conditions, l'audition méticuleuse des livres devenait une tâche gigantesque à laquelle M. West consacra plusieurs jours, bénévolement. Ce travail terminé, nous avons pensé que la mission de M. West était accomplie. Par la suite, Wilbur S., pionnier de notre groupe et comptable agréé, prit la relève et s'occupa de la tenue de nos livres. Pendant longtemps, il n'accepta aucune rémunération et, aujourd'hui, j'ai l'impression que nous ne le payons pas suffisamment.

Dès 1940, nous commencions à penser que le livre devrait être la propriété de la Fraternité. Les actions de l'entreprise ne devraient pas appartenir à quarante-neuf actionnaires, à Ruth Hock, à Henry et à moi. Si la *Foundation* pouvait acquérir toutes ces actions, elle pourrait gérer cette entreprise au nom de la Fraternité toute entière. Les revenus provenant de la vente du livre seraient libres d'impôts, si les actionnaires étaient remboursés. Et, dans ce cas, ils ne pourraient plus s'objecter à l'utilisation des profits pour l'administration du bureau.

Le Syndic A. LeRoy Chipman nous proposa un plan: il s'agissait d'emprunter de M. Rockefeller, de ses deux fils et des invités au dîner assez d'argent pour payer nos dettes et prendre le contrôle de *Works Publishing* en achetant, au pair, toutes les actions des souscripteurs, à l'exception de celles détenues par Henry et des miennes. Tous les actionnaires, sans exception, acceptèrent avec joie; ils étaient heureux de récupérer leur argent. Alors, M. Chipman emprunta $8,000. que nous devrions remettre à M. Rockefeller et aux autres à même les profits de la vente du livre. Les actionnaires rendirent leurs actions, reçurent leur argent et la *Foundation* se porta acquéreur du tiers de *Works Publishing*. Quelques-uns des actionnaires, alcooliques et non-alcooliques, se montrèrent très généreux. Ils retournèrent la moitié ou la totalité de l'argent qu'ils avaient reçu pour leurs actions, à titre de don à la *Foundation*.

Henry et moi détenions encore les deux-tiers des actions de *Works Publishing*. Devant cette situation, je consentis à remettre mes 200 actions à la *Foundation*. Mais, il ne fut pas facile de convaincre ce pauvre Henry, qui buvait encore, d'en faire autant. Pendant longtemps, il resta sourd à nos demandes. Puis, un jour, il se présenta, ivre, à notre bureau de la Rue Vesey. Il nous fit remarquer qu'il était propriétaire de la presque totalité des meubles du bureau, et particulièrement de l'énorme pupitre et du fauteuil capitonné. Cette remarque nous amena à lui proposer d'acheter ses meubles au prix de $200., s'il consentait à remettre ses actions de *Works Publishing* aux Syndics.

À la fin, Henry accepta notre marché et signa les papiers nécessaires. En fait, nous avions déjà donné de l'argent à Henry pour ses meubles. Mais, les Syndics déboursèrent encore $200.; Henry leur remit ses actions,; je remis les miennes, et la Fraternité des Alcooliques anonymes, par l'entremise des Syndics, devint le seul propriétaire du Gros Livre.

Le Mouvement connut un progrès lent mais continu durant l'année 1940. Avec la formation des nouveaux groupes, les journaux locaux commencèrent à publier des articles au sujet de cette étrange fraternité. Ces écrits nous aidèrent grandement. Lois et Ruth recueillaient tous ces articles qu'elles collaient avec joie dans un album. Les groupes étaient bien établis dans les grands centres comme Boston, Philadelphie, Detroit, Chicago, Sans Francisco et Los Angeles. Plusieurs petites villes connaissaient également des débuts prometteurs. Le Club de New York pouvait à peine contenir tous ses membres. À Akron, le Dr Bob venait de commencer son travail avec Sœur Ignatia à l'Hôpital

St-Thomas. Et le Mouvement continua ainsi jusqu'au printemps de 1941, alors que nous comptions 2,000 membres, soit une augmentation de 1,200 membres en une année. Nous étions très satisfaits des résultats et, pourtant, nous n'avions encore rien vu. Nous étions à la veille d'un événement qui allait conférer à notre Mouvement un statut national.

Le Dr A. Wiese Hammer, un de nos pilliers à Philadelphie, avait fait connaître notre Mouvement à M. Curtis Bok, co-propriétaire du *Saturday Evening Post.* Au début, l'équipe d'éditorialistes du *Post* manifesta des réticences. Mais, M. Bock avait rencontré certains de nos membres de Philadelphie et avait entendu l'histoire de leur rétablissement remarquable. Il savait de quoi il parlait. Alors, sans autre avertissement, M. Jack Alexander, un des journalistes chevronnés du *Post*, se présenta à la porte de notre bureau sur la rue Vesey. Connaissant très bien le tirage et le prestige du *Saturday Evening Post*, nous étions fous de joie.

Jack, un excellent journaliste, se montra très prudent dans son approche. Il n'avait pas encore oublié l'odeur et le goût des affaires véreuses sur lesquelles il venait de faire enquête au New Jersey. Comprenant très bien ses réactions, nous lui avons fourni un rapport d'une qualité qu'aucun autre journaliste n'avait jamais vue. Il rencontra d'abord les Syndics et les membres de New York. Puis, avec notre aide, il visita tous les groupes du pays.

Finalement, Jack déclara qu'il en savait assez; il était prêt à écrire. C'est alors que surgit un sérieux problème. le *Saturday Evening Post* voulait des photos. On parlait même d'obligation. Ils ne s'opposaient pas à ce que Bob, les autres et moi soyons désignés sous des noms fictifs. Mais il leur fallait des photos, et des sensationnelles à part ça. Nous leur avons fait remarquer que les photos pourraient éloigner certaines personnes. La réponse du *Post* fut catégorique: «pas de photos, pas d'article». Il nous fallait choisir et ce n'était pas facile. En dépit des protestations de plusieurs bons membres conservateurs et craintifs, nous avons dit au *Post* de procéder. Il s'agissait d'une décision d'une importance cruciale. Fort heureusement, nous avons pris celle qui s'imposait, du moins dans les circonstances.

L'article fut publié dans l'édition du 1 mars 1941. Grâce à son étude approfondie du dossier et à sa remarquable capacité de compréhension et de sympathie à notre égard, Jack écrivit un texte qui fit choc. Nous avons reçu, par le courrier ou par télégrammes, un déluge de demandes d'aide et de commandes du livre, d'abord par centaines, puis par milliers. Ruth et moi avons éclaté de rire, en évoquant le jour où, deux ans plus tôt, l'employé des postes nous avait remis une douzaine de réponses des médecins. Parcourant les demandes d'aide que nous prenions au hasard dans cette montagne de nouveau courrier, nous nous sommes demandés, avec angoisse, comment nous pourrions répondre à toutes ces personnes, tellement nous nous sentions débordés.

Nous avons compris qu'il nous fallait de l'aide. Alors, nous avons rassemblé tous les A.A. et toutes les épouses des A.A. capables d'écrire au dactylo. Nous avons transformé l'étage de notre Club de la Vingt-quatrième Rue en quartiers généraux d'urgence. Pendant des jours, Ruth et les volontaires s'efforcèrent de répondre à ce courrier qui ne cessait d'augmenter. Ils eurent même la tentation d'utiliser des lettres stéréotypées. Mais l'expérience nous avait déjà montré l'inefficacité d'un tel procédé. Il fallait que chaque candidat et sa famille reçoivent une lettre personnelle. Après ce premier amas de lettres, les Quartiers généraux recevaient encore assez de courrier pour nous convaincre de la nécessité d'embaucher du personnel salarié. Des volontaires ne pouvaient suffire à la tâche.

Nous avons aussi réalisé que, suite à l'augmentation des demandes d'aide, les revenus du livre ne pouvaient suffire à défrayer les dépenses du bureau. Alors, pour la première fois, nous avons sollicité la contribution des groupes. Après l'article du *Post*, les Syndics Howard et Bert prirent la route, l'un d'eux se dirigeant vers Philadelphie et Washington, l'autre vers la région de Cleveland et d'Akron. Ils invitèrent tous les groupes des A.A. à contribuer, par l'intermédiaire de la *Foundation* à un fonds spécial qui serait réservé exclusivement «aux dépenses du bureau des A.A.». Les contributions devaient être volontaires. À titre d'exemple, on suggérait aux groupes d'envoyer annuellement un dollar par membre. Avec le temps, les contributions des groupes nous arrivèrent et nous avons pu ajouter deux employés salariés à notre personnel. La Tradition d'autonomie financière chez les A.A. devenait une réalité. Tous les revenus de la vente du livre pouvaient maintenant être remises à la *Foundation.* Lorsque les groupes ne parvenaient pas à défrayer les dépenses du bureau, comme cela se produisit à plusieurs reprises, nous pouvions toujours puiser dans ce fonds de réserve. Non seulement le livre «*Alcoholics Anonymous*» nous aidait à sauver des alcooliques, mais il devint l'appui financier des Quartiers généraux et la garantie de notre solvabilité.

À la fin de 1941, lorsque les secrétaires de groupe nous adressèrent leurs rapports, nous avons découvert que le nombre de nos membres se chiffrait à 8,000, un saut prodigieux de 6,000 nouveaux membres durant la seule année 1940. Le Mouvement avait commencé à se répandre au Canada et dans les pays étrangers. La croissance était partout très rapide. À plus d'un titre, 1941 pourrait être considéré comme l'année la plus excitante de notre histoire. Nous portions peu d'attention aux petits nuages qui s'élevaient à l'horizon, précurseurs d'une tempête prochaine. Le Mouvement des A.A. entrait dans cette période, à la fois tumultueuse et merveilleuse de l'adolescence. Cette phase allait durer quinze ans.

Grâce aux épingles sur la carte de notre bureau, nous pouvions suivre l'éclosion hebdomadaire de nouveaux groupes. Parfois, des membres expérimentés quittaient des centres où le Mouvement était bien établi pour s'installer dans d'autres villes. Ces localités furent parmi les privilégiées. Dans la plupart des cas, les groupes nouvellement formés ne possédaient aucune expérience et n'avaient pour se guider, que le Gros Livre, un visiteur occasionnel et la correspondance avec les Quartiers généraux. Les problèmes et les difficultés étaient innombrables. Les comités se querellaient, les nouveaux clubs avaient toutes sortes de difficultés, les orateurs péroraient et les groupes se divisaient. Certains membres tombèrent dans le professionnalisme et exigeaient des honoraires pour aider les nouveaux candidats. Parfois, tous les membres d'un groupe s'enivraient et les relations publiques se gâtaient. Tel fut le commencement d'une période sombre qui dura longtemps.

Puis, dans un de nos grands centres, le bruit se répandit que la *Foundation*, les Quartiers généraux de New York et l'entreprise du Gros Livre n'étaient qu'un immense racket dans lequel M. Rockefeller s'était laissé prendre. Au sommet de la crise, quelques membres des A.A. organisèrent un souper dans la ville où ces rumeurs circulaient le plus. On invita le Dr Bob et moi à prendre la parole. Peu de membres assistèrent au repas et les applaudissements habituels ne se firent pas entendre. À la fin du banquet, le président de tous les groupes de la ville nous conduisit, le Dr Bob et moi, dans une salle de l'hôtel. Puis, ils firent entrer un avocat et un comptable. Ils avaient entendu les conneries au sujet de la *Foundation*. Ils avaient appris que le livre «Alcoholics Anonymous» générait des revenus fabuleux et que le Dr Bob ainsi que moi-même avions partagé $64,000. l'année précédente. Ils prétendaient que moi, le promoteur de Wall Street, j'avais reculé mon camion devant le coffre de M. Rockefeller, lui enjoignant de le remplir d'argent pour moi et mes amis. Le comité d'inquisition nous rapporta qu'un des membres de leur ville avait obtenu la confirmation de toutes ces rumeurs de la bouche même d'un Syndic de New York.

Ce conte incroyable, pourtant cru par bien des gens, fut un dur choc pour le Dr Bob et moi-même. Fort heureusement, j'avais dans mes bagages, comme par hasard, une copie certifiée du rapport de l'auditeur de toutes nos transactions financières depuis le début de la Fraternité. Ce rapport établissait que le Dr Bob n'avait jamais reçu un sou pour ses droits d'auteur parce que le bureau avait eu besoin de cet argent. Le Dr Bob subvenait encore à ses besoins grâce aux $30. qu'il recevait chaque semaine à la suite du dîner de M. Rockefeller. En ce qui me concerne, je recevais, comme le Dr Bob, $30. par semaine des invités à ce dîner et, depuis l'article du *Post*, l'éditeur de notre livre m'accordait une allocation hebdomadaire, fort justifiée, de $25. La somme totale de mes revenus se chiffrait à $55. par semaine. Les coffres de la *Foundation* étaient pratiquement vides, étant donné que les contributions des groupes étaient immédiatement utilisées pour le fonctionnement du bureau.

Le comptable du comité investigateur fit lecture de notre modeste rapport financier à haute voix et en certifia l'exactitude. Les membres du comité écoutèrent d'un air penaud et nous présentèrent des excuses. Puis, le président du comité nous expliqua que la réunion n'avait pour but que de clarifier la situation et que, d'ailleurs, peu de membres du comité avaient cru ces racontars. Et il nous promit que lui et ses collègues feraient tout en leur pouvoir pour mettre fin à ces calomnies. Ils ne réussirent que partiellement de sorte que cette histoire de racket continua à circuler dans cette région durant plusieurs années.

Cette aventure devint quand même une expérience salutaire pour le Dr Bob et moi-même. Elle nous obligea à réexaminer notre situation et à solliciter l'avis de nos amis. Nous touchions alors à la Tradition des A.A. concernant le service professionnel et les employés salariés. Il était évident que je ne pouvais pas continuer à travailler à plein temps et que le Dr Bob ne pouvait pas consacrer la moitié des jours ouvrables à la Fraternité, si nous ne recevions pas tous les deux des revenus réguliers. Il ne fallait pas s'attendre à ce que les invités au dîner de M. Rockefeller nous supportent indéfiniment. Cette situation aurait d'ailleurs été contraire à notre Tradition, alors en gestation, qui nous demandait de refuser les contributions de l'extérieur. Nous ne pouvions pas non plus puiser dans les contributions des groupes, puisqu'elles étaient déjà réservées pour l'administration du bureau des Quartiers généraux. Tous les profits de la vente du livre s'en allaient directement dans le fonds de réserve de la *Foundation* et nous ne pouvions, sous aucun prétexte, nous les approprier.

Alors, la réponse à ce problème semblait résider dans les droits d'auteurs du livre, à condition, bien entendu, que la vente en soit assez considérable. De cette façon, nous pourrions recevoir une compensation, à titre d'auteurs du livre et d'organisateurs de la compagnie de publication. Mais, est-ce que nous risquions de tomber dans le professionnalisme, au sens de notre Tradition alors en gestation? Certains membres affirmaient que nous deviendrions alors des professionnels, puisque nous ferions de l'argent grâce au Mouvement des A.A. Mais notre expérience dans d'autres domaines nous permettait d'affirmer le contraire. Nos clubs versaient un salaire à leurs concierges, pour la plupart des membres des A.A. Ces employés n'étaient pas payés pour leurs activités de Douzième Étape, mais pour leur travail de concierge ou de cuisinier. Nous avions réellement besoin de leurs services d'une façon continue. Notre bureau de New York venait d'embaucher une alcoolique comme membre permanent de notre personnel. Devenait-elle pour autant une «professionnelle du Mouvement»? Certainement pas. Elle était simplement rétribuée pour son travail de secrétaire.

Depuis le début de ce projet du livre, mon opinion sur ce sujet avait continuellement oscillé entre les deux extrêmes. Dans certaines circonstances, j'avais pensé que je devrais m'accrocher à mes actions dans la compagnie et à mes droits d'auteur. J'avais droit, pensais-je, à une récompense pécuniaire pour tout le travail que j'avais effectué dans ce projet du livre. Mais, en d'autres occasions, je me refusais le droit de recevoir la moindre rétribution financière, peu importe les tribulations que cette attitude pourrait nous apporter, à Lois et à moi.

Peu de temps après l'épisode de l'enquête financière, le Père Ed Dowling, notre ami Jésuite de St-Louis, débarqua à New York. Encore tout perplexe, je lui présentai mon problème. Il me demanda: «Crois-tu, Bill, que le Mouvement réclame continuellement tes services?» Je lui répondis: «Je le pense, et peut-être d'une façon permanente». Alors, il reprit: «Pourrais-tu devenir un thérapeute salarié, recevant de l'argent pour tes activités de Douzième Étape?». Je lui affirmai que cette question était réglée depuis bien longtemps et que ni moi ni aucun membre des A.A. ne pourrions accepter la moindre rétribution financière pour ce genre de travail, quelles qu'en soient les conséquences. «Eh bien, Bill,» me dit-il, si cette question ne concernait que toi, tu pourrais revêtir un cilice et refuser tout argent. Mais, il y a Lois. Tu t'es engagé par contrat à subvenir à ses besoins. Tu pourrais toujours la confier à la charité de tes amis et te lancer dans le bénévolat pour le Mouvement des A.A. Mais, est-ce que tu remplirais alors les conditions de ton contrat de mariage? Je crois que tu devrais accepter les droits d'auteur».

Ce raisonnement signifiait que ni le Dr Bob ni moi-même ne pourrions jamais accepter un sou pour des activités de Douzième Étape, mais que par ailleurs nous pourrions être rémunérés pour des services particuliers. Nous avons donc accepté, le Dr Bob et moi, cette solution du juste milieu, tel que suggéré par le Père Ed et nous n'en avons pas dérogé depuis. Je dois d'ailleurs ajouter que, par la suite, la Fraternité tout entière accepta cette décision prise par le Dr Bob et moi-même.

Au début de 1942, Ruth Hock, notre secrétaire non-alcoolique, nous quitta pour se marier, emportant avec elle les meilleurs vœux de milliers de membres. Nous n'oublierons jamais l'exemple de travail consciencieux légué par ce pionnier dans l'entreprise du livre et l'organisation des premiers Quartiers généraux des A.A. Ruth fut remplacée par Bobbie B. qui devint notre deuxième secrétaire nationale. La loyauté et le dévouement de Bobbie, ainsi que son énergie et sa capacité de travail incroyables furent pour nous des atouts inestimables durant les années troubles et dangereuses qui se préparaient.

Juste avant le départ de Ruth, un journaliste newyorkais du nom de Jack attira notre attention sur une coupure de journal, dont le texte devait devenir très populaire. Dans un avis de décès, on avait écrit à la suite de la biographie du défunt: «Dieu, donne-nous la sérénité d'accepter les choses que nous ne pouvons pas changer, le courage de changer les choses que nous pouvons, et la sagesse d'en connaître la différence».

Nous n'avions jamais rencontré autant d'éléments de la philosophie des A.A. en si peu de mots. Alors que Ruth et moi admirions la prière et nous interrogions sur les possibilités de l'utiliser, Howard pénétra dans le bureau. Partageant notre admiration, il s'écria: «Nous devrions imprimer cette prière sur des cartes et en joindre une à chacune des lettres expédiées par ce bureau. Je m'engage à payer pour la première impression». Nous avons suivi sa suggestion pendant plusieurs années et, avec une rapidité surprenante, la Prière de la Sérénité devint l'une de nos façons préférées de prier, tout comme le Notre Père et la Prière de Saint François.

Personne ne peut établir avec certitude l'origine de la Prière de la Sérénité. Pour certains, elle nous vient de la Grèce antique; pour d'autres, elle aurait été écrite par un poète anglais anonyme; selon un troisième groupe, elle serait l'œuvre d'un officier de la marine américaine. De son côté, Jack Alexander, qui effectua des recherches sur le sujet, l'attribue au Révérend Reinhold Niebuhr du *Union Theological Seminary*. Peu importe. Nous connaissons la prière et nous la récitons des milliers de fois par jour. Nous ajoutons son auteur au nombre de nos généreux bienfaiteurs.

L'expansion phénoménale du Mouvement, nous confronta bientôt avec le sérieux problème des relations publiques. Nous étions maintenant sous les feux de la rampe. Il nous fallait traiter avec un immense public. La malveillance du public pourrait ralentir notre croissance ou la paralyser complètement. Au contraire, la confiance générale nous permettait de recruter des membres en nombre inimaginable. L'article du *Saturday Evening Post* en avait fait la preuve. Les relations publiques constituaient non seulement un problème épineux, mais aussi un problème délicat. Toute bévue susceptible d'entraîner un préjugé défavorable pourrait maintenir les alcooliques dans la souffrance et précipiter le décès de certains autres. Il nous fallait donc établir un programme harmonieux de relations publiques et le mettre en pratique.

Notre attention se porta d'abord sur nos relations avec le monde médical et le clergé. Nous ne devons jamais entrer en compétition avec eux. Si nous donnions l'impression d'être une nouvelle secte religieuse, nous nous attirerions des ennuis. Pour cette raison, nous avons commencé à insister sur le fait que le Mouvement des A.A. est un mode de vie compatible avec toutes les croyances religieuses. Nous avons fait savoir aux médecins jusqu'à quel point nous avons besoin des hôpitaux et nous avons invité les psychiatres ainsi que les cliniques de désintoxication à coopérer avec nous. En tout temps, la religion serait sous la responsabilité de l'individu et du clergé; la pratique de la médecine serait réservée exclusivement aux médecins. Notre rôle, en tant que simples alcooliques, consistait à forger le chaînon si nécessaire et attendu depuis si longtemps.

Depuis ce temps, nous avons maintenu cette attitude dans nos relations publiques et nous en avons récolté des fruits merveilleux. Nous bénéficions, aujourd'hui, du support inconditionnel de toutes les familles religieuses. Et la plupart des médecins qui comprennent notre Mouvement dirigent leurs patients alcooliques vers notre Fraternité. Nos membres sont souvent invités à prendre la parole devant des groupements religieux et des associations médicales. Par ailleurs, les membres du clergé et de la profession médicale fréquentent souvent nos assemblées ouvertes au public.

Aussi importantes que puissent être la religion et la médecine, elles ne représentent qu'une partie dans l'ensemble de notre problème de relations publiques. Il nous fallait aussi trouver la meilleure façon de coopérer avec la presse, la radio, le cinéma et, tout récemment, la télévision. Quelle attitude devrions-nous adopter dans le domaine de la prévention, de la recherche et de la réhabilitation, sur le plan privé et public? Quel message pourrions-nous véhiculer dans les hôpitaux et les prisons qui désiraient former des groupes des A.A. dans leurs murs? Que devrions-nous dire à ceux de nos membres impliqués dans ces domaines et qui étaient parfois tentés d'utiliser publiquement le nom des A.A. pour promouvoir une campagne de publicité ou de charité? Quelle attitude faudrait-il prendre si, par hasard, des étrangers exploitaient, diffamaient ou attaquaient le Mouvement des A.A.? Nous nous devions de trouver des solutions pratiques à tous ces problèmes et à beaucoup d'autres semblables si nous voulions éviter de sérieuses difficultés à notre Fraternité.

C'est à la suite d'un long processus que nous en sommes venus à trouver les réponses à ces questions embarrassantes. Après beaucoup d'essais et de bévues, parfois ponctuées d'erreurs pénibles, nous avons développé les attitudes et les habitudes susceptibles de mieux nous servir. Les principes généraux se retrouvent aujourd'hui dans les Traditions des A.A.: un anonymat absolu dans le domaine public; aucun usage du nom des A.A. pour quelque cause que ce soit, si méritoire soit-elle; aucun cautionnement ou alliance; la fidélité à la diffusion du message comme le seul but des Alcooliques anonymes; aucun professionnalisme; le principe de l'attrait plutôt que celui de la publicité. Ce sont là des leçons durement apprises.

Comme il fallait s'y attendre, notre Conseil des Syndics et les Quartiers généraux formèrent le noyau autour duquel se développèrent nos Traditions. Les membres nous confiaient des problèmes d'une variété inouïe, mais au début de 1945 la situation chaotique avait fait place à un climat de paix remarquable. De partout, nos membres avaient recours à l'expérience et aux conseils de notre personnel de New York pour solutionner leurs problèmes. Notre fonctionnement était si paisible que les membres en vinrent à prendre notre Service mondial pour acquis. Jusqu'à récemment, le membre ordinaire n'était pas conscient des services rendus par nos Quartiers généraux. Pourtant, cette activité invisible fut certainement responsable en grande partie de notre croissance et de notre unité.

À travers toutes ces années, le fonctionnement de la *Foundation*, la vaste utilisation du livre des A.A., la croissance de notre littérature, les réponses à des milliers de demandes d'aide, les suggestions pour le bon fonctionnement des groupes, l'élaboration d'une politique de relations publiques, tous ces éléments constituaient un service grandissant envers la Fraternité tout entière.

De 1941 à 1945, nous avons connu encore bien d'autres développements. Notre bureau de la rue Vesey déménagea au 415 de l'avenue Lexington, juste en face du *Grand Central Station.* La nécessité de servir les nombreux membres des A.A. visitant New York nous incita à poser ce geste. Grâce à cette nouvelle adresse nous avons pu entrer en contact avec des visiteurs qui, pour la première fois, découvrirent la vocation universelle du Mouvement des Alcooliques anonymes. Depuis, des milliers de membres, leurs familles, leurs amis, leurs pasteurs, leurs médecins et leurs patrons ont visité les Quartiers généraux de New York.

Le progrès de notre Fraternité se continua à un rythme qui nous sembla parfois étourdissant. Année après année, nos membres se multiplièrent selon une progression géométrique. Nous ne les comptions plus par milliers, mais par dizaines de milliers.

Mais l'histoire ne s'arrête pas là. Pour la première fois, nous commençions à sentir que le style du Mouvement évoluait. Nous connaissions maintenant du succès avec des alcooliques moins avancés et même avec des alcooliques en puissance. Dans les débuts, ceux d'entre nous qui avaient acquis la sobriété dans le Mouvement des A.A., avait été, presque sans exception, des cas extrêmement graves et désespérés. Mais, maintenant, les jeunes commençaient à nous arriver. Beaucoup de candidats nous sont venus, alors qu'ils avaient encore leur travail, leur famille, une bonne santé et une bonne position sociale. Ces membres étaient en mesure de convaincre leurs semblables de leur besoin du Mouvement des A.A. Naturellement, ces nouveaux venus ont dû toucher le fond sur le plan émotif. Mais ils n'ont pas été obligés de se retrouver au fond du gouffre pour admettre qu'ils étaient vaincus. Nous avons alors développé, d'une façon consciente, une façon d'élever «le niveau du fond» et de nous en servir avec eux. Lorsque l'un de ces alcooliques «mitigés» réalisait qu'il avait déjà les symptômes de l'alcoolisme, il avait alors franchi un pas décisif. Il avait alors atteint le fond du gouffre et s'évitait des années de supplice.

Un peu de la même manière, cette méthode commença à bien fonctionner avec d'autres sortes de candidats. Dans les premiers temps, nous n'arrivions pas à convaincre les femmes. Elles se disaient différentes. Mais, lorsqu'elles s'aperçurent que d'autres femmes se rétablissaient, elles commencèrent lentement à emboîter le pas. L'épave humaine, le richard, l'aristocrate avaient tous déjà pensé que le Mouvement des A.A. n'était pas fait pour eux. Les gens de d'autres races, langues ou crédos avaient réagi de la même manière. Mais, en réalisant la tragédie vers laquelle leur alcoolisme les conduisait, ils ont oublié leurs différences et sont venus chez les A.A.

Alors que ces nouvelles tendances se confirmaient, nous avons connu une merveilleuse allégresse. Aujourd'hui, ces alcooliques «mitigés» et les «différents» comptent pour plus de la moitié de nos membres.

Puis, le Mouvement se répandit dans les pays étrangers. Ce développement nous apporta une nouvelle série de problèmes. Chacun de ces lointains avant-postes dut vivre les mêmes expériences douloureuses que nous avions connues dans nos débuts aux États-Unis. Bientôt, nous faisions face à une barrière de langage, et il nous fallut traduire en plusieurs langues une partie importante de notre littérature.

De plus, nos amis de l'étranger firent naître de nouveaux doutes d'une nature particulière. Se pourrait-il que le Mouvement ne soit qu'une entreprise américaine, absolument inefficace en Iralnde, en Angleterre, en Hollande, en Scandinavie, en Australie et dans le Pacifique? Puisque ces pays étaient tellement différents, leurs alcooliques l'étaient peut-être aussi? «Est-ce que le Mouvement des A.A. sera efficace dans notre culture?», nous demandaient-ils. Avec l'aide de nos membres de New York capables de traduire, nous nous sommes donc lancés dans une volumineuse correspondance. Nous recherchions les membres en partance pour l'étranger, essayant de leur donner une formation particulière. Finalement, une brêche s'effectua. Mais il nous fallut attendre encore longtemps pour acquérir la certitude que le Mouvement pourrait traverser les frontières de la distance, de la foi, de la race et de la langue. Aujourd'hui, nous pouvons nous réjouir de la présence des A.A. dans plus de soixante-dix pays et possessions américaines. Et nous avons la certitude qu'avec le temps tous les alcooliques du monde entier pourront profiter de la même opportunité que nous avons eue ici en Amérique. Aux Quartiers généraux, nous avons fait du service aux groupes étrangers une de nos priorités, tout en reconnaissant que nous sommes encore loin d'avoir découvert toutes les possibilités dans ce domaine.

Plus que jamais nous avons besoin d'excellentes traductions de la littérature des A.A. Nous avons toujours réussi à trouver les collaborateurs compétents nécessaires. Il y a dix ans, Frank M. traduisit le livre des A.A. en espagnol. Durant le jour, il travaillait comme interprète pour une maison d'importation et, le soir, il se consacrait à sa passion, le livre «*Alcoholics Anonymous*». Et aujourd'hui, sa traduction est devenue la pierre angulaire du Mouvement dans les pays de langue espagnole. Un peu plus tard, un groupe de membres du Québec effectua le même travail, mais cette fois en français. À Oslo, nous espérons que notre livre sera bientôt publié en norvégien. À cause de la ressemblance entre les langues, les Danois et les Suédois seront capables de lire la traduction norvégienne.

Plusieurs de nos brochures sont maintenant publiées en d'autres langues telles que l'allemand, le hollandais et le finlandais. Nous cherchons constamment à percer de nouvelles barrières du langage, dans un effort pour lancer une bouée de sauvetage aux alcooliques qui ne savent pas encore qu'il existe une porte de sortie.

Avec la croissance rapide du Mouvement, les Quartiers généraux devaient également connaître une expansion. Les contributions de milliers de groupes et les progrès dans la vente de notre littérature exigeaient la présence quotidienne d'un comptable. La préparation du répertoire des groupes des A.A. ressemblait à la publication de l'annuaire téléphonique d'une grande ville. Les classeurs pour les lettres et les fiches commencèrent à s'aligner en rangées. Il nous fallut embaucher d'autres employés alcooliques. Et, avec la spécialisation du travail, les services ont fait leur apparition. Aujourd'hui, les activités du bureau sont réparties entre divers secteurs administratifs: les relations avec les groupes, les affaires locales et étrangères, les relations publiques, la Conférence ces Services généraux, l'administration du bureau, l'expédition, la comptabilité, la sténographie et les services spéciaux aux groupes dans les prisons et les hôpitaux.

Fort heureusement, l'expansion du bureau ne fut pas strictement proportionnelle à la croissance du Mouvement. Autrement, les factures n'auraient jamais été payées. La Fraternité se développait si rapidement qu'il nous était impossible d'initier tous les membres au fonctionnement des Quartiers généraux. Plusieurs groupes, concentrés sur leur administration locale, ne nous apportèrent aucune collaboration. Moins de la moitié des groupes nous faisaient parvenir leurs contributions. L'absence de ces contributions nous contraignait régulièrement à des déficits que nous pouvions fort heureusement combler avec les revenus de la vente du Gros Livre et de notre littérature. Sans cette source de revenus, nous aurions dû fermer les portes.

L'année 1944 nous apporta un développement vital. Un groupe de membres de New York, avec un penchant pour la littérature et le journalisme, commencèrent à publier une revue mensuelle. La première équipe comprenait Marty, Priscilla, Lois K., Abbott, Meave et Kay. De plus, Grace O. et son époux faisaient figure d'inspiration pour le groupe. Ils baptisèrent leur revue, *The Grapevine*. Il ne s'agissait pas du premier bulletin ou périodique local chez les A.A. Le *Cleveland Central Bulletin* et le *Eye Opener* de Los Angeles l'avaient précédé. Mais, *The Grapevine* bénéficia d'une popularité nationale.

Après quelques publications, ce périodique connut un problème d'une nature très particulière. On découvrit que le FBI publiait depuis longtemps un bulletin appelé *The Grapevine*. Ce feuillet permettait à leurs membres de suivre les activités de leur organisme. On résolut le problème en appelant notre périodique *The A.A. Grapevine*. Après cet incident, il connut un progrès remarquable, atteignant une circulation mensuelle de 40,000 copies.[15]

The Grapevine constitue le miroir de la pensée et de l'activité des A.A. à l'échelle mondiale. C'est une sorte de tapis magique permettant à tous les membres de visiter les groupes les plus reculés et un merveilleux moyen de partager les idées nouvelles ainsi que les expériences en cours.

Un peu plus tard, les responsables du *A.A. Grapevine* découvrirent qu'ils tenaient un ours par la queue. Il était toujours plaisant de recevoir des articles et de les publier, mais le travail de sceller ces milliers d'enveloppes et de coller tous ces timbres devint bientôt une tâche impossible. Alors, ils se tournèrent vers la *Foundation*. Lorsque les Syndics proposèrent aux groupes des A.A. d'adopter *The Grapevine* comme leur revue internationale, la réponse fut affirmative. On confia la publication du périodique à une corporation dirigée par un conseil de direction composé de deux Syndics de la *Foundation* et des éditeurs.

L'obligation d'assurer un personnel permanent au *Grapevine* occasionna un déficit de plus en plus grand et, une fois encore, il fallut avoir recours au fonds du Gros Livre. Sans cette ressource, les directeurs auraient dû interrompre la publication de la revue.

---

(15) Ces chiffres datent de 1957.
L'organisation du bureau, telle que décrite dans ce chapitre, a été modifiée depuis.

Le A.A. Grapevine, peut-être plus que le bureau des Quartiers généraux, a toujours besoin d'un grand nombre de volontaires. Seuls l'éditeur-en-chef, ses assistants, le responsable du service de la souscription et quelques employés apparaissent sur la liste de paie. Le conseil de publication, les artistes et plusieurs auteurs d'articles accomplissent beaucoup de travail bénévole pour la préparation de chaque numéro. Sans la coopération de ces experts, il n'y aurait pas de revue. Si nous devions les rémunérer pour leur contribution, la note serait beaucoup trop élevée. Il est étonnant qu'à chaque mois ces professionnels déjà surchargés, hommes et femmes, parviennent à respecter l'impératif de l'échéancier. Cette entreprise résulte de l'effort le plus soutenu et le plus éclatant jamais vu chez les A.A.

En 1945, la solution des problèmes de groupes par correspondance imposait une lourde somme de travail aux Quartiers généraux. Les copies de lettres adressées à nos centres métropolitains gonflaient nos fichiers. Durant cette période à la fois confuse et merveilleuse, on aurait dit que tous les problèmes posés aux membres à l'intérieur des groupes nous étaient transmis dans le courrier.

L'idée fondamentale à l'origine des Douze Traditions des Alcooliques anonymes émana directement de cette vaste correspondance. Vers la fin de 1945, un de nos bons amis chez les A.A. nous suggéra de codifier toute cette information et d'en tirer un ensemble de principes susceptibles de fournir des solutions éprouvées à tous les problèmes que suscitaient notre vie et notre travail en commun. ainsi que les relations de notre Fraternité avec le public en général. Si nous pouvions clairement définir notre conception de l'appartenance au Mouvement, de l'autonomie des groupes, de l'unicité de notre but, de notre non-ingérence dans les autres domaines, de la déformation professionnelle, de la controverse publique et de l'anonymat sous toutes ses formes, nous pourrions alors réunir une telle réserve de principes. Cependant, il était bien évident que ces traditions ne pourraient jamais devenir des règlements. Elles pourraient cependant servir de guides pour les Syndics, le personnel des Quartiers généraux et surtout pour les groupes en pleine crise de croissance.

Puisque nous, des Quartiers généraux, vivions au centre des activités, il nous incombait d'effectuer ce travail. Avec l'aide de mes collaborateurs, je me mis à l'ouvrage. Les Traditions des Alcooliques anonymes, dans leur version élaborée, parurent pour la première fois dans *The Grapevine* du mois de mai 1946. Par la suite, d'autres articles de la revue expliquèrent chacune des Traditions en détail. Plus tard, on regroupa tous ces articles dans une brochure intitulée «*A.A. Traditions*». Plusieurs membres de notre personnel des Quartiers généraux et un grand nombre de secrétaires de groupe ont encore recours à des copies, défraîchies et usées, de la première brochure des Traditions afin d'y trouver des solutions à certains problèmes.

Durant ce temps, la *Foundation* avait posé un geste significatif, qui fut incorporé dans ces Traditions. En 1945, nous avions écrit à M. Rockefeller et aux invités du dîner de 1940 pour leur annoncer que nous n'aurions plus besoin de leur aide financière. Les droits d'auteurs du livre pourvoyaient à nos besoins, le Dr Bob et moi; les contributions des groupes défrayaient les dépenses du bureau général. En cas de pénurie, nous pouvions toujours combler les déficits à l'aide de la réserve accumulée grâce à la vente de la littérature. Ce geste affirmait le début de notre autonomie financière. Et, depuis ce jour, le Conseil des Syndics a toujours refusé toute contribution de l'extérieur.

Lors de leur première publication, les Traditions reçurent un accueil partagé. Seuls les groupes en difficulté les prirent au sérieux. Mais, dans certains milieux, surtout dans les groupes possédant de longues listes de règles et de règlements protecteurs, la réaction contre les Traditions fut assez violente. Ailleurs, elles ne produisaient qu'une indifférence apathique. Enfin, d'autres disaient: «Gardons le Mouvement simple». Pour eux, les Douze Traditions n'étaient que l'expression des espoirs et des craintes des Quartiers généraux face à l'avenir.

Vers ce temps-là, je commençai à circuler pour expliquer en détails les nouveaux principes. Les membres écoutaient mais, de toute évidence, semblaient s'ennuyer. Bientôt, les membres m'adressèrent des lettres comme celle-ci: «Bill, nous aimerions t'entendre. Dis-nous où tu cachais tes bouteilles et raconte-nous ton réveil spirituel. Mais, de grâce, ne nous parle pas de ces maudites Traditions».

Avec le temps, la situation a changé. Des années plus tard, les membres reconnaissaient que les Traditions seraient aussi nécessaires à la vie de la Fraternité que les Douze Étapes l'étaient à la vie de chaque membre. Nous avons découvert que les Traditions constituent la clé de l'unité, du bon fonctionnement et même de la survivance des Alcooliques anonymes.

En réalité, je n'étais pas l'auteur des Traditions. Je les avais tout simplement rédigées comme une illustration des principes que l'expérience avait déjà développés dans les groupes des A.A. Et la formulation de ces principes vitaux provenait des Quartiers généraux, des Syndics et de notre personnel. Si nous n'avions pas eu les Quartiers généraux pour analyser les problèmes, nous n'aurions jamais pu rédiger les Douze Traditions des A.A.

À cette époque, notre Mouvement commençait à se mériter l'appui du monde médical. Deux grandes associations médicales d'Amérique posèrent un geste sans précédent en reconnaissance de notre mérite. En 1944, la Société médicale de New York m'invita à prononcer une conférence lors de leur réunion annuelle. À la fin de mon discours, trois médecins, les Docteurs Harry Tiebout, Kirby Collier et Foster Kennedy, se levèrent et nous accordèrent un merveilleux témoignage de reconnaissance. La Société alla plus loin. Elle publia ma conférence dans son journal et autorisa les A.A. à la reproduire. Plusieurs copies de cette brochure ont été, depuis, distribuées dans le monde entier, apportant aux médecins l'assurance que notre Mouvement est établi sur une base médicale solide.

En 1949, l'Association psychiatrique d'Amérique posa exactement le même geste. J'ai prononcé une conférence à l'occasion de leur réunion annuelle à Montréal. Cette fois, la tâche me semblait encore plus exigeante et je me demandais vraiment quoi dire. Je décidai de leur décrire l'expérience spirituelle telle que nous la comprenons chez les A.A. Alors que je poursuivais ma lecture, je n'étais pas certain que même un petit groupe de mes auditeurs partageait les opinions exprimées dans mon texte. À ma grande surprise, les applaudissements se prolongèrent. Il ne s'agissait pas alors d'un hommage à ma personne ou au contenu de ma conférence, mais plutôt d'un hommage aux Alcooliques anonymes et à ce mode de vie qui réussissait avec les alcooliques, alors que toutes les autres méthodes avaient échoué. Cet accueil généreux prouvait de façon évidente que nos amis les psychiatres avaient beaucoup plus de tolérance à notre égard que nous pouvions en avoir envers eux. Une plus grande ouverture d'esprit de notre part favoriserait une bien meilleure coopération avec les membres de cette profession.

L'association psychiatrique confirma l'opinion exprimée par ses membres à Montréal. Elle reproduisit ma conférence dans le *American Journal of Psychiatry* (le Journal américain de psychiatrie) et nous donna la permission de l'imprimer sous forme d'une brochure que nous avons appelée «La Maladie de l'Alcoolisme».[16]

Notre réputation auprès de la profession psychiatrique s'est encore grandement améliorée depuis cette date. Puis, les associations médicales de provinces ou de comtés commencèrent à inviter les A.A. à prendre la parole devant leurs membres. Ces écrits de caractère médical furent d'un grand secours à nos groupes des pays étrangers, en leur évitant des années de travail consacrées à convaincre les médecins de la qualité de notre Mouvement.

L'aspect médical de l'alcoolisme inclut le problème de l'hospitalisation. Là encore, la situation s'est nettement améliorée.

---

(16) Plus tard, cette brochure fut publiée sous le titre, «Trois causeries à des Sociétés médicales» et comprend aussi la conférence que Bill W. prononça devant la Société médicale de l'État de New York.

Plusieurs hôpitaux ont longtemps hésité à accepter des alcooliques. Les établissements administrés par l'État ou la Province exigeaient que les alcooliques y demeurent pendant de très longs stages. Il fut donc difficile, et il l'est encore, de persuader un hôpital général d'admettre les patients présentés par des A.A. pour de courts séjours et d'accorder aux parrains des privilèges particuliers pour les visites, en coopérations avec l'Intergroupe local.

Nous sommes maintenant heureux d'affirmer que cette situation est en train de changer très rapidement. Nos premières activités dans ce domaine, doublées de l'expérience que les Quartiers généraux ont su en faire, nous sont maintenant précieuses. Deux hôpitaux américains nous ont fourni des exemples éclatants de la coopération possible entre la profession médicale et le Mouvement des A.A. À l'Hôpital St-Thomas d'Akron, le Dr Bob, la charmante Sœur Ignatia et le personnel dirigèrent un service pour alcooliques où plusieurs milliers d'alcooliques avaient déjà été traités au moment de la mort du Dr Bob en 1950. Et, à partir de 1945, l'Hôpital Knickerbocker de New York organisa un service similaire sous la direction de notre premier ami parmi les médecins, le Dr William D. Silkworth, assisté avec beaucoup de dévouement et d'habilité par l'infirmière Teddy. En 1954, l'Intergroupe de New York avait déjà référé à l'Hôpital Knickerbocker 10,000 alcooliques qui, après un séjour dans ce service, se sont dirigés vers la liberté. Une hospitalisation adéquate demeurant une question importante pour les A.A., les Quartiers généraux continuent de diffuser à nos groupes du monde entier les fruits de ces expériences vécues, de leurs conséquences et de leurs progrès.

Durant ce temps, grâce à nos amis de la radio, de la presse et, récemment, de la télévision, un grand courant d'approbation publique nous favorisa et nous continue ses faveurs. Chaque mois, notre service des nouvelles dépose dans les albums des Quartiers généraux les articles publiés un peu partout. D'une façon régulière, des écrivains demandent à nos Quartiers généraux de vérifier leurs textes. On protège l'anonymat de nos membres lorsqu'ils prennent part à des émissions de la radio ou de la télévision. Pour le bureau des A.A., la préparation de la publicité constitue une activité d'une importance toujours grandissante. Combien de vies ont été sauvées et combien d'années de souffrance ont été épargnées aux alcooliques et à leurs familles grâce à ce travail incessant? Dieu seul le sait.

Pour préserver nos nombreux services salutaires, il nous fallait trouver plus d'espace pour notre bureau. En 1950, nous avons donc déménagé au 141 de la Quarante-Quatrième rue est, encore plus près du *Grand Central.* Aujourd'hui, ce bureau est administré par le président Hank, qui y travaille à temps partiel, et six excellentes secrétaires. Ces membres du personnel rémunéré sont bien secondés par des bénévoles spécialisés dans les domaines du droit, de la finance et des relations publiques. Pour l'administration courante, nous employons un personnel composé de douze employés de bureau préposés à la comptabilité, au classement, et à la sténographie, en plus des deux réceptionnistes en charge du bureau. Sur les murs, les visiteurs peuvent étudier les cartes indiquant l'expansion de notre Fraternité dans le monde. Une table expose la statuette d'une «Victoire ailée», symbole du trophée Lasker décerné aux A.A. en 1951 par l'Association américaine de la Santé publique.

Les bureaux du *Grapevine* occupent l'étage en dessous. C'est là que l'éditeur et ses assistants bénévoles rencontrent le gérant et ses aides pour préparer la publication mensuelle. Dans une salle du centre-ville, où les loyers sont moins élevés, les préposés à l'expédition s'occupent des 40,000 lecteurs du *Grapevine* et de leurs besoins.

À trois rues du bureau principal, nous disposons d'un entrepôt pour l'expédition de la littérature et du courrier. On y manipule, chaque mois, des tonnes de colis, grâce à nos six employés à plein temps. L'an dernier, ils expédièrent 40,000 livres et des centaines de mille brochures, dont plusieurs récemment éditées par les soins de Ralph, notre expert en brochures. Ils mirent à la poste 30,000 lettres ainsi que des bulletins, et procédèrent à la reproduction de milliers de documents.

Sur l'un des côtés de cette salle d'expédition, de nombreuses caisses de dossiers garnissent des étagères. Nous y trouvons tous les vieux documents des Quartiers généraux, depuis les jours de la rue Vesey. Ces caisses contenant l'histoire mondiale des A.A., sont prêtes à nous livrer leurs secrets, bien que cette recherche soit encore à ses débuts. À une extrémité de l'entrepôt, près des dossiers, dans un modeste bureau, notre libraire scrute l'histoire des Alcooliques anonymes. J'espère qu'à la suite de ce bref résumé nous pourrons un jour écrire l'histoire complète et détaillée de notre Fraternité. Grâce à ce travail de recherche, nous avons maintenant la certitude que les faits essentiels de la croissance et du développement de notre Mouvement ne seront jamais déformés. Le dépouillement de nos archives est maintenant commencé.

La description des services mondiaux de la Fraternité ne serait pas complète si nous ne mentionnions la contribution exceptionnelle de nos Syndics non-alcooliques. Durant toutes ces années, ils nous ont consacré une grande partie de leur temps et de leurs efforts. Leur sagesse nous a permis d'asseoir notre organisation financière sur une base solide; et fréquemment, à l'occasion de débats animés, ils ont empêché des décisions hâtives que nous, alcooliques impétueux, n'aurions pas manqué de prendre. Quelques-uns d'entre eux, tels M. Jack Alexander, M. Fulton Oursler, M. Leonard V. Harrison et M. Bernard B. Smith, ont largement contribué à notre cause dans leurs champs respectifs de la littérature, du service social, de la finance et de la loi. Depuis, d'autres Syndics ont suivi leur exemple: M. Frank Gulden, le Dr John Norris, M. Archibald Roosevelt et M. Ivan Underwood. Nous avons déjà décrit la contribution toute particulière de mon beau-frère, le Dr Leonard V. Strong, de M. Willard Richardson, de M. A. LeRoy Chipman et de M. Frank B. Amos. Un peu plus loin, nous insisterons sur le rôle prépondérant joué par M.

Leonard Harrison à titre de président de la *Foundation* durant la période mouvementée de notre adolescence.

La période de 1945 à 1950 fut remplie de tensions et de tâtonnements. Il nous fallait trouver des solutions à trois problèmes graves: la finance, l'anonymat et le plus délicat des trois, l'avenir de la Fraternité après le départ des pionniers et des fondateurs.

En 1945, nous avions déjà commencé à refuser les contributions de l'extérieur, lorsque se présenta une autre situation analogue. Des personnes riches, parfois membres des A.A., léguaient par testament d'impressionnantes sommes d'argent aux Alcooliques anonymes par l'intermédiaire de «*Alcoholic Foundation*». Un de ces legs s'ouvrit à un moment où les Quartiers généraux étaient aux prises avec des embarras financiers importants. Parfois, il nous manquait $2,000. par mois dans les contributions des groupes pour les dépenses du bureau et le déficit du *Grapevine* s'élevait à la moitié de ce montant. Nous nous posions alors la question: «Même si nous n'acceptons pas les dons de bienfaiteurs vivants, devrions-nous refuser ceux des défunts?» Après un long débat et un examen de conscience approfondi, les Syndics décidèrent de refuser toutes formes de legs, consolidant et cimentant de la sorte pour toujours notre Tradition d'auto-suffisance en matière d'argent. Cette décision des Syndics procura à tous les Alcooliques anonymes conscients un nouveau sentiment de sécurité et de soulagement. Nous venions d'éviter un grave péril.

La propension excessive que nous, alcooliques, avons à rechercher l'argent, le prestige et le pouvoir se manifesta clairement par des manquements à l'anonymat en public. Durant ces années 1945-1950, les conséquences de ces bris d'anonymat étaient d'autant plus dangereuses que leurs auteurs étaient de bonne foi. Ayant déjà manqué moi-même à l'anonymat, je pouvais comprendre leurs bonnes intentions. Parfois, ces membres n'utilisaient le nom des A.A. que pour une autre cause méritoire. En d'autres occasions, ils voulaient simplement admirer leur nom et leur photo dans le journal, toujours sous le prétexte de venir en aide au Mouvement. Ils croyaient réellement que s'ils étaient photographiés avec le Gouverneur ils rendraient service à la Fraternité. Nous avons alors réalisé que, si tous les assoiffés de pouvoir étaient libres d'agir à leur guise, notre Mouvement risquait de tragiques conséquences qui avaient déjà commencé à nous atteindre.

Les Quartiers généraux se mirent donc à l'œuvre, avec la plus grande délicatesse, ayant adressé une lettre de remontrance à chacun de ces violateurs et expliqué, dans un communiqué pour les gens de la presse parlée ou écrite, les raisons de notre anonymat en public. Grâce à la réaction des groupes et aux efforts des Quartiers généraux, en quelques années le nombre de ces violateurs se trouva réduit à quelques exceptions. Si l'on n'avait pas mis un frein à cette tendance, l'esprit même de notre Fraternité aurait été modifié, non sans préjudice pour son avenir.

En 1947, le Dr Bob fut atteint d'une maladie, qui, à notre avis, pouvait être fatale. Aux Quartiers généraux, cet événement nous fit réfléchir. Le lien principal entre les services mondiaux et la Fraternité elle-même avait toujours été le Dr Bob, notre personnel de secrétariat et moi-même. Nos membres connaissaient à peine notre dévoué Conseil des Syndics. Nous ne trouvions pas un membre sur mille capable de nommer la moitié de nos Syndics. Qu'adviendrait-il de nos Syndics et des Quartiers généraux, lorsque la mort ou l'invalidité frapperait les pionniers du Mouvement. Une seule erreur commise par les Syndics et les Quartiers généraux pourrait entraîner une irréparable perte de confiance. Privés de l'appui moral et financier des groupes, les Quartiers généraux s'effondreraient complètement. Et nos services auraient pu être à jamais compromis, parce que personne n'aurait eu l'autorité nécessaire pour les restaurer.

Il était devenu évident que notre Fraternité, d'envergure mondiale, n'avait pas le contrôle de son principal service. Toute l'autorité était détenue par les Syndics, à l'exclusion de la Fraternité elle-même. Le système des syndics s'était avéré la garantie idéale durant notre enfance et notre adolescence, mais pourrait-il à l'avenir continuer à fonctionner comme il l'avait fait jusqu'alors?

Cette situation n'avait cessé de m'inquiéter depuis la publication de nos Traditions en 1946. J'avais adressé plusieurs mémos aux Syndics à ce sujet. Nous en avions discuté souvent. Il avait d'abord été question d'un conseil consultatif dont les membres seraient choisis avec soin, ou d'une certaine forme de conférence élue. Mais, comme il n'y avait pas d'urgence, nous avons différé le règlement de cette situation. À cause de la maladie du Dr Bob, je commençais à réaliser l'acuité du problème. M. Bernard Smith et quelques autres étaient de mon avis.

Mais la majorité des syndics ne partageaient pas notre inquiétude. Ils craignaient que la création d'une conférence ou d'un conseil consultatif entraînerait de la politicaillerie et des dépenses inutiles. Puisque la *Foundation* avait bien réussi durant dix ans, pourquoi ne continuerait-elle pas son œuvre?

En véritable alcoolique, je devins surexcité au point que mon énervement transforma la résistance passive de mon entourage en une solide opposition. Un fossé se creusa entre les Syndics et moi; et avec le temps la situation s'aggrava. Avec raison, ils me reprochaient mon agressivité et ma violence continues. Alors que la tempête augmentait, mes mémos cinglants se multiplièrent. Un de ces messages contenait une proposition bizarre. À la suite d'un long plaidoyer en faveur d'une conférence élue et d'autres réformes, après leur avoir fait remarquer que les Syndics détenaient toute l'autorité, sans la moindre responsabilité envers qui que ce soit, même envers le Dr Bob et moi, je terminai mon mémo par cette cinglante déclaration: «Lorsque j'étais étudiant à la faculté de droit, le livre le plus volumineux que j'ai étudié concernait les trusts. Je dois vous dire, messieurs, que la plus grande partie de ce livre traitait de la malfaisance et de la nuisance des conseils de syndics». Je venais d'adresser cette insulte à mes meilleurs amis, à des personnes entièrement dévouées au service des A.A. et au mien. Je traversais, de toute évidence, une crise d'ivresse mentale de la pire espèce.

Ce message virulent faillit provoquer l'éclatement de la *Foundation.* Nos amis non-alcooliques étaient abasourdis. Mes collègues alcooliques, membres du Conseil, murmuraient tristement que je devenais fou. Et ils le crurent réellement lorsqu'en 1948 ils me virent quitter pour aller consulter les groupes sur la possibilité d'élire une conférence envers qui le Conseil des Syndics serait éventuellement responsable.

Peu de temps après mon départ, les Syndics alcooliques réunirent en conclave les pionniers d'Akron, New York et Cleveland pour décider de l'attitude à prendre en face de la situation et aussi à mon égard. Ils s'imaginaient que je profitais de ces voyages pour activer le débat et recruter des alliés. Fort heureusement, je n'en fis rien. Et le conclave des pionniers se montra très modéré. Ils se contentèrent de déclarer au Conseil que l'organisation existante était satisfaisante, qu'ils ne voyaient pas le besoin d'une conférence élue ou d'un conseil consultatif et qu'ils n'étaient aucunement en faveur des changements que je proposais.

Même si je n'avais pas soulevé systématiquement la question devant les groupes, j'avais la ferme conviction, lors de mon retour, qu'ils désiraient obtenir un droit de regard sur leurs propres affaires par l'intermédiaire d'une conférence élue. J'étais convaincu de cette réalité.

Au début de 1949, la santé du Dr Bob se détériorait. Au bureau, Bobbie tombait d'épuisement, tourmentée qu'elle était par cette querelle au sujet de la Conférence.

C'était la fin de la marée basse. Puis, la marée commença à monter. N'eut été de l'intervention de nos Syndics non-alcooliques, j'ai l'impression que nous ne serions jamais sortis de l'impasse. Au début de 1950, le conflit durait déjà depuis cinq ans. Deux hommes finalement sauvèrent la situation: M. Leonard Harrison et M. Bernard Smith. Même si M. Harrison ne voyait pas la nécessité d'une conférence élue, il a maintenu notre *Foundation* par sa constante diplomatie et son bon jugement, mais aussi grâce au respect et à l'affection qu'il s'était mérité de nous tous.

La majorité des Syndics non-alcooliques provenaient d'institutions. Mais Bernard Smith était un homme d'affaires et un avocat. Depuis son arrivée au Conseil trois ans plus tôt, il avait toujours prôné, comme structure ultime de nos services, l'incorporation du bureau des A.A. ainsi qu'une conférence élue siégeant avec les Syndics.

À ce moment critique, M. Harrison désigna Bernard Smith comme président du comité des Syndics, chargé d'étudier la conférence proposée. Étant donné les différences d'opinions de ces deux hommes, cette nomination constituait de la part de Leonard un geste tout à fait généreux et magnanime. Le souvenir de cette action ne manque jamais de m'inspirer.

Bernard Smith possède un don particulier pour la persuasion et la négociation. De plus, ses opinions sur la conférence avaient gagné beaucoup plus de partisans que nous ne l'avions cru. Lorsque les esprits se furent un peu calmés, il entreprit la tâche de convaincre ses collègues du comité. Après seulement deux réunions, il posa la question aux membres du comité: acceptons-nous cette Conférence de délégués, ou bien devons-nous l'oublier? À mon grand étonnement, tous les membres du comité répondirent à l'unanimité: «Faisons un essai de la Conférence». On aurait dit un miracle.

Juste avant cette décision cruciale, les Alcooliques anonymes avaient fait un pas de plus pour assurer leur unité et leur influence mondiales.

Notre premier congrès international eut lieu à Cleveland dans l'Ohio, durant l'été de 1950. Environ 3,000 membres y assistèrent. Les points culminants de cette rencontre furent sans contredit la dernière apparition publique du Dr Bob et l'acceptation par le Congrès de nos Douze Traditions comme la base permanente de notre unité et de notre fonctionnement.

La formulation détaillée de nos Douze Traditions, telle que

présentée en 1946, avait déjà été réduite à des déclarations concises dans le style de nos Douze Étapes de Rétablissement.

Cette suggestion très sage nous venait de Earl T., fondateur du groupe de Cleveland. Il me présenta cette idée chez moi, un certain jour de 1947. Durant toute une semaine, nous avons cherché à résumer le texte de la forme détaillée et le résultat de notre travail, sous forme de brouillon, ressemblait déjà aux Douze Traditions que nous connaissons maintenant. Après plusieurs mois de consultations et de corrections, le texte final était prêt. Le *Grapevine* commença à publier le nouveau texte des Traditions dans chacun de ses numéros et, de cette façon, les membres se familiarisèrent avec la nouvelle version. Au moment du Congrès de Cleveland, la Fraternité avait déjà compris et accepté les Traditions.

Durant ce Congrès, nous avions l'impression que le Dr Bob nous quitterait bientôt et que plusieurs pionniers le suivraient de près. Les vétérans se remplaçaient. Nous ne pourrions plus à l'avenir compter sur l'autorité et l'influence de nos pionniers pour assurer l'unité du Mouvement. Il nous faudrait donc recourir à des principes spirituels, comme ceux que nous trouvions dans les Douze Traditions.

Plusieurs conférenciers parlèrent des Douze Traditions durant le Congrès. J'en fis moi-même un résumé et je demandai à l'assemblée de leur accorder une approbation finale. Encore aujourd'hui, grâce à un enregistrement, nous pouvons entendre le consentement unanime des membres du Congrès. Une heure mémorable du mois de juillet 1950! Le Mouvement des Alcooliques anonymes venait d'avoir quinze ans; la Tradition, le second élément de notre héritage, était en sécurité.

Quelques semaines plus tard, je rencontrai le Dr Bob à Akron et je fus en mesure de lui annoncer la merveilleuse nouvelle: les Syndics consentiraient vraisemblablement à la formation de la Conférence des Services mondiaux. Cette évolution procurerait à nos services la même garantie que les Traditions assuraient à l'unité des A.A.

Mon message fut d'un grand soulagement au Dr Bob, mais il ne fit alors aucun commentaire. Bien que capable de se mouvoir, il était terriblement malade. Même si je savais que ma démarche serait pénible, je sentais l'urgence d'obtenir son consentement en faveur de la Conférence.

Je me souviens de lui avoir rappelé que notre inaction et notre silence constitueraient une certaine forme d'approbation. Si nous ne réagissions pas, ni l'un ni l'autre, devant la situation, tout le monde croirait que nous approuvions le présent état des choses. Et si plus tard les Quartiers généraux s'effondraient par faute de liens avec la Conférence, les Alcooliques anonymes pourraient dire avec raison: «Pourquoi le Dr Bob et Bill ne nous ont-ils pas prévenus? Pourquoi ne nous ont-ils pas donné la chance de nous occuper de nos propres affaires et d'établir nos propres politiques?» J'osai lui suggérer que nous devrions convoquer la Conférence, même si elle devait d'abord échouer. Les délégués du Mouvement pourraient se rendre à New York et observer les services mondiaux des A.A. Ils pourraient alors décider d'en accepter ou d'en refuser la responsabilité au nom du Mouvement tout entier au lieu de s'en remettre à une décision prise en silence par le Dr Bob et moi.

Il continua à réfléchir et j'attendis. Finalement, il leva la tête et me dit: «Il faut que ce soit la décision des A.A., pas la nôtre. Je suis d'accord; convoquons la Conférence».

Quelques heures plus tard, je prenais congé du Dr Bob, sachant qu'il devait subir une grave opération la semaine suivante. Nous n'osions pas, ni l'un ni l'autre, laisser libre cours à nos émotions. Nous savions fort bien, tous les deux, que nous venions probablement de prendre notre dernière décision ensemble. Je descendis l'escalier et me retournai. Bob se tenait dans l'encadrement de la porte, grand et droit comme jamais. Ses joues avaient repris un peu de couleur et il était soigneusement vêtu d'un complet gris. C'était mon partenaire, l'homme avec qui je n'avais jamais eu de mots amers. Il avait son bon vieux et large sourire quand il me dit, presqu'en plaisantant: «Souviens-toi, Bill, de ne pas laisser se gâter cette belle entreprise. Gardons-la simple!» Je me détournai, incapable de prononcer une parole. Je venais de le voir pour la dernière fois.

Aussitôt après mon retour à la maison, les Syndics approuvèrent le projet de la Conférence et m'autorisèrent à continuer le travail.

Le coût annuel d'une telle entreprise ne constituait pas un obstacle. Même si les dépenses pouvaient s'élever à $20,000 par année, ces déboursés ne représentaient qu'une contribution additionnelle d'un sou par membre et constituaient un bon investissement.

Mais comment pourrions effectuer l'élection des délégués sans tomber dans la politicaillerie dévastatrice et les querelles suscitées par la gloriole et l'émulation excessive? Combien de délégués nous faudrait-il et où les prendrions-nous? Lors de leur arrivée à New York, comment les mettre en contact avec le Conseil des Syndics? Comment définir leurs droits et leurs devoirs? Peu importe notre plan, il devait être assez solide pour réussir du premier coup. Nous ne pouvions pas nous permettre des erreurs susceptibles d'entraîner un fiasco.

C'est donc avec beaucoup de méfiance que je commençai la préparation d'un plan détaillé. Le personnel des Quartiers généraux et les Syndics me fournirent de merveilleuses suggestions. Helen B., une employée du bureau, possédait un véritable sens de l'organisation et connaissait tous les secrets de la diplomatie. Elle m'apporta une assistance inestimable.

Alors que la Conférence pourrait un jour élargir ses cadres à tous les pays, nous avons estimé que les premiers délégués devraient provenir seulement des États-Unis et du Canada. Chacun des États et chacune des Provinces seraient représentés par un délégué, avec cette entente que là où le nombre de membres était plus grand on pourrait ajouter un représentant additionnel. Pour assurer la continuité au sein de la Conférence, les délégués seraient répartis en deux groupes: l'élection du premier groupe se ferait en 1951 et celle du deuxième groupe l'année suivante. De cette façon, nous ne perdrions que la moitié des délégués à la fois et nous obtiendrions une rotation parmi les membres de la Conférence. Les élections auraient lieu dans les centres les plus populeux de chaque État ou de chaque Province. Mais, là encore, comment s'assurer que les représentants des groupes pourraient choisir leurs membres de comités et leurs délégués sans tomber dans la politicaillerie.

Connaissant fort bien, par expérience personnelle, les chicanes de groupes et les querelles des Intergroupes, nous étions sérieusement inquiets. C'est alors que nous avons eu une heureuse inspiration. Nous savions que, lors d'élections, plusieurs de nos problèmes découlaient des mises en nominations personnelles, qu'elles viennent des membres de l'assemblée ou d'un pseudo-comité «d'éminences grises». Une autre cause de friction découlait souvent d'élections très contestées qui avaient pour effet d'indisposer une importante minorité.

Nous avons donc décidé que les membres des comités seraient choisis par les assemblées de groupes, au vote secret, sans aucune mise en nomination personnelle. Mais nous anticipions la possibilité d'une certaine friction lors de l'élection du délégué. Comment réduire cette tension? Nous avons donc décidé que chaque délégué devait recueillir les deux-tiers des votes de son assemblée. Devant une telle majorité, la minorité ne pourrait pas se plaindre. Mais, supposons que la lutte demeure très serrée, sans que l'un ou l'autre des candidats ne puisse obtenir les deux-tiers des votes? Il nous fallait trouver un moyen pour pallier à une telle éventualité. Il serait toujours possible de déposer dans un chapeau les noms des candidats ayant obtenu le plus de votes et de procéder à un tirage au sort. Le gagnant de cette loterie deviendrait le délégué. Puisque les candidats dans la course étaient vraisemblablement de bons membres, nous avions de bonnes chances d'obtenir d'excellents délégués en suivant cette méthode. Toute cette théorie était pure imagination. Nous avions confiance qu'elle s'avère efficace dans la réalité, sans plus.

Il nous semblait logique que les délégués élus, réunis en conférence à New York, soient nantis d'une véritable autorité. Nous avons donc prévu dans l'ébauche de la charte de la Conférence une clause stipulant que tout vote aux deux-tiers des voix constituerait une directive ferme pour les Syndics. Toutefois, une décision par majorité simple aurait le poids d'une suggestion pressante. La force d'une telle suggestion venait du fait que, si les Syndics n'en tenaient pas compte, les délégués pourraient influencer les groupes et recommander une réduction des contributions aux Quartiers généraux. Selon le plan que nous proposions, la Conférence serait appelée à confirmer la nomination des Syndics proposés par le Conseil. De cette façon, la Conférence s'assurait un droit de regard sur le choix des Syndics.

Nous avons regroupé toutes ces idées et leurs applications pratiques, ainsi qu'une formule de financement pour ce nouvel organisme dans une brochure intitulée «Le troisième legs». Nous avons expédié 50,000 copies de ces documents aux groupes des A.A., leur demandant de constituer leurs Assemblées pour l'élection des membres de comités et des délégués.

Stimulé par l'approbation des Syndics et celle du Dr Bob, je parcourus le pays pour expliquer le plan du Troisième Legs, prenant la parole devant des assemblées considérables et assistant à l'élection des délébués dans plus de la moitié des États et des Provinces.

Je me souviens de la première fois que nous avons essayé notre plan à Boston. Avant la réunion, quelques-uns des vieux politiciens examinèrent soigneusement notre plan et déclarèrent d'une façon solennelle qu'il serait efficace. Leur verdict nous réconforta, d'autant plus que ces amis de Boston connaissaient les rouages de la politique mieux que quiconque. Ils se montrèrent partout très intéressés et se rendirent en grand nombre à l'assemblée générale où j'expliquai la Troisième Partie de notre Héritage. Lorsque les représentants des groupes de la région se réunirent pour élire les membres de comités et leur délégué, l'assemblée fut aussi calme qu'un réservoir de moulin. Une fois élus, les membres de comités furent invités à s'asseoir face à l'assemblée. Puis, les tours de scrutin se succédèrent sans qu'aucun des candidats ne puisse recueillir les deux-tiers des votes. Ayant déposé dans un chapeau les noms des élus au comité, l'on tira de ce récipient traditionnel le nom de l'heureux délégué. Tout le monde était ravi et nous savions que la bataille était gagnée. Dès ce moment, nous avions la conviction que le Mouvement des A.A. venait de sortir de la politique partisane pour entrer dans une ère de sain gouvernement.

Lors de la première Conférence des Services généraux en avril 1951, nous nous sommes rendus compte que les pionniers formaient le tiers de la délégation. Les autres délégués étaient des membres sobres depuis quatre jusqu'à huit ans. Et, nous étions particulièrement ravis que la plupart des délégués avaient été élus par une majorité des deux-tiers des votes, quelques-uns seulement ayant été choisis au sort.

Le premier jour, les délégués visitèrent nos Quartiers généraux, firent connaissance avec notre personnel et rencontrèrent les Syndics. Le soir, il y eut une soirée d'information sous le thème de «Qu'est-ce qui te tracasse?». Nous avons répondu à des questions traitant de tous les sujets. Les délégués commençaient à se sentir à l'aise. Leur compréhension et leur confiance nous ravissaient. Nous étions tous conscients de l'importance de l'événement. Nous savions qu'il s'agissait d'un moment historique.

Des sessions épuisantes se succédaient sans arrêt, le matin, l'après-midi et le soir. Les délégués étudièrent la situation financière et prirent connaissance des rapports du Conseil des Syndics et des responsables des services. Nous avons eu plusieurs débats ouverts et chaleureux sur plusieurs points du programme des A.A. Les Syndics sollicitèrent l'opinion de la Conférence sur leurs problèmes les plus graves. Avec diligence, les délégués apportèrent au personnel des Quartiers généraux des réponses à des questions que nous nous posions depuis longtemps. Même si leurs conseils contredisaient parfois nos propres opinions, nous réalisions qu'en général ils avaient raison. Ils prouvaient, comme jamais auparavant, la sagesse de la Deuxième Tradition des A.A. La conscience du groupe pouvait agir en toute sécurité comme l'autorité suprême et le guide indéfectible des Alcooliques anonymes. Alors que les délégués retournaient à la maison, ils emportaient cette profonde conviction avec eux.

Par exemple, lors de la première session, la Conférence avait suggéré que le nom de la «Alcoholic Foundation» soit changé en celui de «Conseil des Services généraux des Alcooliques anonymes». Mais les délégués prirent la question en délibéré. Il a fallu attendre encore deux ans d'étude sérieuse pour qu'ils acceptent le changement. Dans leur esprit le mot «Foundation» évoquait l'idée de charité, de paternalisme et peut-être aussi de haute finance. Ce qui avait été bon dans notre enfance ne le serait plus à l'âge adulte.

Alors que la Conférence des Services généraux poursuivait allègrement sa période expérimentale de cinq ans, la Fraternité des A.A. et les Quartiers généraux entrèrent dans une époque de progrès et de consolidation. Les malaises inhérents à notre jeunesse en Amérique étaient disparus, de sorte que nous n'avons ressenti aucune nervosité lorsqu'ils apparurent dans les pays d'outremer.

Cette situation réconfortante se refléta aux réunions de nos Syndics et dans le travail quotidien des Quartiers généraux. La structure des Services était maintenant complète. La coopération amicale et le travail efficace remplacèrent la crainte, l'indécision et les violentes discussions du début. Le Conseil fut élargi et de nouveaux membres, alcooliques et non-alcooliques, se mirent au service des Syndics. Au sein de la nouvelle Conférence, la voix de la conscience des A.A. du monde entier commençait à se faire entendre. Nous étions convaincus que nous pouvions nous y fier. Pour la première fois de notre histoire, nous avions l'impression de savoir ce que nous faisions et où nous allions.

Durant cette paisible période de progrès, la mort frappa deux autres de nos vieux amis, Oncle Dick Richardson et Silky. Comme Anne et le Dr Bob, ils moururent tous les deux heureux et confiants que la Fraternité se trouvait en sécurité et sur le bon chemin. Par leurs services de pionniers et leur amour, Willard W. Richardson et D. Silkworth nous léguèrent un héritage inoubliable.

Un autre événement digne de mention marqua cette période tranquille: la publication en 1953 du livre, Les Douze Étapes et Les Douze Traditions des A.A. Ce petit manuel explique en détail et avec grand soin vingt-quatre principes fondamentaux des A.A. et leurs applications.

Avec l'aide de mon équipe, Betty L. et Tom P., j'avais commencé à travailler sur ce projet au début de 1952. Nous avions communiqué la dernière ébauche à plusieurs de nos amis du monde médical et du clergé, ainsi qu'à un bon nombre des pionniers des A.A. Les dernières vérifications furent effectuées par nul autre que Jack Alexander qui signa également l'avant-propos. Nous avons imprimé nous-mêmes les copies destinées à nos membres, alors que notre bon ami Gene Exman de la Maison Harper nous offrait des conditions avantageuses pour le publier et le distribuer dans les librairies.

L'accueil réservé à ce livre dépassa toutes nos espérances. En 1957, environ 50,000 copies sont en circulation. Selon l'opinion générale, ce manuel permet de mieux saisir le sens de nos Douze Étapes tout en nous aidant à les mettre en pratique dans notre vie quotidienne, et il nous donne une meilleure compréhension de nos Douze Traditions dont l'usage de plus en plus répandue assure la vie de notre Fraternité tout entière.

Ce nouveau livre nous annonçait de façon non équivoque que le Mouvement des A.A. allait bientôt devenir adulte. Nous qui avons travaillé dans les Services de la Fraternité, nous rappellerons toujours ces années de consolidation et de promesses comme les plus belles de notre vie.

Alors que l'année 1955 pointait à l'horizon, nous avions l'assurance que le Mouvement des Alcooliques anonymes était en sécurité et que son avenir était assuré.

Ici, à St-Louis, tout le monde sait que nous venons de publier la deuxième édition du livre, «*Alcoholics Anonymous*», déjà familier à plusieurs d'entre vous. Aujourd'hui, pour le vingtième anniversaire de la Fraternité, il convient que cette nouvelle édition, longuement murie, puisse répondre aux besoins de l'avenir. Si nous avons augmenté la section des récits personnels, nous avons laissé intact l'ancien texte du livre qui vous est déjà familier. La nouvelle édition contient une étude très intéressante sur les vingt-huit pionniers qui nous avaient raconté leur histoire en 1939. Nous découvrons que parmi les vingt-trois qui se sont rétablis de leur alcoolisme, quinze n'ont jamais connu la rechute. Chez ces vétérans, le nombre des années de sobriété s'étend de quinze à dix-neuf ans. Quelle inspiration pour nous tous! Ces chiffres démontrent, comme notre Mouvement le prétend, que presque tout alcoolique qui demeure fidèle à la pratique des principes des A.A. est assuré à trois contre un de demeurer sobre pour le reste de ses jours.

Et maintenant, un mot de conclusion. J'ai pratiquement consacré les quinze dernières années de ma vie à l'édification des Quartiers généraux des Services de la Fraternité. Mon cœur est encore là et continuera à y être. Je ne puis mieux exprimer l'importance que j'attache à nos services mondiaux.

Je ne pourrais trouver les mots pour exprimer ma gratitude envers mes collaborateurs, eux qui ont réellement fait le travail. Toute ma reconnaissance s'adresse à vous qui avez consacré à cet organisme du service mondial votre attention et votre support indéfectibles. Lois et moi désirons également exprimer notre gratitude toute particulière aux 300,000 personnes qui ont acheté le livre, «Alcoholics Anonymous». Comme vous l'avez vu, les revenus du Gros Livre ont rendu possible l'organisation de nos Quartiers généraux. Mais ce Gros Livre a fait beaucoup plus encore. Les droits d'auteur nous ont procuré à Lois et à moi un foyer où nous avons reçu 3,000 d'entre vous.

Lois et moi sommes maintenant arrivés à l'automne de la vie. Dans votre intérêt et le nôtre, nous croyons que nous ne devrions plus maintenir les activités épuisantes du passé. Nous pensons être arrivés à une saison de méditation sur tout ce qui s'est produit. Nous pouvons peut-être nous consacrer à rédiger un plus grand nombre des expériences merveilleuses du Mouvement afin de les préserver pour l'avenir. Il nous faut aussi poursuivre notre cheminement personnel. Après avoir enseigné à l'école de la spiritualité des A.A., nous réalisons que des milliers de nos disciples en ont fait, beaucoup mieux que nous, une application personnelle. Il est donc grand temps que nous essayions de les rattraper.

Évidemment, je regrette de ne pouvoir continuer à vous servir aux Quartiers généraux. Mais je me réjouis en constatant que le Mouvement des Alcooliques anonymes est devenu adulte et que, par l'entremise de sa formidable Conférence des Services et par la grâce de Dieu, il peut assumer la direction de ses propres affaires.

EXTRAIT DE LA CHARTE DE LA CONFÉRENCE...

La Conférence des Services généraux devra observer, dans toutes ses activités, l'esprit des Traditions des A.A., prenant particulièrement soin de ne pas devenir le siège d'une opulence ou d'une puissance dangereuses. Elle verra à se pouvoir, par une politique financière prudente, de fonds suffisants pour ses opérations, ainsi que d'une confortable réserve; à ne permettre qu'aucun membre de la Conférence puisse être placé dans une fausse position d'autorité par rapport à un autre membre; à prendre toutes les décisions importantes à la suite de discussions et d'un vote, autant que possible, unanime; à éviter qu'une décision de la Conférence tende à punir une personne ou à provoquer une controverse publique; à ne jamais agir en gouvernement, même si la Conférence peut promouvoir les intérêts des Alcooliques anonymes; à demeurer elle-même toujours démocratique en pensées et en actions, comme la Fraternité des Alcooliques anonymes que la Conférence est appelée à servir.

III

Dimanche après-midi, 16:00 heures

LE présent chapitre décrit les faits saillants du Congrès de Saint-Louis et l'aboutissement des vingt années du Mouvement des Alcooliques anonymes.

Les délégués de la Conférence des Services généraux des Alcooliques anonymes ont pris place sur l'estrade de l'amphithéâtre. Bernard Smith, le président du Conseil des Syndics, présente Bill qui fait lecture de la résolution par laquelle lui-même et les pionniers des A.A. remettent le pouvoir qu'ils détenaient depuis vingt ans entre les mains des représentants élus.

Cette cérémonie est suivie des discours de clôture de Lois et de Bill, marquant ainsi la fin d'une époque et les début d'une ère nouvelle, alors que désormais le Mouvement des A.A. assumera l'entière responsabilité de ses opérations.

BERNARD SMITH: Je déclare ouverte la présente session de la cinquième Assemblée annuelle de la Conférence des Services généraux. Durant les quatre derniers jours, nous avons étudié toutes les questions inscrites à notre ordre du jour, sauf une. Il nous reste à adopter la résolution autorisant la Conférence des Services généraux à représenter les Alcooliques anonymes et à succéder ainsi aux co-fondateurs. Selon les concepts des A.A. et dans un véritable esprit d'humilité, seule cette Conférence a le pouvoir d'adopter cette résolution, à la condition expresse que les membres des A.A. réunis dans cette assemblée l'aient préalablement acceptée. Je propose donc que Bill fasse lecture de cette proposition, que le Congrès procède à son adoption en présence de la Conférence et que, par la suite, la Conférence, en conformité avec ses principes et ses traditions, entérine la résolution du Congrès. La Conférence demeurera en session et ajournera au moment même où le Congrès ajournera. Maintenant, Bill, aurais-tu la gentillesse de nous lire cette résolution et de recevoir le vote du Congrès, pour que la Conférence puisse se prononcer.

Bill : Nous sommes sur le point de prendre une décision capitale. Nous vivons présentement une des heures les plus solennelles dans l'histoire de notre Fraternité, alors que nous nous préparons à établir de façon permanente les structures fondamentales de notre Mouvement.

Nous, les A.A., nous vantons parfois des vertus de notre Fraternité. Nous devons nous rappeler que peu d'entre elles sont des vertus librement choisies. Nous avons, d'abord, été contraints de les pratiquer, sous les coups de fouet cruels de l'alcoolisme. Nous avons finalement adopté ces attitudes, ces pratiques et cette structure, non pas parce que nous le désirions, mais parce que nous le devions. Puis, comme le temps confirmait la solidité apparente de nos principes de base, nous avons commencé à nous y conformer parce qu'il était avantageux de le faire. Certains d'entre nous, et j'en étais, ne s'y sont pliés qu'avec réticence. Mais, à la fin, nous avons atteint ce stage où, aujourd'hui dans ce lieu, nous sommes désireux de nous conformer, de bonne grâce et de façon permanente, aux principes que l'expérience nous a enseignés, par la grâce de Dieu.

Quelques-uns peuvent penser que nos structures sont uniques au monde. Ce n'est pas tout à fait juste. Nos principes de rétablissement ainsi que nos structures ont été empruntés. Chez les A.A., nous retrouvons certains moyens par lesquels des hommes et des femmes, à travers les siècles, ont tenté de cimenter leur unité, mais chacune de ces formules d'association comporte ses avantages et ses inconvénients.

Lorsque nous venons aux A.A. pour la première fois, nous y constatons une liberté personnelle plus grande que dans toute autre association, sans subir nous-mêmes aucune contrainte. En ce sens, notre Fraternité est une sorte d'anarchie. Le mot anarchie a une mauvaise signification pour la plupart d'entre nous, sans doute parce que, il y a bien longtemps, les partisans de ce système déposèrent des bombes à Chicago. Mais je pense que le gentil prince russe qui, le premier, défendit fermement cette idée, croyait que si on accordait simplement aux humains une liberté absolue, sans les forcer à obéir à qui que ce soit, ils s'associeraient volontairement pour servir leur intérêt commun. Les A.A. forment, toute proportion gardée, une société de ce genre.

Cette sorte d'association entre nous est formidable, merveilleuse, libre et joyeuse. Jusqu'ici tout va bien. Mais nous avons découvert que ce n'était pas suffisant. Pour agir, pour fonctionner comme groupe, il nous a fallu devenir une démocratie. Pour remplacer les plus anciens, nous avons commencé à élire, par vote majoritaire, ceux en qui nous avions confiance pour nous servir. En ce sens, chaque groupe devint une assemblée démocratique ordinaire.

Lorsque nous avons commencé à établir nos services mondiaux, nous nous en sommes constitués, le Dr Bob, moi-même et quelques pionniers, dépositaires et gardiens. Nous avions décidé nous-mêmes d'établir ces services. Sans exagération et avec tout le respect que je leur dois, je dirais que notre organisation d'alors me faisait penser à un pape à deux têtes avec son collège de cardinaux. Comme structure, nous avions créé une hiérarchie de services.

Mais nous avons réalisé qu'une telle hiérarchie ne pouvait pas fonctionner seule indéfiniment, qu'elle devait se rattacher au grand courant de démocratie autour d'elle. La Conférence des Services généraux est sur le point d'établir en permanence le lien si longtemps attendu entre notre Fraternité et le Conseil des Syndics. Mais notre Conférence sera beaucoup plus qu'un lien; elle représentera la conscience des A.A. du monde entier et c'est à elle que nos Syndics deviendront directement responsables.

Chez les A.A., il existe aussi une autre forme d'association, qui soulève des doutes dans l'esprit de notre monde moderne. Pourtant, cette forme de gouvernement possède aussi ses avantages, surtout pour nous les Alcooliques anonymes. Je veux parler de la dictature. Dans le Mouvement, nous connaissons deux dictateurs et ils nous aident tous les deux à grandir. Le premier se nomme alcool et il est toujours à la portée de notre main. L'autre est notre Père céleste et Il dirige les destinées de l'humanité. Dieu nous dit: «Cherche ma volonté et fais-la». L'alcool, lui, dit à chacun de nous: «Fais la volonté de Dieu ou bien je te tue».

Il n'existe peut-être pas beaucoup de sociétés qui ont emprunté à un si grand nombre d'associations humaines. Mais, d'une façon très évidente, nous nous sommes inspirés de l'anarchie, de la démocratie, de la dictature, de la hiérarchie et de la république. Nous espérons avoir esquivé les inconvénients de ces systèmes pour ne retenir que leurs avantages.

Je me joins à vos prières pour que la résolution que nous allons maintenant adopter soit l'expression de la volonté de Dieu. Je vais maintenant vous la présenter et vous demander un vote à main levée. Si vous acceptez, si votre conscience vous dit: «Au meilleur de ma connaissance et en toute bonne foi, cette résolution me convient», alors votre Conférence des Services généraux, réunie au centre de cette salle, ratifiera votre choix pour la vie tout entière de notre Fraternité.

Voici la résolution:

Nous, membres du Congrès du Vingtième Anniversiare des Alcooliques anonymes, ici réunis à St-Louis, en juillet 1955, proclamons notre croyance à l'effet que notre Fraternité est devenue adulte et qu'elle est maintenant prête à prendre possession entière et permanente des Trois Legs de l'Héritage des A.A., à savoir, les Legs du Rétablissement, de l'Unité et des Services.

Nous croyons que la Conférence des Services généraux des Alcooliques anonymes, telle que constituée par nos co-fondateurs Dr Bob S. et Bill W., et autorisée par les Syndics de la Foundation alcoolique, est maintenant devenue capable d'assumer la garde des Douze Traditions des A.A., et de prendre la direction et le contrôle des Services mondiaux de notre Fraternité, conformément au Manuel du Troisième Legs des Services mondiaux, récemment révisé par notre co-fondateur survivant Bill W. et le Conseil des Services généraux des Alcooliques anonymes.

Nous avons aussi entendu et approuvons la résolution lue par Bill W., à l'effet que la Conférence des Services généraux des A.A. devrait maintenant assumer la succession permanente des fondateurs du Mouvement des Alcooliques anonymes, héritant de toutes leurs charges antérieures et leurs responsabilités spéciales, évitant ainsi pour l'avenir toute recherche de prestige individuel et de pouvoir personnel, en vue d'assurer à notre Fraternité les moyens d'opérer sur une base permanente.

Il est en conséquence résolu que la Conférence des Services généraux des Alcooliques anonymes devienne, à compter de ce jour, le 3 juillet 1955, le gardien des Traditions des Alcooliques anonymes, le distributeur des Services mondiaux de notre Fraternité, la voix de la conscience de groupe du Mouvement tout entier et le successeur unique de ses fondateurs, Docteur Bob et Bill.

Et il est entendu que ni les Douze Traditions des Alcooliques anonymes, ni les garanties de l'Article XII de la Charte de la Conférence ne pourront être modifiées ou amendées par la Conférence des Services généraux sans qu'on ait d'abord sollicité le consentement des groupes des A.A., enregistrés dans le monde entier. L'avis proposant un tel amendement devrait être valablement signifié à ces groupes qui auraient un délai de six mois pour délibérer. Et, avant toute décision de la Conférence, les groupes enregistrés devraient s'être prononcés, dans le délai alloué, par écrit, dans la proportion des trois-quarts des réponses reçues, sur la proposition d'amendement.

Il est de plus entendu par nous que, conformément à l'Article XII de la Charte de la Conférence, la Conférence s'engage envers la Fraternité des Alcooliques anonymes de la façon suivante, à savoir:

que la Conférence des Services généraux s'inspire, dans toutes ses activités, de l'esprit des Traditions des A.A., prenant bien soin que la Conférence ne devienne jamais le siège d'une fortune ou d'une puissance dangereuses;

Que, par une politique financière prudente, elle s'assure de fonds suffisants pour ses opérations et d'une réserve confortable;

Qu'aucun membre de la Conférence ne puisse être placé dans une fausse position d'autorité par rapport à un autre membre;

Que toutes les décisions importantes soient prises à la suite de discussions et d'un vote unanime, si possible;

Qu'une décision de la Conférence ne tende jamais à punir une personne ou à provoquer une controverse publique;

Que, même si la Conférence peut agir dans l'intérêt des Alcooliques anonymes et diriger, selon la tradition, les Services mondiaux, elle ne devrait jamais décréter des lois ou règlements liant la Fraternité entière, un groupe des A.A. ou un membre des A.A., ni poser aucun acte de gouvernement;

Et que, tout comme la Fraternité des Alcooliques anonymes qu'elle sert, la Conférence devra toujours demeurer démocratique en pensée et en action.

BERNARD SMITH: Membres de la Conférence, vous venez d'entendre la résolution autorisant la Conférence des Services généraux à agir au nom des Alcooliques anonymes et à devenir le successeur de ses co-fondateurs, telle qu'approuvée par la Fraternité des Alcooliques anonymes réunis en congrès ce troisième jour de juillet. Je demande maintenant une proposition afin que la résolution, telle que lue par Bill et approuvée par ce Congrès, soit adoptée par cette Conférence et inscrite aux minutes de cette assemblée. Est-ce que quelqu'un s'en fait le proposeur? (Quelqu'un propose.) Est-ce que quelqu'un appuie? (Quelqu'un appuie.) Que tous ceux qui sont en faveur disent: «Aye». (La proposition fut acceptée à l'unanimité.)

BERNARD SMITH: Dans la vie des hommes qui ont exercé une grande influence sur l'humanité, nous retrouvons souvent une femme remarquable, une épouse ou une associée qui les a inspirés et les a soutenus de son dévouement aux heures de triomphe et d'épreuve, leur apportant un support sans lequel ils n'auraient jamais pu jouer leur rôle. Lois, l'épouse de Bill, non seulement représente à nos yeux une telle femme, mais elle est aussi pour nous tous le symbole des épouses des A.A.

LOIS: Bon après-midi à tous. Je veux vous exprimer à vous tous ma profonde gratitude pour ce grandiose événement et vous remercier pour l'occasion que vous m'offrez de partager avec vous, de ce partage qui confère au Mouvement des A.A. sa grandeur indéniable. Durant ces vingt dernières années, et encore aujourd'hui dans ce Congrès impressionnant, non seulement avez-vous été une inspiration pour moi et des milliers d'autres, mais vous nous avez donné la preuve que le bien peut vaincre le mal. Vous nous avez démontré qu'un être humain peut changer sa vie, peu importe la bassesse et l'ignominie dont elle fut entachée, et que des hommes et des femmes peuvent, par la grâce de Dieu, trouver une nouvelle raison de devenir des forces constructives et utiles. Je crois que tous ces miracles ont été possibles parce que les principes des A.A. coïncident avec les plus grands préceptes que nous connaissons et les lois fondamentales de l'univers. Ces principes nous enseignent à lâcher prise pour que Dieu puisse agir par nous.

Je suis particulièrement reconnaissante au Mouvement des A.A. de m'avoir montré à moi-même, ainsi qu'à tous les conjoints des A.A., le chemin d'une vie plus utile. Dès le début, l'exemple des A.A. nous a incités à adopter nous-mêmes le mode de vie des Douze Étapes et nous a poussés à aider d'autres personnes, aussi frustrées et isolées que nous, à en faire autant.

Durant les dix dernières années, le nombre de conjoints d'alcooliques, ressentant le même besoin, a tellement augmenté qu'il a été possible de nous regrouper afin de mieux résoudre nos problèmes de peur et d'insécurité, et de partager notre expérience avec d'autres personnes qui recherchaient notre aide. Les groupes familiaux Al-Anon constituent une réponse spontanée à un besoin vital. Chez les Al-Anon, nous suivons un mode de vie semblable à celui des A.A. Nous admettons que nous sommes impuissants devant l'alcool. Nous essayons de nous détacher de vos problèmes. Nous essayons de ne plus régenter et de ne plus importuner, reconnaissant que vous avez le droit de conduire votre barque tout comme nous avons le droit de mener la nôtre. Nous essayons de nous évaluer et d'admettre devant un autre être humain aussi bien que devant Dieu la nature exacte de nos torts. Nous faisons amende honorable à ceux que nous avons lésés. Nous cherchons par la prière et la méditation à améliorer notre contact conscient avec Dieu tel que nous Le concevons et nous tentons de transmettre ce message à d'autres. Et nous essayons de mettre en pratique dans tous les domaines de notre vie les mêmes principes qui vous ont tant aidés. Notre effort semble produire des fruits aussi riches pour vous, les alcooliques, que pour nous. En conséquence, plusieurs foyers déchirés sont devenus des oasis de sérénité, d'unité et de joie.

Comme Bill vous le rappelait hier, lors de la Convention internationale des A.A. à Cleveland en 1950, nous comptions cent groupes Al-Anon. Nous formons maintenant près de sept cents groupes sur le continent américain et nous sommes implantés dans dix pays d'Europe. Nous espérons que notre croissance se mesure non seulement en quantité mais aussi en qualité. Nous sommes fiers de participer à ce Congrès et nous sommes assurés que les bénéfices seront immenses pour le membre des A.A. aussi bien que pour sa famille.

Nous vous remercions, membres des A.A., de nous offrir cette merveilleuse occasion de transmettre votre message, que nous avons fait nôtre.

BERNARD SMITH: Et maintenant, en cette fin d'après-midi mémorable, il n'y a qu'une personne qualifiée pour clôturer cette assemblée. Un jour, notre génération et toutes les générations à venir réaliseront qu'elles ont contracté envers le Dr Bob et Bill une dette aussi importante que celle de vous tous ici présents en ce dimanche après-midi. Je ne puis m'empêcher de penser à ces innombrables vies humaines gaspillées et à tous ces décès causées par l'alcoolisme au cours des siècles, tout simplement parce que ces gens n'ont pas eu le privilège de rencontrer un dénommé Bill. Nous, membres de ce Congrès, remercions la Providence de nous avoir accordé la faveur de le connaître et de le compter parmi nous. Le voici.

BILL: Je suppose que quelques-uns d'entre vous se demandent: «Est-ce que cet événement mémorable modifie le statut de Lois et de Bill par rapport à nous?» La réponse à cette question est à la fois affirmative et négative. Examinons la question.

N'est-il pas vrai que la plupart d'entre nous ont été des victimes de relations boiteuses avec nos parents? Je ne veux en ce moment blâmer qui que ce soit. Mais, pour la plupart des alcooliques que nous sommes, n'est-il pas vrai que nos parents ont dans certains cas abdiqué trop vite leurs responsabilités, nous accordant de façon prématurée une liberté que nous n'étions pas prêts à assumer, ou bien nous ont trop longtemps couvés, nous empêchant ainsi de devenir adultes? Et, dans le mariage, n'avons-nous pas forcé nos conjoints à jouer le rôle d'un père ou d'une mère? Ces fausses relations parentales paralysaient toujours notre croissance et empêchaient toujours une saine collaboration. À un certain moment donné, il incombe donc aux parents de dire: «Voilà l'expérience familiale que nous avons vécue. C'est ton héritage. Il t'appartient de le faire fructifier ou de le gaspiller. Prends-le. Va à la rencontre de la vie. Nous demeurerons disponibles. Nous t'aiderons à franchir les passages difficiles. Mais, te voilà autonome. Nous ne pouvons plus agir pour toi, décider pour toi et te servir de bouclier. Nous pouvons seulement t'aimer de tout notre cœur. Le reste repose entre les mains de Dieu et les tiennes». Lorsque les parents échouent dans cette démarche, ils préparent inévitablement la semence du malheur.

Ainsi, Lois et moi, ainsi que plusieurs pionniers du Mouvement, désirons éviter le prolongement indu de notre mandat. Nous y pensions déjà en 1948, alors que le Dr Bob et moi vous demandions dans un article publié dans le *Grapevine*: «Pourquoi ne pouvons-nous pas devenir membres des A.A.?» Eh bien, aujourd'hui, nous devenons membres des A.A.

Je crois qu'au moment où les enfants ont non seulement grandi sur le plan physique mais atteint l'âge de la maturité leur permettant d'assumer leurs responsabilités, il est souhaitable que les parents leur accordent, en même temps qu'une tape dans le dos, quelques recommandations.

Les trois magnifiques journées que nous venons de vivre ensemble ont atteint leur apogée et nous en sommes à la tombée du rideau. Nous devons nous faire nos adieux et retourner à nos tâches respectives. Dès maintenant, nous savons que notre bien-aimée Fraternité des A.A. est capable d'accepter, avec joie et confiance, tout ce que la volonté de Dieu nous réserve. Je ne crois pas qu'il se trouve parmi nous une seule personne capable de croire que notre Fraternité conservera indéfiniment sa structure actuelle. Nous pouvons seulement espérer que les changements futurs procureront des bienfaits encore meilleurs aux victimes de l'alcoolisme; que les leçons et les exemples tirés de notre expérience pourront, dans une certaine mesure, apporter réconfort et confiance à l'humanité souffrante et confuse autour de nous, à ce monde dans lequel nous avons le privilège de vivre des moments excitants et difficiles, à ce siècle qui n'échappera à la ruine que par un renouveau spirituel.

Au cours des années à venir, la Fraternité des A.A. va certainement commettre des erreurs. L'expérience nous a enseigné que nous ne devons pas nous en effrayer, à condition de continuer à admettre volontiers nos erreurs et à les corriger promptement. Notre croissance individuelle dépend de ce processus très sain d'essai et d'erreur. Il en est de même pour notre Fraternité. Rappelons-nous toujours que toute société d'hommes et de femmes, qui n'accepte pas, de plein gré, de corriger ses erreurs, se dégrade ou disparaît complètement. Telle est la sanction universelle qui frappe les ennemis du progrès. Comme tout membre des A.A. doit continuer de faire son inventaire moral et d'agir en conséquence, ainsi en est-il pour notre Fraternité si nous voulons survivre et servir adéquatement.

J'ai grandement confiance que nous ne nous enliserons jamais de façon prolongée dans une erreur fatale. Et pourtant, nous en serions capables, pauvres êtres humains que nous sommes. Nous ne serons jamais trop prudents ni trop vigilants à ce sujet durant les années futures de la Fraternité. Si le Mouvement des A.A., comme entité, n'a jamais connu de problèmes graves, n'ayons pas la présomption de croire que la chose ne pourrait jamais se produire. Si nous devions jamais nous trouver dans une telle éventualité, je suis certain que ce serait à cause de l'orgueil et de la colère, les deux défauts les plus destructeurs des alcooliques.

Comme société, nous ne devons jamais devenir assez imbus de nous-mêmes pour prétendre que nous sommes les créateurs et fondateurs d'une nouvelle religion. Nous proclamerons, avec humilité, que nous avons puisé chacun des principes du Mouvement des A.A. à des sources anciennes. Nous nous rappellerons que nous sommes des profanes, désireux de coopérer avec toute personne de bonne foi, peu importe sa religion ou sa nationalité.(1)

De plus, ce serait pure vanité de prétendre que le Mouvement des A.A. peur guérir tous les maux, même ceux de l'alcoolisme. Nous devons nous rappeler notre dette envers le monde médical. Nous devons nous montrer sympathiques et réceptifs envers les nouveaux développements médicaux et psychiatriques, susceptibles de venir en aide aux personnes malades. Nous devons toujours entretenir des relations amicales avec les organismes œuvrant dans les domaines de la recherche sur l'alcoolisme, la réhabilitation et l'éducation. Nous n'endosserons aucune de ces organisations, leur manifestant simplement notre volonté de coopérer avec elles dans la mesure du possible. Rappelons-nous constamment que les membres du clergé sont les experts en religion, qu'en médecine ce sont les médecins et que nous, les alcooliques rétablis, sommes leurs assistants.

Certaines personnes prédisent que le Mouvement des A.A. pourrait devenir le fer de lance d'un renouveau spirituel dans le monde entier. Lorsqu'ils parlent ainsi, ces admirateurs sont à la fois généreux et sincères. Mais nous, membres des A.A.,

---

(1) Parlant au nom du Dr Bob et en mon nom personnel, j'aimerais vous assurer que nous n'avons jamais eu la moindre idée de fonder une nouvelle religion. Tout comme moi, Dr Bob possédait certaines convictions religieuses, privilège indiscutable de chaque membre des A.A.
Cependant, rien ne pourrait être plus néfaste pour l'avenir du Mouvement que la tentation d'inclure nos convictions religieuses personnelles dans l'enseignement, la pratique ou la tradition de la Fraternité. Je suis assuré que si le Dr Bob était encore parmi nous, il m'approuverait de ne jamais être trop prudent sur ce sujet.

devons réaliser qu'une telle louange et une telle prophétie pourraient bien avoir, pour la plupart d'entre nous, le même effet qu'une boisson capiteuse, c'est-à-dire, nous faire croire que cette croisade universelle constitue notre principal objectif et nous pousse à vivre selon ce principe. C'est pourquoi, notre Fraternité restera fidèlement attachée à son seul objectif: transmettre le message à l'alcoolique qui souffre encore. Résistons à l'orgueilleuse présomption de croire que, Dieu nous ayant permis de réussir dans un domaine, nous avons la mission de sauver le monde entier par Sa grâce.

Par ailleurs, que les A.A. ne deviennent jamais une société fermée. Ne refusons jamais notre expérience, peu importe sa valeur, au monde qui nous entoure: que nos membres, de façon individuelle, s'intéressent à tout effort humain, qu'ils transmettent l'expérience et l'esprit des A.A. dans tous les domaines, quel que soit le bien qu'ils puissent y accomplir. Car, si Dieu nous a délivrés de l'alcoolisme, le monde nous a de nouveau accueillis comme citoyens. Et avec notre goût du paradoxe, nous devons réaliser que plus la Fraternité des Alcooliques anonymes dans son ensemble poursuivra son propre objectif et s'occupera de ses propres affaires, plus son influence sera considérable, moins elle rencontrera d'opposition, plus elle jouira de la confiance et du respect de la société.

Après avoir examiné les périls de l'orgueil, voyons brièvement comment la colère, même la sainte colère, peut nous nuire. Je présume que les A.A. se disputeront toujours entre eux, particulièrement, sur la façon de faire le plus grand bien au plus grand nombre d'alcooliques. Nous aurons nos prises de bec, comme des enfants, sur des sujets mineurs, tels que le financement ou le choix du prochain comité pour le semestre à venir. N'importe quel groupe d'enfants en pleine croissance (et c'est ce que nous sommes) n'en feraient pas moins s'ils sont normaux. Ce sont là nos maladies de croissance et elles nous font progresser. C'est un exercice salutaire que de surmonter de tels problèmes, à la rude école de la vie que constitue le Mouvement des A.A.

Mais, il existe cependant des domaines où la colère et la discorde peuvent causer notre perte. Nous le savons parce que nous avons observé ce phénomène dans des sociétés beaucoup mieux structurées que la nôtre. En fait, notre monde moderne se détruit comme jamais auparavant à cause de querelles religieuses ou politiques et parce que les hommes sont aveuglés par la poursuite de la richesse, de la gloire et du pouvoir, indépendamment des conséquences néfastes pour les autres et pour eux-mêmes. Ces politiques destructives sont inspirées par le besoin de se justifier soi-même, et dans toutes leurs manifestations désastreuses elles sont éperonnées d'abord par une juste indignation, puis par une colère irraisonnée et finalement par une rage aveugle.

Avec la plus profonde gratitude, je peux dire que nous n'avons encore jamais eu à déplorer de telles épreuves chez les A.A. Durant ces vingt merveilleuses années, nous n'avons jamais été le foyer de dissensions religieuses ou politiques. Très peu de membres ont essayé d'exploiter le Mouvement pour en tirer richesse, gloire ou pouvoir personnel. Nous avons connu des problèmes sérieux, mais nous avons toujours été en mesure de les résoudre. Notre Fraternité n'a jamais été divisée ou mutilée par une querelle grave. Mais, encore une fois, nous n'avons aucun mérite à cela. Alors que nous abusions de l'alcool, nous avons trop souffert de l'orgueil et de la colère pour en oublier les effets aujourd'hui. Les douleurs de ces jours sombres ont été à l'origine de cette sagesse qui nous inspira les Douze Traditions des A.A. Par conséquent, j'ai confiance que ces forces du mal ne nous gouverneront plus. Nous sommes prêts à payer le prix de la paix. Nous accepterons tous les sacrifices nécessaires pour préserver l'unité des Alcooliques anonymes. Et nous agirons ainsi, parce que nous avons appris à aimer Dieu et à nous aimer les uns les autres.

Ces réunions doivent se terminer, tout comme elles ont commencé sous le thème de la reconnaissance. Nous remercions notre Père céleste qui nous a permis, avec l'aide de tant d'amis, grâce à tant de voies et moyens, de construire ce magnifique édifice spirituel que nous habitons. Il semble évident qu'Il nous a inspirés de construire cette cathédrale dont les fondations reposent déjà sur les quatre coins de la terre. Deux cent mille membres des A.A. foulent en paix son vaste parquet sur lequel nous avons depuis longtemps inscrit nos Douze Étapes de Rétablissement. Les plus anciens d'entre nous ont vu s'élever les murs latéraux de ce temple, comme ils ont été témoins de la mise en place progressive des piliers que sont les Traditions des A.A. pour nous assurer l'unité et la survivance aussi longtemps que Dieu le voudra. Et maintenant, des cœurs ardents et des mains agiles ont construit la flèche de cette cathédrale. Cette flèche s'appelle Service. Puisse-t-elle toujours pointer droit au ciel vers Dieu.

IV

Témoignages des médecins

Sans ses amis médecins, le Mouvement des Alcooliques anonymes n'aurait peut-être jamais vu le jour. C'est en effet grâce à la profession médicale que nous, les Alcooliques anonymes, avons découvert l'aspect physique et émotif de notre maladie. Aujourd'hui, des milliers de médecins à travers le monde travaillent en étroite collaboration avec nous.

Dans ce chapitre, nous vous présentons deux de ces amis médecins, qui nous ont librement donné leur plus cordial appui, lors de la célébration du vingtième anniversaire des A.A., à Saint-Louis au mois de juillet 1955.

Nous reproduisons ici le procès-verbal de la session spéciale durant laquelle un groupe de médecins prirent la parole lors de ce Congrès. La première allocution fut présentée par le Dr W.W. Bauer, de l'Association médicale américaine. Il fut suivi du Dr Harry M. Tiebout, notre premier ami chez les psychiatres. Ces deux médecins nous ont donné leur impression sur le Mouvement des Alcooliques anonymes; ils nous ont dit comment ils collaborent avec nous et comment notre Fraternité a influencé leur propre façon de penser et de pratiquer leur profession. Le Dr Clarence P., membre des A.A., présidait la séance.

DR. CLARENCE P., PRÉSIDENT: Originaire d'une petite ville de 9,000 habitants, brusquement transplanté dans ce gigantesque auditorium, je me sens écrasé. Et je me sens aussi un peu confus parmi tous ces personnages éminents qui nous entourent ce matin.

Vous m'avez grandement honoré en me fournissant l'opportunité d'agir comme votre président. Nous essaierons de modérer cette séance un peu comme une réunion médicale. Supprimant toutes formalités, nous abordons immédiatement notre sujet: La Médecine et les A.A.

D'abord, ce matin, nous avons parmi nous le plus formidable des Alcooliques anonymes, un membre qui dans son humilité a refusé d'accepter un doctorat en loi. Cette décision m'apparaît d'une grande noblesse. Je n'ajouterai qu'un mot: merci, mon Dieu de l'avoir placé sur notre route et de nous avoir permis de le connaître. Il n'existe pas de mots pour décrire nos sentiments envers Bill.

BILL: Je sais que vous êtes tous conscients de la portée inestimable de cette réunion, parce que nous y traiterons de nos relations avec les représentants de la médecine. Nous pouvons comparer notre Mouvement à un temple supporté par trois piliers: la religion, la médecine, et notre expérience personnelle en tant que victimes de l'alcoolisme. La médecine, dans son aspect le plus vaste, comprend la connaissance de l'esprit et de son influence sur le corps, aussi bien que les effets d'une maladie physique sur l'esprit. Ce matin, en la personne de nos deux distingués invités, le Dr Bauer et le Dr Tiebout, nous avons en ces deux experts un spécialiste dans chacune de ces deux sphères.

Si les A.A. en venaient à croire qu'ils détiennent le monopole du traitement de l'alcoolisme, ce serait un bien triste jour pour le Mouvement. Je crois que nous nous devons d'encourager toutes les recherches dans ce domaine, qu'elles concernent l'esprit ou le corps. Comme individus, nous devrions nous associer souvent à de telles initiatives.

Nous, alcooliques, sommes des champions dans l'art de trouver des excuses et des justifications. Il appartient aux psychiatres de déceler les causes profondes de notre comportement. Malgré notre ignorance en psychiatrie, nous nous rendons compte, peu de temps après notre arrivée chez les A.A., que nos motivations n'ont pas été bien identifiées et que nous avons agi sous l'impulsion de forces jusqu'alors ignorées. C'est pourquoi, nous devrions examiner, avec le plus grand respect, intérêt et profit, l'exemple que nous donne la psychiatrie, nous rappelant que, jusqu'à ce jour, les psychiatres ont été beaucoup plus tolérants à notre égard que nous ne l'avons été à leur endroit. Nous les remercions donc pour l'appui et l'amitié inébranlables qu'ils nous ont accordés dans presque tous les milieux de la profession. Quant au praticien général ou au spécialiste dans la chimie du corps humain, nous devrions aussi, en tant qu'individus, tirer profit de ses découvertes, même si, comme Mouvement, nous ne devons jamais nous immiscer dans le domaine de la médecine. Laissons la pratique de la médecine aux médecins et l'enseignement de la religion aux membres du clergé. Quant à nous, remplissons modestement notre rôle et rendons plus puissant notre maillon, celui qui manquait autrefois. Et remercions Dieu de nous avoir donné des gens comme le Dr Bauer et le Dr Tiebout.

Le président: Je me suis permis de modifier le rôle que le programme de ce matin me confie. J'ai eu le plaisir de rencontrer le docteur Earle M. de San Francisco. Même si je ne l'avais jamais vu avant aujourd'hui, j'avais déjà échangé de la correspondance avec lui et j'ai l'impression de le connaître depuis de nombreuses années. Le priant d'agir comme co-président, je l'invite à présenter notre prochain conférencier. Voici le Dr Earle M.

Dr Earle M.: Mes chers confrères, membres des Alcooliques anonymes, et distingués invités. Mes remarques seront brèves. Nous sommes très privilégiés d'avoir avec nous un médecin de la compétence de celui que nous allons entendre. Il occupe un poste extrêmement élevé dans l'Association médicale américaine. De plus, c'est un ami qui nous porte, vous et moi, très près de son cœur. Nous ne pourrions trouver un meilleur allié que le prochain conférencier pour confirmer et raffermir une amitié déjà grandissante entre les A.A. et la profession médicale. C'est pour moi un vif plaisir et un grand honneur de vous présenter mon patron et notre ami à tous, le Dr W.W. Bauer.

DOCTEUR W.W. BAUER: Merci, docteur, de votre aimable présentation. Je tiens à vous assurer que je ne suis le patron de personne. Je ne suis qu'un employé de l'Association médicale américaine ou, peut-être devrais-je dire, un interprète ambulant de cette association. Je crois que mon statut au sein de cet organisme fut très bien défini, un jour, durant une réunion annuelle à Atlantic City, lorsque quelqu'un me demanda à quel hôtel je séjournais. Je lui mentionnai le nom de l'hôtel et il me dit: «Ah! vous ne demeurez pas à tel hôtel, là où résident les têtes, mais là où sont les épaules!»

En ma qualité de porte-parole itinérant, je me suis adressé à d'innombrables auditoires. Il n'y a pas si longtemps, un de mes collègues me faisait remarquer que j'avais déjà prononcé plus de mille conférences, tout un témoignage en faveur de la tolérance du peuple américain. Habituellement, je me sens tout à fait à l'aise en présence d'un auditoire. Mais, il y a environ un an, alors que j'assistais à San Francisco à une réunion de l'A.M.A., j'ai reçu l'invitation d'adresser la parole à une réunion ouverte des A.A. dans le centre-ville. Et je dois vous avouer que je n'ai jamais été aussi tourmenté de toute ma vie à la pensée de m'adresser à un auditoire formé de membres des A.A. parce que je ne trouvais aucune bonne raison de prononcer une conférence devant vous.

Je me suis alors souvenu de ce jeune curé de l'Église épiscopale à laquelle j'appartenais. Il venait d'être sacré évêque, ce qui était évidemment un grand événement dans la vie d'un jeune ministre épiscopalien. Après la cérémonie solennelle de consécration, il y eut un banquet où la table d'honneur dominait au point que tous les occupants pouvaient voir le nouvel évêque.

On lui rendit de nombreux et touchants hommages, et quand son tour vint de prendre la parole, il dit: «Je me sens comme le buveur un peu éméché qui, par un beau clair de lune, s'aventura jusqu'au milieu d'un pont, et apercevant le reflet de la lune sur la surface de l'eau, hocha la tête et s'exclama: 'Comment, diable, ai-je pu me hisser jusque là?»

Cette fois-ci, je ne me sens pas du tout aussi craintif, parce que mon premier auditoire chez les A.A. s'est avéré semblable aux autres. Ils se montrèrent gentils et indulgents pour le conférencier; ils l'écoutèrent avec courtoisie et poussèrent la gentillesse jusqu'à lui dire, après son allocution, qu'ils avaient bien apprécié son discours. Mais la raison pour laquelle je suis beaucoup plus à l'aise aujourd'hui, c'est à cause de l'incident que vécut ma femme ce soir là, après l'assemblée. Nous nous sommes retrouvés, mon épouse et moi, avec les organisateurs, avec d'autres A.A. et, sans doute, avec des invités. Pendant que nous causions, un monsieur s'étant approché fut présenté au groupe. Lorsqu'il aperçut mon épouse, il la fixa du regard et lui dit: «Où étais-tu donc passée? Il y a bien deux ans qu'on ne t'a pas vue dans une de nos réunions». La question était d'autant plus amusante que mon épouse ne prend jamais d'alcool.

Mes relations avec les A.A. datent du temps où je collaborais à la réalisation d'une émission radiophonique hebdomadaire pour le réseau N.B.C. J'avais alors le privilège de travailler sous la direction d'un de vos membres de la région de Chicago. À partir de ce moment, j'ai commencé à comprendre un peu la nature de votre Mouvement. Évidemment, une personne comme moi ne peut jamais le comprendre parfaitement. Je ne suis pas un psychiatre; par conséquent, ma connaissance pratique n'est que celle d'un omnipraticien. Je ne suis pas non plus membre des A.A.; je n'ai donc pas votre bagage d'expériences vécues, et je suis tout à fait sérieux quand je déclare que je me sens très petit devant un groupe de personnes comme vous.

Le mieux que je puisse faire est d'essayer de vous exprimer le sentiment de la profession médicale, un sentiment qui a continuellement progressé à travers toute la vie de votre Mouvement et qui s'est maintenant crystallisé, à l'effet que le Mouvement des A.A. détient une grande et importante partie des réponses que nous avons sur le problème de l'alcoolisme.

Nous savons évidemment que l'alcoolique est une personne malade. C'est là une phrase bien simple, une phrase aujourd'hui très répandue et généralement acceptée. Cependant, vous et moi savons fort bien qu'il n'y a pas si longtemps on considérait l'alcoolique comme une nuisance, un fléau, une personne qui pourrait s'en sortir si elle le voulait réellement. L'alcoolique était considéré comme un enfant gâté et un bon à rien. Aujourd'hui, nous savons que c'est un malade, d'une maladie qui touche à un domaine où nos connaissances médicales sont peut-être les plus limitées, c'est-à-dire la maladie des émotions.

Aujourd'hui, nous sommes à peu près dans la même position à l'égard des maladies émotives que nous l'étions il y a cinquante ans vis-à-vis la tuberculose. Mon expérience ne se reporte pas aussi loin dans le passé. Il y a seulement trente-neuf ans que j'ai quitté l'école de médecine. Mais je sais, par la lecture de documents de l'époque, que les gens persistaient à penser que la tuberculose, une maladie infectieuse qui s'attaque à d'innocentes victimes, était une disgrâce. Souvent les familles cachaient le tuberculeux de la même façon qu'elles essaient aujourd'hui de camoufler l'alcoolique. Je me souviens très bien, et je pense que tous les médecins ici présents se souviennent, du temps où nous avions la même attitude envers le cancer. On considérait alors le cancer comme un fléau, une flétrissure, quelque chose qu'on devait cacher, parce qu'il affectait la réputation de la famille. Aujourd'hui, nous savons que le cancer est un malheur et nous commençons maintenant à réaliser que nous devons adopter la même attitude envers les maladies mentales et émotionnelles que celle que nous avons lentement et péniblement adoptée envers la tuberculose et le cancer. La maladie des émotions n'est pas plus honteuse que tout autre maladie du corps. Nous ne devrions pas éprouver plus d'hésitation à consulter un psychiatre, lorsque ces précieux spécialistes sont disponibles, que nous en éprouvons à consulter un orthopédiste lorsque nous avons mal à un pied.

Les attitudes sont tellement importantes. On attribue à une ancienne vedette de cinéma la boutade suivante: «Si je dis que j'ai mal au pied, tout le monde sympathise avec moi; mais si je dis que mon pied me fait mourir, tout le monde rigole». Tout est dans l'attitude. Nous devons apprendre à consulter un psychiatre avec les mêmes dispositions que lorsque nous consultons tout autre spécialiste, sans aucun sentiment de honte, sans penser au stigmate. Les médecins sont contraints d'utiliser certaines expressions que nous devons apprendre à comprendre, à accepter et à adopter.

Nous, médecins, devons apprendre en médecine, et le public aussi, les énormes différences qui existent entre les gens. Cette différence se manifeste, par exemple, dans la résistance. Certaines personnes se fatiguent plus facilement que d'autres. Certaines gens sont victimes d'infection plus facilement que d'autres à cause de leurs réactions chimiques. Il y a aussi, comme vous le savez, des différences marquées dans l'intelligence des gens, comme il en existe dans la stabilité des émotions. Certaines personnes peuvent «le prendre» mieux que d'autres. Le fait d'être capable «d'en prendre» est généralement considéré comme une vertu, non sans raison; elle est un atout pour celui qui la possède. Le courage est aussi une belle qualité. Et, pourtant, lorsque nous avons posé la question suivante à des soldats et à des chefs militaires: «Aviez-vous peur au combat?», s'ils étaient honnêtes, ils répondaient habituellement: «Certainement que j'avais peur au combat. Ce serait de la démence de ne pas avoir peur, car c'est dangereux la guerre».

Nous devons apprendre, nous aussi, qu'il existe pour nous des situations de combat où nous devons avoir peur et où certains d'entre nous auront plus peur que d'autres. Dans mon cas, je n'ai aucun mérite à ne pas être tenté par l'alcool. J'ai mes propres tentations: le tabac en est une, la nourriture une autre; et il y a tout autant d'intempérance pour nous à céder à ces tentations qu'il y en a pour vous et pour beaucoup d'autres à capituler devant l'attrait de l'alcool.

Nous, de la profession médicale, apprécions donc notre association avec vous. Nous avons besoin de collaborer mutuellement pour résoudre le problème de l'alcoolisme. Dans votre cheminement, vous avez découvert des solutions identiques à celles que la médecine a trouvées dans le traitement de l'alcoolisme. Comme vous, par exemple, nous avons appris l'efficacité de la thérapie de groupe dans beaucoup de situations. Je suppose que les premières utilisations de la thérapie de groupe en médecine, du moins en médecine moderne, furent les classes pour mamans enceintes, alors que des futures mères se réunissaient pour mieux comprendre leur condition, les gestes à poser et la raison de certaines attitudes.

L'idée fit son chemin et un médecin très courageux, abondamment ridiculisé par ses confrères, décida que l'homme n'avait aucune raison valable pour s'abstenir de préparer la formule du bébé et changer les couches. Nous avons donc eu des classes pour futurs papas. Puis, nous avons découvert que la thérapie de groupe était un merveilleux outil dans le domaine de la santé mentale et émotive. Dans certains de nos établissements pour maladies mentales, on utilise les procédés du théâtre, les jeux de rôles, permettant aux gens d'exprimer leur hostilité latente, sinon d'une façon constructive, du moins d'une manière inoffensive.

Nous avons même appliqué la thérapie de groupe à une autre de nos grandes tentations, la nourriture. On a suggéré la création de groupes «d'obèses anonymes», ou quelque chose du genre. Je ne voudrais pas que l'on paraphrase trop souvent les A.A., surtout dans des domaines moins importants. Mais le fait demeure que les personnes souffrant d'embonpoint peuvent s'astreindre à une diète beaucoup plus facilement en groupe qu'en solitaires. J'ai remarqué qu'un de vos bulletins traite du membre isolé. Je m'imagine facilement combien plus difficile doit être la thérapie pour un membre isolé que pour le membre d'un groupe, parce que le membre isolé ne bénéficie pas du support et de la sympathie des autres membres qui connaissent le problème.

En médecine, nous avons appris beaucoup de choses sur la façon de traiter l'aspect physique de l'alcoolisme. Nous avons fait des découvertes au sujet de l'alimentation, de l'importance d'une diète bien équilibrée, des vitamines et des minéraux. Nous ne considérons pas ces éléments comme des remèdes à l'alcoolisme, et nous ne croyons plus qu'un manque de vitamines peut causer l'alcoolisme; ces propositions seraient beaucoup trop simples. Mais nous savons que ces éléments sont nécessaires au traitement physique et au rétablissement de l'alcoolique. Nous savons également que diverses méthodes de désintoxication et certaines thérapies ont échoué. Elles ne suffisent pas par elles-mêmes et doivent être complétées.

Nous savons également l'échec des exhortations religieuses et des recommandations des personnes qui n'ont aucune compréhension du problème, qui le simplifient à outrance, qui considèrent l'alcoolique comme un perpétuel assoiffé d'alcool et qui ne savent pas qu'un très grand nombre d'alcooliques détestent l'alcool plus que du poison dans leurs moments de sobriété, parce qu'ils savent justement que c'est un poison.

Nous avons aussi appris la futilité des promesses à longs termes, qui sont tellement difficiles à respecter. Toutes ces leçons, c'est vous plus que tout autre mouvement que je connaisse qui nous les avez enseignées. Je compte un grand nombre d'amis chez les A.A., peut-être même plus que je ne le crois, parce que certains de mes amis ne m'ont pas avoué qu'ils sont membres. Je me souviens qu'après certaines de nos émissions de radio les gens m'arrêtaient sur la rue, dans la banlieue de Chicago où je demeure, des gens que je connaissais depuis des années et qui m'exprimaient leur gratitude pour l'émission. Au début, la démarche de ces personnes m'étonnait, mais avec le temps j'ai cessé de m'étonner parce que je constatais l'efficacité de votre travail. J'ai connu un homme d'un grand talent, un ami très cher, un expert dans le domaine de la création, que je n'identifierai pas davantage parce que vous pourriez facilement l'identifier, un homme qui frisait presque le génie. J'ai vu l'alcool se frayer un chemin insidieux dans sa carrière, dans ses relations avec sa famille et ses enfants, dans sa condition sociale. J'ai vu comment sa femme essayait de le protéger; je l'ai vue nous décrivant les fréquentes maladies de son époux, maladies que nous avons finalement considérées comme telles, même si elles étaient différentes de ce qu'elle voulait nous faire croire. J'ai vu cet homme tout près de perdre son emploi; je l'ai vu perdre son emploi; et je l'ai vu aussi capituler. Je l'ai vu, les mains tendues vers le ciel, lâcher prise en disant: «Je ne peux réussir tout seul. J'ai besoin d'aide». Et, grâce à l'aide spirituelle qu'il reçut de son pasteur et des A.A., j'ai vu cet homme regagner un poste de commande dans sa profession, un homme aujourd'hui aussi sobre et au regard aussi brillant que n'importe qui dans cette salle. J'ai confiance qu'il va demeurer sobre. Ce cas n'en est qu'un parmi tant d'autres dont j'ai été témoin et que d'autres médecins ont pu constater.

Nous réalisons, de plus en plus, que vos principes d'acceptation, d'humilité, d'abandon à une puissance divine, de sobriété quotidienne et, par dessus tout, d'anonymat, nous donnent l'assurance qu'aucun de vos membres se rendra célèbre par ses activités de leader dans la Fraternité. Ces principes sont d'une importance capitale. Vous qui connaissez, qui avez expérimenté les méfaits de l'alcool dans vos vies, vous travaillez en groupes et individuellement, attirant l'attention, plus que jamais, sur le problème de l'alcoolisme. Nous avons besoin de ce rappel dans notre monde dominé par la peur.

L'alcoolisme est une évasion. Mais de quoi s'évade-t-on? On cherche à fuir des moments intolérables dans sa propre vie, alors que le monde entier est plongé aujourd'hui dans une situation insupportable. La croissance de l'alcoolisme ne doit donc pas nous étonner, particulièrement dans un contexte social où les occasions de consommer de l'alcool sont omniprésentes. Je présume que ce congrès est sans doute le seul qui exclut l'alcool, à l'exception peut-être des congrès à caractère strictement religieux, même si dans ces derniers cas on peut avoir des doutes. Je me demande si vous êtes les bienvenus dans les villes à congrès. Vous n'êtes certainement pas de bons clients pour les bars.

Les gens qui, dans mon enfance, méprisaient ceux qui prenaient un verre servent maintenant le cocktail social à la maison. Nos enfants grandissent dans un environnement tout à fait alcoolique. Dans tous les média d'information: panneaux-réclames, radio, télévision, annonces de toutes sortes, on vante les mérites de l'alcool. Réunissez ces deux mondes, celui qui est dominé par la peur et celui qui est fasciné par l'alcool, et vous saisissez l'urgence de révéler à la société la vraie nature de l'alcoolisme: une maladie profonde des émotions, qui doit être traitée selon les principes psychosomatiques atteignant à la fois le corps et l'esprit. De nos jours, on parle beaucoup de psychosomatique; mais laissez-moi vous dire qu'à travers les âges tout médecin digne de ce nom a pratiqué la médecine psychosomatique.

Sir William Osler disait: «Il est moins important de connaître la maladie du patient que de connaître le patient atteint de cette maladie». Voilà une des leçons que vous, les A.A., nous avez enseignée.

C'est pourquoi vous me voyez aujourd'hui tout reconnaissant de votre aimable invitation. Je suis venu en toute humilité vous dire mon admiration pour votre œuvre et l'espoir de la profession médicale que vos réalisations deviendront encore plus importantes et plus significatives avec les années, parce que vous avez mis le pied dans les sentiers qui mènent vers les sommets; vous avez tendu et tendez encore une main secourable vers ceux qui en ont besoin.

Je ne suis pas un psychiatre, mais je vous dis avec certitude, comme je l'ai déjà dit à des milliers de patients, que le bien dont nous avons le plus besoin de nos jours s'appelle la tranquilité d'esprit. On lui a donné différents noms. Des livres très populaires ont été écrits sur le sujet. Les uns l'appellent la puissance de la pensée positive, d'autres la paix de l'esprit, d'autres enfin la paix de l'âme: mais je suis enclin à croire comme Billy Graham qu'il s'agit de la paix avec Dieu. Voilà ce dont nous avons besoin. Et, un mouvement comme le vôtre, dans un monde follement matérialisé, nous redonne le courage de croire qu'il y a encore de l'espoir, qu'il existe encore de l'idéalisme et que nous parviendrons à surmonter un grand nombre de nos problèmes, dont l'alcoolisme est l'un des plus graves.

Le président: Étant moi-même homme de tous les métiers et maître d'aucun, c'est-à-dire un omnipraticien, je fais partie de l'Académie américaine de la pratique générale, qui a son siège social ici même à Saint-Louis. (Je n'ai pu résister à la tentation de passer ce petit commercial!)

À ses débuts, le Mouvement des A.A. fut judicieusement guidé par trois médecins. Bill a parlé du Dr Silkworth. Nous connaissons tous le Dr Tiebout et j'aimerais maintenant attirer votre attention sur l'un de nos confrères, le Dr G. Kirby Collier de l'État de New York. C'est lui qui orchestra la visite de Bill W. à l'Association américaine de Psychiatrie, pour lui permettre de prononcer sa fameuse causerie, «Comment la médecine voit les Alcooliques anonymes». Cette causerie marqua un point tournant dans l'histoire de la médecine. C'est pourquoi, j'aimerais, en ce moment, honorer d'une façon spéciale la mémoire du Dr G. Kirby Collier qui nous a quittés il y a environ un an. Les docteurs Silkworth, Tiebout et Collier furent des travailleurs infatigables dans les premières années de notre Mouvement et nous ne leur témoignerons jamais trop notre reconnaissance.

Notre prochain conférencier est, dans mon opinion, un médecin éminent. En premier lieu, il est docteur en médecine et en second lieu il a poursuivi ses études dans la spécialité de la psychiatrie. Il a écrit de nombreux articles des plus enrichissants et j'aimerais attirer votre attention sur son plus récent, «Les facteurs de l'égo dans la capitulation de l'alcoolique». Convaincus qu'il s'agit de l'un des meilleurs articles de ces dernières années, nous l'avons fait réimprimer et distribué aux membres de nos groupes de Rochester. D'autant plus que nous, les alcooliques, nous identifions bien à cet égo si justement décrit par le Dr Tiebout.

Il me fait donc grandement plaisir de vous présenter, l'ami de vieille date de Bill, un grand ami des A.A., un éminent médecin, un homme de science, un chercheur, le docteur Harry Tiebout de Greenwich au Connecticut.

LE DOCTEUR TIEBOUT: Normalement, je devrais remercier la personne qui m'a présenté pour ses remarques flatteuses à mon égard, mais depuis de nombreuses années j'ai enseigné la nécessité de diminuer l'égo, et je ne suis pas certain que le mien a subi une diminution par cette présentation.

Quand j'ai reçu l'invitation d'adresser la parole à ce groupe, j'ai immédiatement dit: «Oui, je veux y aller». Depuis plusieurs années, comme vous le savez tous, j'ai été associé au Mouvement des A.A., et toutes les expériences que j'avais vécues me sont soudainement revenues à l'esprit; j'en avais tellement à dire que je ne savais trop où commencer. Avec votre permission, je me servirai d'un texte, pour ne pas oublier les sujets que je tiens à traiter.

Habituellement, dans une réunion des A.A., le conférencier s'identifie comme alcoolique et raconte son histoire personnelle, souvent farcie de sagesse ou d'humour, et parfois des deux. Je vais aussi vous raconter mon histoire, même si je ne suis pas certain de rivaliser d'esprit avec vos membres.

C'est par procuration qu'en 1939 j'ai rallié votre Mouvement, quand un de mes patients devint membre de votre groupe de New York. Je me souviens très bien de ma première réunion.

Nous étions tous tendus, surexcités. Le Mouvement des A.A. allait en ondes pour la première fois. Un des membres, en voie de rétablissement, s'était confié à Gabriel Heatter. En entendant son histoire, Heatter lui avait suggéré de se présenter comme membre des A.A. au programme radiophonique «We The People» (Nous, les gens). Nous étions au soir de sa participation qui suscitait beaucoup trop d'émotions pour réduire la réunion à une assemblée régulière. En fait, l'événement fut plutôt décevant. Le membre des A.A. se contenta de raconter ses expériences, sans plus. Cependant, le Mouvement des A.A. venait de faire son premier pas vers la notoriété, sûrement pas une enjambée de géant, mais un des nombreux pas qui l'ont finalement conduit à sa situation présente sur la scène nationale et internationale.

Par la suite, j'ai assisté à d'autres réunions, de caractère plus orthodoxe et plus régulier, et j'en suis venu à développer la conviction que ce groupement avait découvert une méthode qui apportait une solution au problème de l'usage excessif de l'alcool. D'une façon, elle était aussi une réponse à mes prières. Après m'être buté pendant des années contre le problème du traitement de l'alcoolique, je pouvais enfin commencer à espérer.

En ce sens, mes deux ou trois premières années de relations avec les A.A. furent les plus excitantes de toute ma carrière professionnelle. Le Mouvement vivait alors sa phase miraculeuse. Tout ce qui survenait nous apparaissait étrange et merveilleux. Des ivrognes incorrigibles étaient sortis du marasme. Des alcooliques qui avaient eu recours, sans succès, à toutes les méthodes alors connues réagissaient positivement à cette approche nouvelle. L'intégration dans un tel groupe, même par procuration, était une expérience électrisante.

En outre, sur le plan médical, une avenue complètement nouvelle dans le traitement de l'alcoolisme venait de s'ouvrir devant nous. La clef de la sobriété se cachait quelque part dans expérience des A.A. Pour la première fois, après de nombreuses années d'efforts infructueux, nous avions trouvé un indice authentique. Nous pouvions entrevoir des possibilités merveilleuses. Je pourrais peut-être, en étudiant le fonctionnement des A.A., comprendre comment les gens arrêtent de boire. Oui, j'ai partagé l'enthousiasme général de cette période. Je pouvais voir la lumière poindre devant nous.

À cet égard, mon avenir m'apparaissait dorénavant clair. J'essaierais de découvrir la clef du succès des A.A. Mais je n'aurais pas eu beaucoup de succès dans ce voyage d'exploration, n'eût été de Bill et de plusieurs autres pionniers. L'étude des Douze Étapes m'aida quelque peu, mais je puisai beaucoup plus dans cette profonde connaissance que Bill et les autres avaient du processus par lequel le Mouvement des A.A. produisait ses résultats.

J'ai entendu parler du besoin d'atteindre le fond, de la nécessité d'accepter une Puissance supérieure, de l'obligation d'acquérir l'humilité. Ces idées n'avaient jamais traversé mon horizon professionnel et n'avaient certainement jamais influencé ni ma façon de penser ni mes attitudes en dehors de ma profession. Malgré leur aspect révolutionnaire, ces idées étaient tout à fait logiques et je me suis vu tout à coup lancé à la poursuite de découvertes.

Je commençai à mieux comprendre le sens de l'expression «toucher son bas-fond» et je me mis à susciter cette expérience chez d'autres individus, me demandant continuellement ce que chaque personne ressentait intérieurement lorsqu'elle subissait la crise du bas-fond.

Enfin, dame chance me sourit de nouveau, cette fois par l'intermédiaire d'une autre patiente. Depuis quelques temps, elle recevait mes nouveaux traitements de psychothérapie, destinés à la mener vers son «bas-fond». Pour des raisons complètement inconnues, elle fit l'expérience d'une conversion modérée mais typique qui déclencha en elle un état d'esprit positif. Guidée par des éléments spirituels nouvellement découverts, elle se mit à fréquenter les différentes églises de la ville. Un lundi matin, elle entra dans mon bureau, les yeux brillants, et se mit immédiatement à parler: «Je sais ce qui m'est arrivé; Je l'ai entendu hier à l'église. J'ai capitulé». En prononçant ce mot «capituler», elle me fit prendre conscience pour la première fois du phénomène qui se produit quand une personne atteint son «bas-fond».

L'alcoolique a toujours eu de la difficulté à admettre qu'il était battu, qu'il était impuissant. S'il capitulait, et au moment même où il s'avouait vaincu, il cessait de combattre, il admettait son impuissance et son besoin d'aide. Si, au contraire, il ne se rendait pas, des milliers de crises pouvaient l'accabler sans aucun résultat positif. Le besoin de susciter cette capitulation devint un nouvel objectif thérapeutique. Le miracle des A.A. s'expliquait un peu mieux, même si nous ne comprenions pas encore parfaitement pourquoi le programme et la Fraternité des A.A. suscitaient un abandon qui, à son tour, engendrait une période d'abstinence.

Comme on pouvait s'y attendre, je vivais moi-même une forte émotion personnelle. Je commençais à comprendre ce qui se passait et l'expérience devenait de plus en plus formidable. Poursuivant ma recherche avec avidité, je changeai mon approche thérapeutique. Je m'efforçais maintenant de susciter cette capitulation, même si j'éprouvais une multitude de résistances à cette nouvelle tactique. Il fallait explorer des territoires complètement nouveaux. Comme je continuais ma recherche, je réalisai de plus en plus qu'il existe, dans le psyché de tout individu, un égo invincible qui s'oppose violemment à toute idée de défaite. Tant et aussi longtemps que cet égo n'a pas été en quelque sorte diminué ou paralysé, nous ne pouvons pas anticiper la possibilité d'une capitulation. C'est au cours des cinq ou six premières années de mon contact avec les A.A. que j'ai reconnu toute l'importance du bas-fond, de la capitulation et enfin de l'amoindrissement de l'égo.

Je me souviens très bien de la première réunion des A.A. où j'ai parlé de la réduction de l'égo. Le Mouvement était encore dans son enfance et célébrait le troisième ou quatrième anniversaire de l'un de ses groupes. Le conférencier, qui me précédait, raconta en détails les efforts déployés par son groupe local, alors composé de deux membres, pour l'amener à l'abstinence et au groupe comme troisième membre. «Après plusieurs mois de vains efforts de leur part et des rechutes répétées de ma part», nous déclara le conférencier, «j'ai finalement été réduit à ma vraie dimension et je suis resté sobre depuis cette date». Quand vint mon tour de prendre la parole, je me suis servi de son expression «réduit à ma vraie dimension» et c'est autour de cette expression que j'ai bâti mon entretien. Très tôt dans mon allocution, du coin de l'œil, je m'aperçus que quelqu'un me fixait d'un regard déconcertant. Ce regard venait du conférencier qui m'avait précédé. Le regardant un peu plus directement, j'ai réalisé que ses yeux, pleins d'émerveillement, demeuraient fixés sur moi. De toute évidence, il était sidéré d'avoir été capable de prononcer des paroles susceptibles d'intéresser un psychiatre. Ce regard d'incrédulité ne quitta pas son visage durant toute ma causerie. L'incident était d'une grande valeur à mes yeux. Il démontrait clairement que deux personnes, l'une approchant le sujet de façon scientifique et l'autre se basant sur l'intuition de son expérience personnelle, étaient toutes les deux arrivées exactement à la même observation: la nécessité de la réduction de l'égo.

Durant la dernière décennie, mes efforts personnels ont été dirigés, avant tout, vers ce problème du dégonflement de l'égo. Je ne connais pas de façon précise l'étendue de mon incursion dans ce domaine. Cependant, j'ai fait du progrès et, dans les minutes qui me restent, je tenterai, d'abord, de partager avec vous certaines de mes découvertes et, ensuite, de les rattacher à la vie des A.A., telle que je la connais.

Comme je l'ai déclaré, j'étais convaincu, depuis assez longtemps, que le fait d'atteindre son bas-fond conduisait à la capitulation qui, par la suite, ramenait l'égo à sa juste dimension. Par la suite, deux faits additionnels se manifestèrent. Le premier, c'est qu'un moi diminué possède un merveilleux pouvoir de récupération. Le second, c'est que la capitulation est une fonction et une expérience essentielles de discipline.

La première proposition ne fait que confirmer une vérité connue de vous tous. On reconnaît qu'un retour au bon vieil égo d'autrefois peut se produire à n'importe quel moment. Des années de sobriété ne constituent aucune assurance contre la renaissance de cet égo. Aucun membre des A.A., peu importe son expérience dans le Mouvement, ne peut se permettre de relâcher sa surveillance devant les attaques d'un égo qui se réveille. Récemment, un membre des A.A. écrivait à un autre et lui disait qu'il souffrait «d'auréolite». Il faisait allusion à cette vaine complaisance en soi-même, susceptible de s'infiltrer dans l'individu qui possède de nombreuses années de sobriété à son crédit.

La prétention qu'on possède toutes les réponses ou, au contraire, qu'on n'a pas besoin de connaître les réponses et qu'il suffit de suivre le Mouvement laisse entrevoir des difficultés éventuelles. Dans les deux cas, on remarque une certaine absence d'ouverture d'esprit. Peut-être que la manifestation la plus courante d'un retour à l'égocentrisme se fait sentir chez l'individu qui tombe de son nuage rose, une expérience qui vous est bien familière. La béatitude du nuage rose est une séquelle logique de la capitulation. Le personnage égoïste, tiraillé par les conflits, vient s'épuiser et capitule; il peut alors goûter intérieurement la paix et la sérénité. Il en résulte une grande sensation de délivrance, et la personne s'envole tout droit vers son nuage rose où elle croit découvrir le ciel sur terre. Tout le monde sait que ce membre est voué à une chute éventuelle. Mais on ne se rend peut-être pas toujours à l'évidence que c'est le retour graduel à l'égocentrisme qui cause cette descente du nuage rose dans l'arène de la vie réelle où, avec l'aide des A.A., le membre peut apprendre à devenir un être humain sobre et non un ange.

Je pourrais multiplier les exemples, qui vous sont familiers, pour vous démontrer le danger toujours présent de présumer que l'égo est mort et enterré. Nous ne devons jamais oublier que sa capacité de renaissance est tout à fait étonnante.

Ma seconde découverte, à l'effet que la soumission est une expérience de discipline, demande explication. Dans de récents articles, j'ai démontré que fondamentalement l'égo doit sans cesse foncer et poursuivre sa course avec l'impression que rien ne peut l'arrêter. Il prend pour acquis qu'il a raison d'aller de l'avant et, ne prévoyant aucun obstacle, n'a pas la capacité de s'ajuster à cette éventualité. Pour lui, l'arrêt signifie: «Non, tu ne peux plus continuer», ce qui est l'essence même du contrôle disciplinaire. L'individu qui ne peut pas accepter d'être brimé est une personne sans discipline. Chez les A.A., la capitulation est maintenant une fonction nécessaire. Elle produit cet arrêt de l'égo, en faisant admettre aux individus: «J'abandonne, je renonce à ma façon obstinée de penser et d'agir. J'ai appris ma leçon». Pour la première fois dans sa vie d'adulte, cet individu découvre la discipline qu'il lui fallait pour l'arrêter dans son élan impétueux. Et ce phénomène se produit parce que nous pouvons abandonner et sincèrement dire: «Que ta volonté soit faite, et non la mienne». Quand nous atteignons ce stage, nous devenons en fait les fidèles serviteurs de Dieu. La question spirituelle, à ce moment-là, devient réalité. Nous sommes alors devenus des membres à part entière de la race humaine.

Je vous ai présenté les deux points que je voulais souligner: d'abord que l'égo est capable de renaître et ensuite que la capitulation est une expérience de discipline personnelle. Je voudrais maintenant vous faire part de la signification de ces deux principes pour les A.A., suivant mon interprétation personnelle.

Tout d'abord, ils nous apprennent bien simplement que le Mouvement des A.A., n'est pas qu'un miracle. La seule décision de capituler peut procurer la sobriété par son effet de relâchement. Malheureusement, la tendance égocentrique reviendra à la surface, à moins que le membre accepte de se soumettre à une discipline pour prévenir le retour toujours possible du culte de soi. Ce phénomène n'est pas nouveau pour les membres des A.A. qui ont appris qu'une seule capitulation n'est pas suffisante.

Sous la sage direction de vos fondateurs, vous avez toujours insisté sur la nécessité d'un effort constant pour préserver ce miracle. Les Douze Étapes, l'inventaire non pas unique mais répété, et la Douzième Étape elle-même, ce rappel constant qu'on doit travailler pour mériter sa sobriété, sont tous des éléments essentiels. De plus, on parle des activités de Douzième Étape, qui sont bien réelles et qui, cette fois, produisent le miracle au bénéfice de l'autre.

Les Traditions font aussi partie de l'aspect non-miraculeux du Mouvement des A.A. Elles représentent, comme Bill l'a dit, les reflets et les leçons de l'expérience. Elles servent de jalons pour les moins expérimentés et posent des balises pour les innocents et les imprudents. Elles ramènent l'individu sur terre et lui font voir les faits de la réalité. Elles lui rappellent: «Écoute les leçons de l'expérience, pour ne pas courir au désastre». Ce n'est pas sans raison que nous parlons de l'expérience avec une voix sobre. C'est dans un but particulier que je mets l'accent sur les éléments non-miraculeux du Mouvement des A.A. Quand j'ai d'abord fait connaissance avec les A.A., j'ai vogué sur le nuage rose comme tous les membres. Moi aussi, j'ai connu une période de désillusion et, heureusement, j'en suis sorti avec une foi de beaucoup plus forte que tout ce qu'un nuage rose peut offrir.

Remarquez bien, je ne veux pas diminuer l'importance des miracles. En fait, ils détendent réellement l'individu. Cependant, je reconnais maintenant la vérité du proverbe biblique: «Tu les reconnaîtras à leurs fruits». C'est seulement par des efforts acharnés qu'on peut obtenir des résultats durables. Je m'intéresse beaucoup aux éléments non-miraculeux, parce que j'y vois la nécessité de trimer dur pour compléter le miracle.

Je peux accepter plus sincèrement la nécessité d'une organisation et d'une structure pour freiner aussi bien que pour guider. Je crois que nous avons besoin de réunions comme celle-ci pour nous donner la sensation d'appartenir à une organisation importante, dont chacun de nous n'est qu'une partie. Et je crois également que tout groupe ou tout individu qui ne participe pas à l'aventure de l'organisation rend à lui-même et à son groupe un mauvais service, en ne se soumettant pas aux valeurs disciplinaires propres à ces activités. Il peut s'épargner un tas de contrariétés, mais il peut aussi laisser son égo en liberté. Ses chances de demeurer sobre ne sont pas des meilleures. Il chemine seul et il se peut qu'il ait besoin d'un autre miracle, qui pourrait bien ne pas se produire à la prochaine occasion.

En terminant, permettez-moi de réaffirmer que je suis membre des A.A. par procuration. J'ai participé aux débuts enthousiastes du Mouvement et j'ai pris part à ses douleurs de croissance. Maintenant, je suis arrivé à l'étape d'une profonde conviction dans l'efficacité de la méthode des A.A., y compris ses aspects miraculeux. J'ai tenté de vous communiquer quelques-unes de mes observations sur la nature de cette méthode. J'espère qu'elles aideront à faire de l'expérience des A.A. non seulement un miracle, mais un mode de vie rempli de valeurs éternelles. Elles sont pour moi le cadeau que le Mouvement des A.A. m'a généreusement fait.

Je vous remercie.

V

Témoignages de membres du clergé

LE Mouvement des Alcooliques anonymes est axé sur le spirituel aussi bien que sur le moral. Presque tous les membres des A.A. en viennent à croire et à se confier à une Puissance supérieure que la plupart d'entre nous appellent Dieu. Chez les A.A., pratiquement aucun rétablissement de l'alcoolisme n'a été possible sans cette foi si importante. Dieu, tel que nous Le concevons, est la base de notre Fraternité.

Dans ce chapitre, nous vous présentons les allocutions prononcées à Saint-Louis par deux membres du clergé, deux des plus anciens et des meilleurs amis que le Mouvement pourra jamais connaître: le Père Edward Dowling, de l'ordre des Jésuites, dont l'exemple et l'influence ont été si bénéfiques pour des milliers de nos membres et pour le Mouvement des A.A. en entier; et le Dr Samuel M. Shoemaker, cet ecclésiastique épiscopalien qui, aux premiers jours du Mouvement, enseigna à nos pionniers la plupart des principes spirituels formulés dans les Douze Étapes des Alcooliques anonymes.

BILL: C'est avec une grande joie que je vous présente le Père Ed. Dowling qui demeure à la Maison des Jésuites, ici même à St-Louis. Le Père Ed. qui sait d'où lui vient sa force, est certainement allergique à l'éloge. Cependant, je crois que certains faits le concernant devraient être consignés dans nos archives, pour que les nouvelles générations d'A.A. puissent les entendre, les lire et les connaître.

Le Père Ed. a contribué à la fondation du premier groupe des A.A. dans cette ville; il fut le premier ecclésiastique de son église à remarquer l'étrange ressemblance entre les Exercices spirituels de Saint Ignace (le fondateur des Jésuites) et les Douze Étapes des Alcooliques anonymes. Puis, en 1940, il s'empressa d'écrire la première lettre de recommandation catholique connue en faveur du Mouvement des A.A.

Depuis cette date, le travail qu'il a effectué pour nous tient du prodige. Non seulement ses recommandations ont-elles été répandues dans le monde entier, mais il a lui-même contribué à l'essor de notre Mouvement en effectuant des voyages, en assistant à des réunions, en nous prodiguant des conseils sages et affectueux, une contribution qui peut se mesurer en milliers de kilomètres et en milliers d'heures.

Depuis que je le connais, notre ami, le Père Ed. est la seule personne que je n'ai jamais entendue prononcer un seul mot de ressentiment ou critiquer qui que ce soit. Pour moi, il a toujours été un ami, un conseiller, un exemple vivant et la source d'une indescriptible inspiration.

Le Père Ed. est fait de l'étoffe des saints. Le voici.

LE PÈRE DOWLING: J'ai oublié d'apporter mes fausses dents; alors, si vous ne me comprenez pas, agitez tout simplement un mouchoir et j'essaierai de corriger la situation. J'ai demandé à mon ami de date récente, le Dr Shoemaker, de dire une prière pour moi et pour vous durant cette allocution et il m'a répondu: «Dieu est avec vous». Je pense que vous savez tous ce qu'il voulait dire; c'est rassurant et, grâce à la prière et à la méditation, dans l'esprit de la Onzième Étape, j'essaierai d'améliorer notre contact conscient avec Dieu.

Permettez-moi de vous suggérer quelques pensées sur les trois mots de notre engagement: Dieu, Nous et Comprendre. Et si vous écoutez, non seulement avec vos oreilles, mais avec votre cœur, comme je sais que vous l'avez fait durant toute cette réunion, je crois que Dieu nous bénira.

Mes efforts pour comprendre Dieu me rappellent en quelque sorte une définition de la psychiatrie que j'ai entendue il y a deux jours à peine: «The id being examined by the odd» (Le «id» étant examiné par le bizarre). Je pense que cette phrase pourrait résumer notre sujet. Le «id» est le réservoir principal du pouvoir, ou Dieu. «Examiné» pourrait signifier «compris». Et le «bizarre», c'est nous.

Considérons d'abord le «nous». Je crois que nous sommes trois choses: des alcooliques, des alcooliques anonymes et des agnostiques.

Selon moi, alcoolique veut dire que nous avons cette puissante force de la peur qui est le commencement de la sagesse. Nous avons aussi cette terrible force de la honte qui est la chose la plus rapprochée de l'innocence. Un des premiers membres des groupes irlandais se plaît à citer un auteur, dont j'oublie le nom, et qui a dit: «L'alcool fait vraiment plus que Milton pour redresser les chemins qui partent de Dieu vers l'homme».

Alcooliques anonymes; pas seulement alcooliques, mais Alcooliques anonymes. Hier soir, Bill nous a parlé d'un adversaire de l'extérieur pour les Alcooliques anonymes, John Barlycorn ou l'alcool. Mais j'ai toujours cru que nous avons un adversaire intérieur beaucoup plus cruel. C'est notre mépris collectif à l'égard du faux personnage. Et qui d'entre nous n'en est pas un? Nous retrouvons dans tous les groupes le problème des gens vertueux à l'œil de lynx.

En troisième lieu, je considère que nous sommes tous agnostiques et qu'il existe chez les A.A. différents groupes de qualité diverse. Il y a les dévôts qui ne semblent pas avoir pu mettre en application leurs croyances religieuses traditionnelles. Ils étaient agnostiques en pratique. Ils ressemblent au prêtre qui passa à côté de l'homme dans le fossé avant que le bon Samaritain lui porte secours. Un prêtre de mes amis me dit souvent: «Je crois sincèrement que la première phrase que l'on dira en arrivant au ciel sera: «Mon Dieu, tout cela est vrai». Je pense que nous sommes tous un peu rouillés dans certaines étapes de l'application de nos principes. Il y a enfin les agnostiques sincères de dix-huit carats qui ont réellement de la difficulté avec le saut spirituel.

Le mot suivant est «comprendre». Au fur et à mesure que nous progressons d'une idée obscure et confuse de Dieu vers une notion plus claire et plus précise, je pense que nous devrions comprendre que notre idée de Dieu sera toujours déficiente et toujours décevante jusqu'à un certain degré. Si nous comprenions et percevions Dieu, nous serions ses égaux. Mais notre connaissance de Dieu va se développer. Je suis sûr que Bill, qui est assis sur cette chaise, et que le Dr Bob, dont l'ange est probablement assis sur cette autre chaise vide, croissent dans leur connaissance de Dieu. Il existe un vieux proverbe allemand qui s'applique bien ici: «Très peu parmi nous savent combien il nous faut connaître pour comprendre combien peu nous savons». Je suis sûr que le docteur Bob et Bill confirmeraient cet énoncé.

L'agnosticisme favorise une approche négative. Telle était l'attitude de l'Apôtre Pierre: «Seigneur, vers qui irions-nous?» Je doute que quelqu'un dans cette salle ait jamais réellement cherché la sobriété. Nous avons plutôt essayé de fuir l'ivrognerie. Il ne faut pas toujours dédaigner le négatif. J'ai le sentiment que si je me retrouve un jour au ciel, ce sera parce que j'ai fui l'enfer. C'est si vrai, que le ciel est aussi ennuyant que la sobriété peut l'être pour un alcoolique, dix minutes avant d'arrêter de boire.

Cependant, il y a des approches positives, et la Douzième Étape en mentionne une: l'expérience. (Je déplore encore que les pionniers du Mouvement aient remplacé le mot «expérience» par «réveil». L'expérience demeure un moyen dont il est fait mention à la Douzième Étape et, d'une autre façon, à la Deuxième. On en distingue deux sortes: celle qui consiste en une perception soudaine et passive, comme l'expérience de Bill et comme l'histoire de cette veille de Noël à Chicago, racontée dans le *Grapevine.* Ces expériences suivent toutes le modèle très valable de la perception soudaine et passive de Saul lorsqu'il fut renversé de son cheval sur la route de Damas. Mais il y a d'autres genres d'expériences, probablement plus chères à Dieu, parce que plus ordinaires, qui consistent en la pratique de notre vie quotidienne. «Je suis sobre aujourd'hui». La réunion de ce matin, le congrès de cette semaine, étant des expériences continues et progressives, sont nées à partir de la souffrance. L'autre soir, Bernard Smith, président des syndics des A.A. (je suis toujours mêlé dans cette hiérarchie), a mentionné une chose qui m'a tellement frappé que je l'ai notée. Il a dit: «La tragédie de notre vie est de réaliser jusqu'à quel point on doit souffrir avant d'apprendre les vérités tout à fait simples selon lesquelles nous devons vivre».

Quelques temps avant de devenir un personnage renommé avec la revue *Time*, Whittakers Chambers avait écrit dans la revue *Life* un article intitulé «Le démon». Alors qu'il citait satan, Whittaker disait: «Et pourtant, c'est à ce point précis que l'homme, ce nain monstrueux, a le dessus sur le Diable. Il souffre. Pas un seul homme, fût-il le plus ignoble, manque complètement de cette capacité de souffrance spécifique qui est le sceau de sa mission divine».

La seconde approche à la compréhension est mentionnée dans la Deuxième Étape: «Nous en sommes venus à croire...» J'ai connu certains de mes amis catholiques qui, rendus à cette Étape, disaient: «Quant à moi, je crois déjà, je n'ai donc rien à faire dans cette Étape». Et, dans un grand élan de bonté, ils continuaient à boire pour permettre aux protestants de les rattraper.

Croire, c'est capitaliser sur l'expérience des autres. Bienheureux les paresseux, car ils trouveront leurs raccourcis. L'univers peut maintenant capitaliser sur deux décennies de l'expérience des A.A. Newman déclare que l'essence de la foi consiste à regarder en-dehors de nous -mêmes. Le Dr Tiebout semble penser que, selon la psychiatrie, le grand problème est de diriger notre affection vers l'extérieur de nous-mêmes. La foi est difficile, aussi difficile et aussi facile que la sobriété et on l'a souvent appelée la plus grande de nos ressources non-développées.

Quelle expérience devrions-nous rechercher? Quelle croyance devrions-nous accepter dans notre recherche de Dieu? Le troisième mot serait donc «Dieu». Dès ses débuts, Bill a écrit une lettre, que j'ai en ma possession, et dans laquelle il dit: «Il n'est pas du ressort du Mouvement d'établir jusqu'à quel sommet l'alcoolique élèvera sa dépendance de Dieu. Que ce soit dans une église ou non, que ce soit dans telle église ou telle autre, ce n'est pas du tout l'affaire des A.A.» En fait, il voulait dire: «Je ne pense pas que ce soit l'affaire des membres. C'est l'affaire de Dieu». Et la tâche des A.A. est tracée dans la Onzième Étape: Rechercher par la prière et la méditation à trouver la volonté de Dieu et le courage de la suivre.

J'aimerais partager avec vous ce que, moi, j'ai trouvé comme étant la volonté de Dieu. Je crois que les difficultés éprouvées par la moitié d'entre vous pour parvenir à la sobriété je les ai affrontées dans ma propre démarche pour atteindre la croyance et la foi. Où commencer, sinon à la première manifestation de Dieu à notre égard? Et, où est-Il le plus près de moi! Francis Thompson répond dans son poème: «In No Strange Land» (Dans une contrée familière):

«Le poisson s'envole-t-il pour trouver l'océan,
L'aigle plonge-t-il pour trouver l'atmosphère,
Est-ce que nous demandons aux étoiles en mouvement
Si elles ont connaissance de ta présente là-haut?

Dieu n'est pas là où les systèmes en mouvement se voilent,
Et où notre imagination engourdie s'envole!
La vitesse des ailes que nous devrions écouter
Frappe à nos portes fermées et convertes d'argile»

Nous connaissons tous les Douze Étapes des A.A., qui conduisent l'homme vers Dieu. Mais permettez-moi de vous suggérer les douze étapes de Dieu vers l'homme, telles que le christianisme me les a enseignées.

La première étape est décrite par Saint Jean: l'incarnation. Le Verbe était Dieu et le Verbe s'est fait chair et vint habiter parmi nous. Il confia sa vie et sa volonté au soin de l'homme tel qu'Il le concevait.

La deuxième étape: neuf mois plus tard, plus près de nous dans ses circonstances, c'est sa naissance, la Nativité.

La troisième étape: les trente années qui suivent, la vie cachée, anonyme. Plus près de nous, parce qu'elle ressemble tellement à la nôtre.

La quatrième étape: trois années de vie publique.

La cinquième étape: son enseignement, son exemple, le Notre Père.

La sixième étape: la souffrance corporelle, y compris la soif sur le Calvaire.

La septième étape: la souffrance de l'âme à Gethsémanie; ça se rapproche de plus en plus de nous. Jusqu'à quel point l'alcoolique connaît et avec quelle intensité Dieu a connu l'humiliation, la crainte, la solitude, le découragement et la futilité.

La huitième étape: la mort, qui se rapproche de nous. Je crois que le passage où un Dieu mourant repose sur les genoux d'une mère humaine marque l'extrême abaissement de la divinité et indique le sommet que l'humanité peut atteindre.

La neuvième étape: à travers les âges, Il se rapproche encore plus de nous en sa qualité de chef d'une sorte de chrétienté anonyme, un corps mystique lié ensemble par ses enseignements. «La moindre des choses que vous faites au plus petit de mes frères, c'est à moi que vous la faites». «Je peux compléter ce qui manque aux souffrances du Christ». «J'étais en prison et vous m'avez visité».

L'étape suivante, la dixième: l'Église chrétienne, qui est, je crois, le Christ ici aujourd'hui. Un grand nombre de gens sincères proclament: «J'aime la Chrétienté, mais je n'aime pas l'Église». Je peux les comprendre. Je peux les comprendre mieux que vous, parce que je suis engagé dans l'Église et que ça me dérange aussi. Mais, en fait, je pense que c'est un peu comme si on disait: «J'aime la bonne eau potable, mais je déteste la tuyauterie». Et puis, quels sont ceux qui aiment la tuyauterie? Vous rencontrez des gens qui aiment la sobriété, mais qui n'accepteront pas le Mouvement des A.A.

Vient ensuite la onzième étape qui consiste en plusieurs grosses pipelines ou les sacrements de l'aide de Dieu.

Et la douzième étape, à mon sens, est cette magnifique pipeline ou le sacrement de la Communion. Le verbe qui était Dieu devenu chair et qui devient notre aliment, aussi près de nous que le jus de fruits, les rôties et le café que nous avons pris il y a une heure.

Nous connaissons bien l'histoire de l'alcoolique qui s'éloigne de Dieu et qui pourtant voudrait bien s'en rapprocher: «Seigneur, donne-moi la sobriété, mais pas tout de suite»; «Seigneur, je crois; aide-moi dans mon incrédulité». Je pense qu'il n'y a pas un seul membre des A.A. dans cette salle qui ne soit pas un peu tourmenté par l'une ou l'autre de ces étapes: «Seigneur, faites que j'accomplisse cette étape, mais pas tout de suite!» l'image de la poursuite de Dieu par l'alcoolique, mais surtout de la poursuite affectueuse de l'alcoolique par Dieu, n'a jamais été exprimée d'une façon aussi saisissante que dans ce que je crois être l'un des plus beaux poèmes de langue anglaise. Il fut écrit par un narcomane, apparenté à l'alcoolique, le poète Francis Thompson, sous le titre «La poursuite du paradis». Permettez-moi de vous en citer seulement quelques lignes avant de terminer.

«Je l'ai fui, au long des nuits et au long des jours;
Je l'ai fui à travers les cycles des ans;
Je l'ai fui dans les chemins en labyrinthe
De mon esprit; et au milieu des larmes
Je me suis caché de lui, et sous un rire fuyard
J'ai couru vers des espérances qui m'échappaient
Et je me suis précipité
Dans les ténèbres géantes du gouffre de la peur,
En fuyant ces pieds puissants qui me suivaient partout.»

Et voici la description de Dieu:

«Mais dans ma poursuite sans hâte
Et d'un pas paisible,

À une vitesse prudente et avec une imminence majestueuse
Ces pieds battent le sol; et une voix retentit
Plus pressante que les pieds:
Tout ce qui te trahit me trahit aussi.»

Et je passe maintenant à la partie suivante:

«Celui qui ne t'abrite pas, ne m'abrite pas non plus.»

Et:

«Dans les convoitises impétueuses de mes jeunes énergies
J'ai secoué les heures de support
Et j'ai ramené ma vie sur moi, même noirci de souillures,
Je me tiens au milieu de la poussière des années accumulées;
Ma jeunesse mutilée est étendue morte sous cet amoncellement.
Mes jours ont craquelé et se sont enfuis en fumée,
Se sont gonflés et ont éclaté comme les levers de soleil dans un ruisseau.»

Enfin, la longue poursuite arrive à sa fin:

«Cette voix m'entoure comme une mer qui déborde:

Et la voix dit en guise de conclusion:

«Est-ce que ton univers est tellement défiguré,
Tellement ruiné d'un tesson à l'autre?
Voici que toutes choses te fuient, parce que toi tu me fuis!
Chose étrange, pitoyable, futile,
Pourquoi devrais-tu laisser ton amour de côté?
À voir rien d'autre que moi n'est que pure perte, dit-il.

«Et l'amour humain a besoin d'un mérite humain:
Jusqu'à quel point as-tu toi-même mérité;
Toi, le plus minable caillot de l'argile coagulé de toute l'humanité.

Hélas, tu ne sais pas
Jusqu'à quel point tu n'es digne d'aucun amour!
Qui pourras-tu trouver pour t'aimer toi, ignoble,
Excepté Moi, et seulement Moi?»

Et voici une partie que je trouve consolante:

«Tout ce que j'ai pris de toi, je te l'ai pris
Non pas pour te faire du mal,
Mais simplement pour que toi tu le cherches dans Mes bras.

Tout ce que ton erreur d'enfant
Imagine comme perdu, moi je l'ai mis de côté dans ma maison:
Lève-toi, prends Ma main et suis-Moi!»

Et l'alcoolique ou le non-alcoolique de répondre:

«Ce bruit de pas s'arrête près de moi:
Après tout, est-ce que ma tristesse,
Ombre de Sa main, est tendue d'une manière caressante?»

Et voici la réponse de Dieu:

«Ah! toi, le plus tendre, le plus aveugle, le plus faible,
Je suis Celui que tu cherches!
Tu chasses l'amour de toi-même quand tu Me chasses.»

Merci.

BILL: Assis juste un peu plus loin que le Père Ed., se trouve un autre homme à qui nous aimerions tous ressembler. Je me suis demandé combien d'heures certains d'entre nous dans cette salle, moi y compris, ont passées à critiquer les religieux. Pourtant, ils nous ont enseigné tout ce que nous savons sur la vie spirituelle. C'est par l'entremise de Sam Shoemaker que nous sont venus la plupart des principes spirituels des A.A. Il a été le maillon de liaison: ce sont en effet les leçons qu'Ebby avait apprises de Sam et qu'il m'a ensuite transmises qui constituent le lien entre Sam, un homme de religion, et nous les A.A. Comme je me souviens de cette journée où je l'ai vu pour la première fois! C'était durant un service religieux dominical dans son église. J'étais encore plutôt craintif et méfiant envers la religion. Je le vois encore debout devant le lutrin. Son honnêteté absolue et sa grande franchise m'ont profondément frappé et me l'ont rendu inoubliable. Je désire maintenant vous présenter Sam, comme l'un des merveilleux intermédiaires, l'une des premières sources d'influence, qui se sont réunis pour former ce qui est maintenant le Mouvement des A.A. Le voici.

DR SAMUEL SHOEMAKER: Que Dieu vous bénisse;

Chaque fois que Bill me fournit l'opportunité de m'adresser à vous, membres des A.A., il se permet de vous répéter à mon égard des éloges qu'il trouverait dommageables si j'osais les utiliser envers lui. Les non-alcooliques souffrent d'égoïsme tout autant que n'importe quel alcoolique et sont aussi fragiles aux louanges.

J'ai été bien flatté dernièrement. Lors de mon arrivée à cette convention, une dame que je n'avais jamais rencontrée auparavant me demanda: «Êtes-vous un alcoolique». J'ai répondu: «Non». Et elle me retorqua: «Et bien, vous parlez comme un alcoolique!»

Pour rétablir les faits dans leurs justes perspectives, j'ai toujours estimé que Bill m'accordait beaucoup plus de crédit que je n'en méritais en réalité pour ma contribution au lancement de ce magnifique Mouvement. Par contre, les perceptions de Bill sont très profondes et, comme nous l'avons constaté lors de nombreuses réunions où il nous a adressé la parole, sa mémoire est très alerte et fidèle. J'accepte donc avec joie ses déclarations, parce que l'une des plus grandes satisfactions de toute ma joyeuse vie a été mon association avec les membres des A.A. Et je suis profondément reconnaissant du privilège d'être ici avec vous en cette occasion formidable.

L'automne dernier, au dîner de son vingtième anniversaire, j'ai entendu Bill nous raconter pour la première fois l'histoire des différents brins qui, tissés ensemble, ont formé le cable solide du Mouvement des A.A. Maintenant, nous savons tous que ses premières préoccupations pour donner l'espoir étaient de s'entretenir avec des personnes engagées dans une expérience religieuse. J'étais l'une de ces personnes. Cette recherche avait déjà pris naissance au sein des Groupes d'Oxford, à l'époque de leurs premiers et, peut-être, meilleurs jours. La majorité des activités de ces groupes se déroulaient, à ce moment-là, dans mon ancienne paroisse du Calvaire, située dans Gramercy Park à New York.

Je crois que, dès le début de la vie du Mouvement des A.A., il apparut évident que la déclaration du Dr Jung à l'effet que la science n'avait pas la réponse, et que l'aide incalculable du Dr Silkworth dans le domaine médical, ainsi que la grande sagesse de William James dans son ouvrage intitulé «Variétés de l'expérience religieuse» ne révélaient pas le facteur spirituel capable de créer une sorte de synthèse et de nous procurer un dynamisme positif. Le problème consistait à pouvoir traduire cette expérience spirituelle dans des termes universels, sans la laisser s'évaporer dans de pures rêves et de banales généralités! Après la Première Étape concernant notre impuissance à maîtriser la vie, arriva la Deuxième Étape: «Nous en sommes venus à croire qu'une Puissance supérieure à nous-mêmes pouvait nous rendre la raison». Il ne s'agissait pas alors de pure théorie mais de faits prouvés. Nous étions en présence de personnes transformées par une expérience spirituelle. S'il était possible de mettre en doute l'interprétation de cette expérience, on ne pouvait pas en contester la réalité.

Dans les troisième et quatrième chapitres des Actes des Apôtres, on peut lire l'histoire de la guérison d'un boiteux par Pierre et Jean. Un grand nombre d'ecclésiastiques cherchaient des explications, lorsque les Apôtres leur répondirent que c'est par le nom du Christ que cet homme avait été guéri. Et l'histoire poursuit: «Et en voyant l'homme qui était guéri se tenir debout parmi eux, ils ne pouvaient nier ce fait». Vous pouvez toujours combattre la théorie sous-jacente à une expérience, mais il vous faut admettre l'expérience elle-même.

Je crois que le Mouvement des A.A. a fait preuve d'une extrême sagesse, en insistant sur la réalité de l'expérience et en reconnaissant qu'elle venait d'une Puissance plus forte que l'humain, sans s'aventurer outre mesure dans l'explication. Il aurait été facile, et la tentation doit avoir été passablement forte, de recourir aux explications théologiques. Il s'agissait d'une expérience spirituelle qu'il nous faut maintenant définir, sans méconnaître les difficultés inhérentes. Si les A.A. avaient été plus explicites, certaines gens auraient exigé davantage, une image de Dieu qui leur aurait été acceptable et convenable. Et il aurait suffi qu'un groupe ou deux soient en désaccord pour détruire tout l'échafaudage. De plus, il y avait des gens qui entretenaient une relation malheureuse avec la religion, à cause d'une église sans vie ou d'un pasteur ennuyant, ou à cause de personnes qui fréquentaient l'Église mais dont les agissements quotidiens ne concordaient pas avec les professions de foi du dimanche. Nous aurions eu un autre obstacle à surmonter, comme si nous n'en avions pas déjà assez! Il fallait aussi tenir compte des agnostiques et des athées, qui prétendent ne rien connaître de ces réalités ultimes ou qui refusent totalement de croire en Dieu.

Pour les soi-disant agnostiques, j'aimerais citer un mot merveilleux du philosophe espagnol catholique, Unamerno y Jugo, qui dit: «Ceux qui renient Dieu le renient à cause de leur désespoir de ne pas le trouver». Je crois qu'il aurait été fatal pour un mouvement comme celui des A.A. de devenir dogmatique. Les A.A. s'en sont donc tenus aux expériences inévitables et ils ont conseillé aux gens de confier leurs volontés et leurs vies aux soins de Dieu, tel qu'ils Le concevaient. Cette démarche laissait la théorie et la théologie aux églises fréquentées par les membres, comme vient de nous l'expliquer le Père Ed. S'ils n'appartenaient à aucune église et ne possédaient aucune théorie cohérente, ils devaient alors s'en remettre au Dieu qu'ils voyaient dans les autres personnes. Une telle démarche n'est pas une mauvaise manière de commencer une expérience spirituelle. Elle est peut-être celle que nous empruntons tous, lorsque la religion cesse d'être une simple tradition pour devenir une force vivante.

Cette démarche m'apparaît psychologiquement bien fondée et pas seulement pour les alcooliques. Elle s'applique aussi à tout individu qui recherche la foi et une expérience spirituelle authentique. Quand on a bien réfléchi, vient alors le temps de la décision et de l'action. Cette décision peut être relativement simple, comme celle de se lancer complètement dans l'expérience. Elle résulte beaucoup plus de la science que de la philosophie. Nous n'essayons pas tellement de raisonner chacun de nos gestes selon une logique abstraite. Nous choisissons une hypothèse; nous agissons comme si c'était vrai et nous surveillons les résultats.

S'ils sont négatifs, nous les rejetons; s'ils sont positifs, nous pouvons considérer l'expérience comme un succès.

Vous pouvez examiner une idée dans le vide, que ce soit dans l'intimité de votre chambre ou dans une salle de cours académique ou même dans une chaire, et vous pouvez ainsi discuter indéfiniment de la véracité d'une théorie, sans en retirer le moindre bienfait. Mais, quand vous laissez la vérité se traduire en action, quand vous lancez votre vie à la poursuite de votre propre conception de la vérité, alors les choses se précipitent. Si la vérité est authentique, elle produira des résultats sur le plan de la vie réelle. Si Dieu est tel que le Christ L'a décrit, Il est plus désireux de nous aider que nous le sommes d'être aidés. Il n'empiète pas sur la liberté de l'homme; nous pouvons Le rejeter, Le renier et L'ignorer aussi longtemps que nous le voulons. Mais quand nous ouvrons la porte à une expérience spirituelle en y mettant toute notre vie, nous Le trouverons toujours là prêt à accueillir nos efforts les plus faibles, nos prières les plus égoïstes ou les plus enfantines, et nous-mêmes tout indignes que nous soyons. Il est toujours prêt à traiter d'affaires avec nous. L'approche expérimentale me semble être l'essence même de notre découverte de l'aide d'une Puissance supérieure. Nous nous en remettons d'abord à une autre personne qui semble trouver la réponse et, par la suite, nous nous appuyons sur la Puissance supérieure qui se tient derrière ce guide.

Voici ce que dit William James dans le fameux passage de son livre «Variétés de l'expérience religieuse»: «La crise de l'abdication de soi-même consiste à mettre nos personnalités conscientes à la merci de puissances qui, quelles qu'elles soient, sont plus parfaites que nous et capables de nous sauver. La capitulation personnelle a toujours été et doit toujours être considérée comme le point tournant, d'une importance capitale, dans la vie religieuse». Cette affirmation faillit donner une nouvelle orientation à ma façon de penser. Et James continue: «On peut ramener tout le développement du christianisme en son caractère intérieur à l'importance de plus en plus grande qu'on a donnée à cette crise de l'abandon de soi-même». C'est là évidemment que nous trouvons le cœur de toute religion réelle. La plupart d'entre nous venons d'abord à Dieu à cause d'un besoin. Si on veut l'avouer, nous venons à Lui, par intérêt personnel. Cependant, j'aimerais faire remarquer que si nous voulons être de quelque utilité que ce soit pour les autres, nous devons d'abord trouver des commencements de réponses pour nous-mêmes. Par conséquent, cette sorte d'égoïsme peut s'avérer une étape nécessaire dans notre progrès.

Aujourd'hui, certaines personnes protestent à grands cris contre ceux qui recherchent en Dieu des avantages personnels. Je voudrais bien savoir, pour l'amour de Dieu, où un individu vaincu et égaré pourrait chercher, sinon en Dieu, l'aide dont il a besoin d'une façon si désespérée. Il s'intéresse bien sûr à lui-même, étape nécessaire pour devenir plus tard utile aux autres. Mais, avec le temps, il doit progresser en cessant d'utiliser Dieu et commencer à prier pour que Dieu, à Son tour, l'utilise. L'individu doit cesser de demander à Dieu d'exaucer ses désirs et se mettre à la recherche de la volonté divine. Beaucoup de gens vous diront qu'ils ont abandonné la foi parce qu'ils ont demandé une faveur qu'ils n'ont pas obtenue. Ils en ont conclu qu'il n'y a pas de Dieu ou que Dieu ne leur manifeste aucun intérêt. Quel non-sens enfantin! Comment peut-on s'attendre à ce que Dieu acquiesce aux prières tièdes que nous Lui adressons. S'Il le faisait, en moins de cinq minutes, Il lancerait le monde dans un chaos pire que celui qui existe présentement.

La vraie prière ne consiste pas à dicter notre volonté à Dieu. Elle consiste plutôt à nous mettre en disponibilité devant Dieu pour que Lui nous dise ce qu'Il veut. Par la prière, nous n'essayons pas d'amener Dieu à changer Sa volonté. Il s'agit de chercher quelle est Sa volonté; de nous orienter ou de nous réorienter vers les buts qu'Il a fixés pour nous et pour l'univers. Voilà donc pourquoi il est si important pour nous d'écouter autant que de parler lorsque nous prions. C'est aussi pour cette raison qu'il est bon de commencer nos réunions par une période de silence. Bien des fois, nous arrivons plein d'ardeur et de détermination, de sorte que nous devons nous calmer avant que Dieu agisse en nous. Quand nos voix revendiquent et exigent, il n'y a pas de place pour la voix de Dieu. Nous, les non-alcooliques, nous nous enivrons de notre obstination, de notre entêtement à réaliser notre vie selon nos propres termes, et d'une façon tout à fait névrotique. Toute personne qui est éloignée de Dieu et qui cherche à faire sa propre volonté au mépris de Dieu est à demi insensée. Aussi longtemps que nos revendications et nos clameurs ne se calment pas, nous ne pouvons entendre la voix de Dieu. Quand nous cessons de nous obstiner, Dieu peut alors nous transmettre Sa volonté pour répondre à nos besoins prévisibles. C'est Dante qui a dit: «Notre paix réside dans Sa Volonté».

Bien des gens n'aiment pas l'idée de faiblesse que le mot «capitulation» laisse sous-entendre. J'étais très heureux d'entendre le Dr Tiebout prononcer ce mot. Les gens se plaisent à croire qu'ils ont de fortes personnalités et qu'ils peuvent prendre charge de leurs propres destinées. Ils sont victimes de leurs illusions. Tout individu en ce bas monde est faible à certains égards et s'il pense le contraire, c'est à cause de son orgueil, reconnu pour être la plus grande de toutes les faiblesses.

Les gens pensent qu'ils ont surmonté leurs fautes honteuses, ou bien qu'ils n'en ont jamais commises; mais qui parmi nous évite l'égoïsme, l'égocentrisme, l'amour de l'adulation, du pouvoir et de l'orgueil? Je crois sincèrement qu'un homme doit se compter chanceux quand ses problèmes sont assez considérables pour lui causer des ennuis et l'amener à changer la situation. La colère, l'orgueil, la paresse, le mépris, l'irritabilité, l'indifférence envers les misères humaines et notre misérable petitesse, (dimension la plus pénible pour nous dans ce monde où chacun se croit le plus fort), toutes ces déficiences nous conduisent, nous les non-alcooliques, à des difficultés graves et nous sont aussi néfastes que votre problème à vous les alcooliques. Personne n'est fort et ceux qui pensent l'être se leurrent eux-mêmes.

Nous nous comportons comme si un bon caractère et une conduite exemplaire étaient le but de toute existence. Dans la vie, les vraies questions, celles qui sont à la base de notre comportement, sont définitivement de nature religieuse et exigent une réponse religieuse, celle qui vient de Dieu. Quelle est mon origine; qu'est-ce que je suis censé faire ici-bas et où vais-je aller à ma mort? Voilà les questions qui, si elles demeurent sans réponse, nous laissent sans direction, sans amarres et sans valeur. La science ne possède pas de réponses à ces questions et la philosophie n'offre que des réponses découlant d'hypothèses humaines. La foi religieuse est l'unique lumière capable de dissiper les ténèbres qui entourent l'homme dans le mystère de la vie. Si le Christ est descendu du ciel pour représenter Dieu et parler en Son nom, nous avons alors une réponse. Les révélations de moindre importance aux prophètes et aux voyants sont de la même nature, mais n'ont pas la même autorité, comme le Père Ed. nous l'a suggéré, mais toute personne réellement sage commence par reconnaître sa petitesse, son ignorance et son impuissance. Quand nous parvenons à communiquer avec Dieu, peu importe le nom que nous Lui donnons, ou plutôt quand nous Le laissons communiquer avec nous, c'est alors, et alors seulement, que nous commençons à trouver la lumière et la réponse.

La plus grande indigence de notre époque, je crois, c'est son besoin d'un réveil spirituel à la grandeur du monde. Nous en voyons partout des signes avant-coureurs. En Occident, les gens commencent à comprendre qu'ils doivent le plus grand de tous les biens humains, le don de la liberté, à Dieu et à la religion.

Un jour que Benjamin Franklin se trouvait à Paris vers la fin du 18ième siècle, en compagnie de son fils il rendit visite à Voltaire. Au moment de prendre congé, il sollicita pour son fils la bénédiction de Voltaire. Je connais beaucoup de personnes plus dignes que Voltaire à qui demander une bénédiction, mais ce fut le choix de Franklin. Voltaire plaça ses vieilles mains osseuses sur la tête du garçon et prononça les mots: «Mon garçon, souviens-toi de ces deux mots: Dieu et la liberté». Ces deux mots sont interdépendants et sont liés ensemble d'une façon indissoluble. Je crois que la perception graduelle de cette vérité, ainsi que la prise de conscience de notre insécurité personnelle, sont à la source de cet intérêt croissant pour la religion, caractéristique notre époque.

Il y a, à mon avis, quatre facteurs universels dans tout réveil spirituel authentique: la conversion, la prière, la fraternité et le témoignage. Par conversion, j'entends l'heure où une personne se tourne vers Dieu, le moment où il commence à désirer l'honnêteté avec lui-même à la lumière de sa religion. Je ne parle pas de perfection, mais d'un début de cheminement vers la perfection. Ce départ est à la portée de nous tous.

Mais il ne demeure qu'un début. Savez-vous à qui ressemblent un grand nombre de personnes religieuses? Elles ressemblent à un groupe de gens assis dans une station de chemin de fer et qui s'imaginent à bord d'un train. Tout le monde parle de voyage, vous entendez des noms de stations, vous tenez vos billets, vous respirez la senteur des bagages; bref, il existe un grand remue-ménage. Si vous restez assis là assez longtemps, vous finissez par penser que vous êtes à bord du train. Vous ne l'êtes pas cependant. Vous commencez à le réaliser réellement au moment où vous montez à bord du train et que le train quitte la gare. Ce ne sont pas vos propres efforts qui vous sortent de la gare, c'est le train qui vous emporte.

La prière en privé, en groupe ou en public est le moment où nous communiquons avec Dieu et Sa puissance de Dieu. Cette présence est toujours là, de la même façon qu'il y a de l'électricité en puissance dans un fil relié à une génératrice. Mais, vous n'obtenez pas de pouvoir tant que vous ne fermez pas le circuit en tournant le commutateur. La prière, par des moyens qui m'apparaissent en théorie tout à fait incompréhensibles mais qui en réalité nous sont toujours disponibles, actionne le commutateur et libère le pouvoir en fermant le circuit. Nous n'obtenons pas tout ce que nous voulons, mais nous découvrons ce qu'il nous faut faire. Le réveil, chez les individus, comme pour les groupes et les nations, comprend toujours la découverte de la puissance de la prière.

Quoi qu'il en soit, nous ne pourrons jamais réussir seuls. Dès le début, le Christ attira un groupe autour de lui. Pour se joindre à Lui, il fallait aussi faire partie de ce groupe. L'Église a toujours été un groupe hétéroclite de pécheurs. Elle n'est pas formée des meilleurs individus d'une collectivité, rassemblés pour se féliciter mutuellement. C'est la réunion de personnes qui ressentent un grand besoin et qui s'assemblent pour y trouver une réponse, dans le culte de Dieu et la fraternité entre elles. L'Église n'est pas un musée; c'est un hôpital. Voilà pourquoi nous pouvons et devons tous en faire partie.

Un jour, alors que deux vieux païens pénétraient dans une église épiscopalienne, ils entendirent le pasteur déclarer: «Nous n'avons pas fait ce que nous aurions dû faire et nous avons fait ce que nous n'aurions pas dû faire; il n'y a rien de bon en nous». Et nos deux païens de dire: «Nous sommes à la bonne place».

Abandonnez l'idée que vous êtes bons, parce que vous allez à l'église. Vous fréquentez l'église pour venir en contact avec Dieu et permettre à Dieu de vous sauver; de toute façon, vous essayez de devenir bons par la grâce de Dieu et non par vos propres mérites.

Puis, il y a le témoignage de la parole et de l'action. Je pense qu'il existe dans le monde une foule de pharisiens vertueux prétendant être une source d'influence bénéfique, mais qui ressemblent tellement à tout le monde qu'il n'y a pas lieu de parler de différence. Quand une expérience spirituelle a commencé à nous transformer profondément à l'intérieur, nous devenons plus humbles et plus conscients de notre pauvreté spirituelle. C'est alors que les gens deviennent intéressants. Ils se demandent ce qui leur est arrivé, ils se mettent à poser des questions et s'engagent ainsi dans un partage verbal. Nous ne prêchons pas aux autres, nous n'affichons aucune supériorité, nous gardant bien de nous citer en exemples, mais nous échangeons nos premières expériences victorieuses. L'activité de Douzième Étape est l'occasion de partage pour le croyant authentique. Il veut transmettre sa foi aux autres et il prendra soin de se préparer en paroles et en actions.

À mon sens, le Mouvement des A.A. est un des grands signes du réveil spirituel de notre temps. Il est d'une nature expérimentale, plutôt que dogmatique. Mais personne ne peut douter que c'est Dieu qui a fait des A.A. ce que le Mouvement est devenu aujourd'hui, que c'est Lui qui l'inspire, qui le tient en marche, qui est cet esprit parfaitement intangible mais absolument réel que nous n'avons cessé de ressentir depuis notre arrivée à Saint-Louis. Je suis reconnaissant que l'Église se soit associée aux A.A. d'une façon aussi grande, parce que je suis convaincu que votre Mouvement a besoin de l'Église pour grandir et se stabiliser; mais aussi, parce que je crois que l'Église a besoin des A.A. comme d'un stimulant vers une Église plus vivante, plus puissante et plus confiante. Les deux sont faits pour être les compléments et les suppléments l'un de l'autre.

J'ai confiance que le Mouvement des A.A. continuera à rendre service aux hommes et aux femmes aussi longtemps qu'ils en auront besoin, s'il reste réceptif à l'inspiration de Dieu, si ses membres demeurent ouverts l'un à l'autre dans un esprit de fraternité et disposés à servir le public. J'estime que votre Mouvement a été sage de limiter son activité organisée aux alcooliques, et que l'influence des A.A. rejaillira aussi sur la médecine, la psychiatrie, les maisons de détentions, l'enseignement, sur les problèmes inhérents à la nature humaine ainsi que sur leur solution, et par-dessus tout sur l'Église elle-même.

Je crois que le Mouvement des A.A. a tiré indirectement son inspiration et son élan dans la pensée et les croyances de l'Église. Le temps est peut-être venu qu'elle soit réveillée et revitalisée par la pensée et les pratiques des A.A. Je ne connais pas de champs dans l'activité humaine où les Douze Étapes ne soient pas applicables et utiles. Je souhaite que le Mouvement des A.A. puisse, un jour, avoir encore plus d'influence sur le monde qu'il n'en a eu jusqu'ici et qu'il puisse enfin contribuer largement au réveil spirituel déjà amorcé, dans notre monde en difficulté.

Donc, en cette occasion, alors que le Mouvement des A.A. prend un tournant historique, alors que sa direction est confiée à un groupe plus nombreux que par le passé, remercions Dieu de Sa bonté à notre égard, de la façon dont Il a guidé, fait prospérer, utilisé, enrichi et développé cette puissance magnifique de notre époque et pour toutes les promesses d'avenir que votre Mouvement contient en faveur des milliers et peut-être des millions d'êtres humains à l'avenir.

Que Dieu bénisse les A.A. à jamais!

BILL: On répète souvent chez les A.A. que nos chefs ne gouvernent pas par mandat, qu'ils conduisent par l'exemple. Il est indéniable que ce matin nous avons été inspirés par un magnifique exemple, un exemple sans lequel notre Fraternité n'aurait peut-être jamais existé. Je crois qu'il est tout à fait approprié si, en guise de conclusion de cette session, je récite la prière de Saint François, un des saints dont l'exemple nous est si précieux et qui est si près de nous tous:

«Seigneur, faites de moi un instrument de votre paix,
que là où est l'offense, j'apporte l'esprit du pardon;
que là où est l'erreur, j'apporte la vérité;
que là où est le doute, j'apporte la foi;
que là où est le désespoir, j'apporte l'espérance;
que là où est la tristesse, j'apporte la joie.

Seigneur, permets que je cherche plutôt à consoler qu'à être consolé; à comprendre plus qu'à être compris; à aimer plus qu'à être aimé. Car, c'est en donnant qu'on reçoit. C'est en s'oubliant qu'on trouve. C'est en pardonnant qu'on est pardonné. Et c'est en mourant qu'on ressuscite à la vie éternelle.

VI

Témoignage d'un ami

LES amis des A.A. sont légion. Leur grande bienveillance et, souvent, leur aide directe fut indispensable à nos progrès.

M. Bernard B. Smith, Procureur de la ville de New York, fut d'un secours inestimable pour nos services mondiaux, grâce à l'habileté et au dévouement qu'il manifesta durant de si nombreuses années à titre de Syndic et de Président du Conseil des Services généraux des A.A. Il est un exemple typique de cette sorte d'amitié qui a toujours permis à notre Mouvement de progresser et de se propager.

L'INDIVIDU, LA FRATERNITÉ DES A.A. ET LA SOCIÉTÉ

PAR BERNARD B. SMITH
Président du Conseil des Services généraux des A.A.
1951-1956

(D'après les causeries prononcées par M. Smith lors des six premières conférences des Services généraux)

Alors que je me préparais à résigner mes fonctions de Président, je me mis à penser à toutes sortes de choses: à ces jours excitants, mais mouvementés, des débuts du Mouvement; à toutes les amitiés que moi, un non-alcoolique, ai trouvées chez les A.A.; à toutes ces expériences réconfortantes que j'ai vécues au sein de la Fraternité des A.A.; à la formation soudaine et prodigieuse de la Conférence des Services généraux dans laquelle les délégués élus représentent la presque totalité de notre Fraternité.

Plus qu'à toute autre chose, peut-être, je songeais à l'agencement miraculeux des événements chez les A.A.: dans le Mouvement , les projets ne débutent qu'au moment opportun; et s'il nous arrive parfois d'être déçus devant la lenteur des événements, nous réalisons par la suite que le moment opportun n'était pas encore arrivé et nous nous réjouissons des délais encourus.

Et je voyais le doigt de Dieu en train de tracer notre cheminement, dans notre vie personnelle, dans l'histoire de la Fraternité et dans nos relations avec le monde qui nous entoure. Et je réalisais que, de toute évidence, les Douze Étapes des A.A. avaient été conçues sur une base spirituelle pour nous permettre d'affronter ce défi sérieux et grandissant qui se présente à nous, alcooliques et non-alcooliques. De quel défi s'agit-il, sinon du défi d'une génération qui refuse d'accepter la spiritualité comme fondement de la vie humaine et cherche à la remplacer par des valeurs technologiques et matérielles. C'est un défi devant lequel le Mouvement des A.A. ne reculera jamais, parce que l'essence de sa foi et son existence même découlent de la certitude que la vie sur cette terre repose sur une base spirituelle.

Je vous avoue que, lors de mon premier contact avec les A.A., je ne pensais pas en terme de grands concepts sociaux, ni à l'importance des grandes vérités spirituelles pour résoudre les problèmes de tous les humains dans leur quête du bonheur.

Les circonstances de ce premier contact furent plutôt prosaïques. Conscients du besoin de créer une structure de services simple mais efficace, les premiers membres des A.A. et certains de leurs amis non-alcooliques cherchaient un avocat pour élaborer un document légal pouvant conduire à l'incorporation de «*Alcoholic Foundation*», aujourd'hui connue sous le nom de Conseil des Services généraux des A.A.

Un de mes amis qui était, et qui est toujours, un membre des A.A. me suggéra de rencontrer Bill. Je n'oublierai jamais cette première rencontre qui eut lieu, il y a quinze ans, dans mon bureau une fin d'après-midi qui se prolongea toute la soirée. Je serai toujours reconnaissant à cet ami d'avoir orchestré cette rencontre, car, pour des raisons qui demeurent mystérieuses, j'étais prêt à recevoir le message de Bill. On aurait dit que toute ma vie n'avait été qu'une longue préparation pour me permettre de comprendre les révélations de Bill. Bill me révéla, confidence qui me bouleversa, que lorsque les gens cessent de boire en appliquant les Douze Étapes à leur vie quotidienne ils commencent à vivre sur une base spirituelle.

Et je fus surpris d'apprendre que le mode de vie des A.A. s'adressait à moi, un non-alcoolique, ainsi qu'à un nombre incalculable d'êtres humains qui, comme moi, n'avaient jamais fui dans l'alcool ou dans d'autres refuges pour échapper au monde matérialiste. Comme nous pouvons nous en rendre compte en observant notre société moderne, l'alcoolique qui boit encore ne détient pas le monopole de la tristesse ni le sentiment que la vie n'a aucun sens.

Pendant ces années où j'ai eu le privilège de servir d'abord comme membre, puis comme président, du Conseil des Services généraux, j'ai toujours gardé la conviction, comme au premier jour, que le Mouvement des A.A. est plus qu'une Fraternité pour alcooliques, mais qu'il constitue un mode de vie pour tous ceux qui ont perdu leur route dans notre monde perturbé.

À plusieurs reprises, j'ai esssyé de définir la Fraternité des A.A. et je n'y suis jamais parvenu, jusqu'au jour où, en Angleterre, j'ai entendu un célèbre chef religieux, le Chanoine C.E. Raven, prononcer une allocution à la radio. Durant sa causerie, le Chanoine Raven décrivit les conditions d'une véritable fraternité de la façon suivante:

«*Trois conditions sont nécessaires pour la création d'une véritable fraternité: la possession d'un idéal commun dépourvu d'égoïsme et de rivalité. L'établissement d'un but commun assez élevé pour éclairer l'imagination et susciter la loyauté. La camaraderie ou le groupement impliquant la joie et d'enthousiasme d'appartenir à une association organisée et engagée dans un travail à plein temps. Cette fraternité atteint son apogée, lorsque l'idéal est très élevé et très exaltant; lorsque la tâche captive chaque once de notre force et chaque élément de notre être; lorsque la camaraderie est tellement forte et profonde que nous nous comprenons les uns les autres sans effort conscient, que nous devinons les besoins non avoués et que nous y remédions immédiatement et spontanément.*

«*Dans de telles conditions, toute l'énergie que nous gaspillons souvent à satisfaire nos jalousies et nos vanités, à sauvegarder les apparences et à réprimander les autres, devient disponible pour un travail créateur*».

Je pense que ces paroles constituent pour le Mouvement des A.A. non seulement une définition de sa Fraternité, de ses buts et de ses attitudes, mais un rappel que, loin d'être un organisme social passif et statique, il représente par extension une force créatrice et dynamique apte à libérer notre énergie latente pour nous permettre de vivre et d'agir d'une façon constructive.

Il n'y a pas si longtemps, je volais au-dessus du désert de notre grand sud-ouest. Ici et là, comme par enchantement, apparaissaient quelques petits bosquets de verdure entourés d'immenses étendues brunes d'un désert inerte. Je songeais que si nous libérions ces vastes réservoirs d'eau cachés sous ce désert, ils le convertiraient en un jardin de fleurs. Puis, je réalisai que si Dieu nous donne l'eau, nous devons creuser le puits.

Ces petits bosquets de verdure me rappelèrent nos groupes où, grâce à la foi puisée dans les Douze Étapes, nous avons creusé des puits pour faire fleurir ces sections de la vie humaine. Et nous avons appris, pensai-je que seuls nous ne pouvions transformer le désert dans lequel nous vivions; seuls, nous ne pouvions creuser les puits. Chez-les A.A., le tout est vraiment plus grand que la somme de ses parties. La puissance d'inspiration du groupe et de la Fraternité soutire de chacun de nous un rendement supérieur à celui que nous pourrions donner nous-mêmes. En retour, chacun de nous puise dans le réservoir spirituel de notre Fraternité un supplément de courage et de volonté pour faire grandir chacun de nous et le Mouvement tout entier.

Les fruits que nous pouvons récolter grâce à notre fidélité aux principes des A.A. dépassent de beaucoup ce que les matérialistes appellent le bonheur.

J'ai eu l'occasion, tout récemment, d'examiner la définition du mot bonheur dans un dictionnaire récent. À ma grande surprise, la première définition se lisait comme suit: «chance, fortune, prospérité». Cette définition matérialiste du bonheur est fort différente de la notion de bonheur préconisée chez les A.A.

Cependant, la seconde définition proposée par le dictionnaire s'applique directement à la sorte de bonheur que les hommes et les femmes cherchent et trouvent dans notre Mouvement, un bonheur durable, si l'on vit en accord avec les Douze Étapes. Cette définition se lit: «Un état de bien-être, caractérisé par une permanence relative et une sensation généralement agréable pouvant aller d'un simple contentement à une félicité positive, et par un désir naturel de durer».

Si l'on s'en tient aux termes de cette définition, je crois que les personnes vivant en accord avec les principes des A.A.

bénéficient d'un bonheur beaucoup plus grand que toutes les autres catégories d'humains que j'ai déjà rencontrées.

Je me suis attardé à ces définitions. J'ai réfléchi au fait que les définitions des dictionnaires traduisent les idées courantes de la société et j'étais tourmenté de constater que la première définition du bonheur renfermait des termes aussi matérialistes que «chance, fortune et prospérité».

Aussi, ai-je scruté plusieurs dictionnaires publiés vers l'année 1890. J'ai découvert que le mot prospérité n'apparaissait pas alors dans la définition du bonheur. Puis, j'ai consulté un dictionnaire publié en 1927 où la définition, non seulement comprenait les expressions «bonne chance, bonne fortune et prespérité», mais qu'elle leur accordait le second rang. En 1943, elles occupaient le premier rang, détrônant ainsi la définition du bonheur que nous préférons chez les A.A. et confirmant le fait qu'une conception matérialiste du bonheur traduisait les préoccupations des hommes et des femmes de notre société moderne.

On serait donc tenté de conclure que nos Douze Étapes, évaluées à la lumière des exigences de bonheur acceptées dans notre société actuelle, constituent une marche en arrière. Mais elles sont un retour au cœur universel de l'homme et au véritable esprit de l'homme. Le monde aura fait un pas en avant, lorsque nos dictionnaires auront fait un pas en arrière dans la définition du bonheur.

Les vérités émergeant d'une société matérialiste sont appelées à devenir paradoxales. Considérons, par exemple, ce simple énoncé: «Je suis un alcoolique». La première fois qu'un homme ou une femme se lève devant nous et dit: «Je suis un alcoolique», il prononce ces paroles alors qu'il ne consomme plus d'alcool. Ainsi, lorsqu'un membre parvient à se décrire comme alcoolique, la société cesse de le considérer comme tel. Et pourtant, ce n'est qu'à partir du moment où un membre cesse de boire qu'il revendique le droit de se décrire comme alcoolique.

Aussi longtemps que les alcooliques vivent d'une façon matérialiste et boivent à l'excès, ils refusent d'accepter l'étiquette d'alcooliques. Mais, quand ils abandonnent l'alcool et proclament pour eux-mêmes et pour le monde: «Nous sommes des alcooliques», la société refuse de les reconnaître.

Un phénomène que le monde irréfléchi considère comme une défaite, les alcooliques dans le Mouvement le regardent comme un triomphe de l'esprit, une victoire de l'humilité sur l'orgeuil et l'égocentrisme. Très peu d'humains ont jamais eu le courage de se lever devant leurs voisins pour se décrire humblement, en disant: «Voilà ce que je suis vraiment».

Nous connaissons deux occasions où le fait de prononcer l'expression «Je suis un alcoolique» prend une signification particulière. Il y a d'abord la première fois qu'un membre utilise ces mots dans une assemblée des A.A. Il existe aussi une autre circonstance antérieure dont l'importance est peut-être encore plus grande. Il s'agit du moment où un alcoolique déclare à son parrain, avec tout le désespoir et l'écœurement dont son âme est remplie: «Je suis un Alcoolique». Et cet événement nous conduit à un autre paradoxe chez les A.A.

Le paradoxe réside dans le fait que le membre des A.A. approche l'alcoolique encore souffrant, non pas du haut de sa supériorité d'alcoolique rétabli, mais plutôt avec la conscience de sa propre faiblesse. Le membre ne s'adresse pas au nouveau venu avec un esprit de puissance, mais avec un esprit d'humilité et de fragilité. Au lieu de s'attarder aux erreurs de l'alcoolique malheureux, il raconte celles qu'il a déjà commises. Il ne juge pas l'autre, il évalue ce qu'il a déjà été.

Lorsque la société considère l'alcoolique, elle emploie l'expression «l'esclavage de l'alcool». Pour un membre des A.A., cette déclaration, à supposer qu'elle soit vraie, renferme un autre paradoxe. En fait, le membre n'a jamais été l'esclave de l'alcool. L'alcool lui a tout simplement permis de s'évader des fausses notions véhiculées par notre société moderne. Pourtant, si nous acceptons, comme la société le veut, de définir l'ancien état de l'alcoolique comme un esclavage de l'alcool, le membre des A.A. ne s'en offense plus, parce que l'alcool l'a aidé à se libérer de tous les pièges matérialistes qui foisonnent dans la jungle de notre société. Il a fallu que l'alcoolique affronte d'abord le matérialisme comme une maladie de la société avant de se libérer de sa maladie de l'alcoolisme et de tous les maux sociaux qui ont contribué à le rendre alcoolique.

Les hommes et les femmes qui utilisent l'alcool comme une évasion ne sont pas les seuls à être effrayés de la vie, hostiles à la société, désireux de fuir ce marasme dans la solitude. Des millions de non-alcooliques vivent aujourd'hui dans des mondes d'illusions, entretenant les anxiétés et les insécurités de l'existence humaine, plutôt que de les affronter avec courage et humilité. Le Mouvement des A.A. n'offre pas à ces gens le remède d'une potion magique, d'une formule chimique ou d'une drogue puissante. Mais il peut leur enseigner à utiliser les outils de l'humilité, de l'honnêteté, du dévouement et de l'amour, qui forment le cœur des Douze Étapes de notre rétablissement.

Une autre déclaration paradoxale de la société humaine trouve une application particulière chez les A.A. Il s'agit du dicton «Une chaîne a la force du plus faible de ses maillons». L'interprétation généralisée veut que pour être forte une chaîne ne doit compter aucun maillon faible.

Le paradoxe de cette déclaration, quand on l'applique au Mouvement, c'est que chez les A.A. la chaîne *est* aussi forte que son maillon le plus faible. Car, la chaîne sans fin du Mouvement se renforcit jusqu'à pouvoir rejoindre les maillons faibles, les hommes et les femmes alcooliques qui souffrent encore autour de nous. C'est sur cette vérité paradoxale que repose l'assurance de la survie de la Fraternité. La continuité du Mouvement s'appuie sur la prétendue faiblesse de ces êtres humains qui s'évadent des bases matérialistes de la société au moyen de l'alcool.

C'est parce que nous connaissons le formidable impact que la Fraternité des A.A. peut avoir sur les générations futures que nous nous sommes acharnés à organiser une structure de service dans le Conseil des Services généraux, dans la Conférence des Services généraux et dans plusieurs comités de services qui ont pour mission de répandre le message des A.A. quotidiennement dans le monde. C'est avec raison que Bill a décrit cette structure des services comme un legs qui mérite la même attention et la même compréhension que nous accordons au premier legs des Douze Étapes et au deuxième legs des Douze Traditions.

Mais ce troisième legs renferme une condition: nous pouvons utiliser ce legs durant toute notre vie, à la condition que non seulement nous le sauvegardions mais que nous augmentions sa valeur spirituelle pour les générations futures. Chacune des prochaines générations, en recevant ce legs, devra de la même façon le protéger si elle désire en profiter et y trouver la vie, pour ensuite le léguer à la génération suivante avec un contenu spirituel enrichi.

La Conférence des Services généraux des A.A. constitue, évidemment, l'instrument pratique pour préserver, enrichir et administrer ce troisième et merveilleux legs du Service. Dès le début, le concept de la Conférence a été simple et contraignant. Il est basé sur la conviction que nous tous, qui avons été associés au Mouvement des A.A. durant ses premières années de croissance et de développement, avons une obligation envers la société. Cette obligation consiste à s'assurer que notre Fraternité survivra, que ce foyer de foi et ce phare d'espérance pour le monde ne s'éteigne jamais.

Nous n'avons peut-être pas besoin d'une Conférence des Services généraux pour assurer notre propre rétablissement. Mais nous en avons besoin pour assurer le relèvement de l'alcoolique qui trébuche dans l'obscurité à la recherche de la lumière. Nous en avons besoin pour assurer le rétablissement de quelque nouveau-né qui, d'une façon mystérieuse, est destiné à l'alcoolisme. En confirmité avec la Douzième Étape, nous en avons besoin pour assurer un refuge permanent à tous les alcooliques qui, dans l'avenir, pourront trouver chez les A.A. cette même résurrection que les premiers membres ont connue.

Nous en avons besoin parce que nous sommes conscients de la nécessité d'empêcher l'effet dévastateur de la soif du pouvoir et du prestige de s'infiltrer dans le Mouvement. Nous avons besoin d'une Conférence pour empêcher les A.A. de sombrer dans la manie de gouverner ou dans l'anarchie. Nous en avons besoin pour protéger la Fraternité contre la désintégration, tout en évitant une trop grande intégration. Nous en avons besoin pour que le Mouvement des A.A., et lui seul, soit l'ultime dépositaire de ses Douze Étapes, de ses Douze Traditions et de tous ses Services.

Nous avons besoin d'une Conférence pour nous assurer que les changements opérés dans le Mouvement répondent aux besoins et aux vœux de tous les A.A. et non seulement à ceux d'un petit nombre. Nous en avons besoin pour que les portes des salles du Mouvement ne soient jamais verrouillées, afin que tous les alcooliques de toutes les époques puissent y entrer, se sentant bienvenus et n'ayant pas à porter de masques. Nous en avons besoin pour que les membres des A.A. en viennent à ne jamais tenir compte de la race, de la foi ou du rang social de ceux et celles qui recherchent l'aide du Mouvement.

Je considère comme un privilège inestimable, comme une expérience merveilleuse et enrichissante le fait d'avoir pu servir les A.A., pendant de nombreuses années à titre de président du Conseil des Services généraux et, de ce fait, comme président des six premières Conférences des Services généraux. Lorsque j'ai résigné mes fonctions de président, au terme de la sixième Conférence, en avril 1956, je n'ai pas eu l'impression de quitter le Mouvement. Quand on a été impliqué dans la Fraternité, aussi profondément que je l'ai été, on ne quitte pas, on se range. On continue à servir dans les rangs, avec toute l'humilité et toute l'habileté possibles.

Je n'ai pas démissionné parce que je ne voulais plus être président. J'ai apprécié cette responsabilité et j'ai trouvé une grande satisfaction personnelle dans la confiance qu'un si grand nombre d'entre vous m'ont manifestée, à moi un non-alcoolique. Pour employer un autre paradoxe: j'ai démissionné à cause de mon amour et de mon dévouement pour votre Fraternité. J'ai déclaré il y a plusieurs années et je continue de penser que le Mouvement doit s'immuniser contre le «monopole du droit de servir». Chez les A.A., personne n'a le droit de demeurer en fonction indéfiniment.

Le fait que personne n'a demandé ma démission, et je m'en réjouis, m'incita encore davantage à réaffirmer le principe établi d'une rotation dans tous les postes de service chez les A.A. Un jour, on appréciera peut-être plus qu'aujourd'hui cette tradition voulant que personne ne demeure président d'une façon indéfinie. Une tradition non-écrite est en train de s'établir et de se vérifier dans le Mouvement: La Fraternité est importante pour la vie de l'individu, mais personne n'est indispensable au Mouvement. C'est le Mouvement qui est important, important pour ceux que la société a rejetés et pour ceux qui ont rejeté la société; important pour toute l'humanité, comme un symbole de la richesse du grand réservoir spirituel dans lequel peuvent puiser tous ceux qui aspirent à un meilleur mode de vie.

Ce précieux message, que nous avons reçu et par lequel nous essayons de vivre, nous a permis de goûter un bonheur bien supérieur à celui de l'humain qui n'a pas été soumis aux méfaits de l'alcoolisme. Comme individus et comme Fraternité, nous devons nous soucier de la structure des services du Mouvement qui protège et prolonge notre vie. Nous conserverons à l'égard des générations futures l'obligation solennelle de les assurer que ce mode de vie est disponible pour eux, comme il l'a été pour nous.

À titre de non-alcoolique et d'observateur des grands mouvements sociaux dont nous tirons la meilleure partie de notre héritage, je considère la Fraternité des Alcooliques anonymes comme le plus grand phénomène spirituel de notre siècle. Je retrouve dans le mode de vie des Alcooliques anonymes une glorieuse espérance pour l'humanité entière. Car, les membres de votre Fraternité témoignent de cette grande vérité qui permet que les hommes et les femmes puissent vivre selon des principes spirituels tout en fonctionnant avec succès dans un monde matérialiste.

Ainsi, la première génération dans l'histoire des A.A. tire à sa fin. Elle est riche en foi, importante en nombre et dévouée à sa mission. Je suis reconnaissant d'avoir eu le privilège d'assister à son émergence dans notre société.

Alors que je quitte mes fonctions de président des Services généraux des A.A., je n'entretiens que le seul regret de ne pas avoir eu l'habileté et les talents pour contribuer plus que le peu que j'ai essayé d'apporter au service de cette remarquable et puissante Fraternité.

ANNEXES

ANNEXE A

Comment communiquer avec les Alcooliques Anonymes et les Goupes Familiaux Al-Anon

Aux États-Unis et au Canada, la plupart des cités et des villes ont des groupes d'Alcooliques anonymes. Dans ces endroits, on peut localiser le Mouvement des A.A. à l'aide de l'annuaire téléphonique ou le bureau d'un journal, en s'adressant à la station de police, ou en contactant les prêtres ou les pasteurs locaux. Dans les villes importantes, les groupes ont des permanences où des alcooliques et leurs familles peuvent organiser des entrevues ou une hospitalisation. L'adresse de ces organismes est publiée dans l'annuaire téléphonique sous le vocable de A.A. ou Alcooliques anonymes.

À New York, aux États-Unis, les Alcooliques anonymes dirigent un centre de service international. Le Conseil des Services généraux par ses Syndics y administre le Bureau des Services généraux des A.A., les Services mondiaux Inc., et notre revue mensuelle *The Grapevine.*

Si vous ne pouvez pas retracer les A.A. dans votre localité, vous pouvez écrire à *Alcoholics Anonymous, box 459, Grand Central Station, New York, N.Y., 10163, U.S.A.* et notre centre mondial vous fera connaître, par retour du courrier, l'adresse du groupe des A.A. le plus près de chez-vous. S'il n'existe pas de groupe à proximité de l'endroit où vous habitez, on vous invitera à utiliser la correspondance pour conserver votre sobriété en dépit de votre isolement.

Si la parenté ou l'amitié vous lie à un alcoolique qui ne manifeste aucun intérêt pour le Mouvement des A.A., on vous suggère d'écrire à *Al-Anon Family Groups, Inc., P.O. Box 182, Madison Square Station, New York, N.Y., 10159, U.S.A.* Ce bureau central pour les Groupes familiaux Al-Anon du monde entier est composé en grande partie des épouses, des époux et des amis des Alcooliques anonymes. Le personnel de ces quartiers généraux vous indiquera l'adresse du Groupe familial le plus près de chez-vous et, si vous le désirez, discutera vos problèmes avec vous par correspondance.

ANNEXE B

Pourquoi les Alcooliques Anonymes sont anonymes.

par Bill

Un rappel des Traditions concernant l'anonymat nous permettra de mieux comprendre cet article. La Onzième Tradition nous dit: «La politique de nos relations publiques est basée sur l'attrait plutôt que sur la réclame; nous devons toujours garder l'anonymat personnel dans la presse écrite ou parlée, au cinéma et à la télévision». La Douzième Tradition déclare: «L'anonymat est la base spirituelle de toutes nos Traditions et nous rappelle sans cesse de placer les principes au-dessus des personnalités».

Comme jamais auparavant, la lutte pour le pouvoir, le prestige et la richesse déchirent notre civilisation, dressant l'individu contre l'individu, la famille contre la famille et la nation contre la nation.

Presque toutes les personnes engagées dans ce conflit acharné se disent impliquées dans la poursuite de la paix et de la justice pour eux-mêmes, pour leurs voisins et leurs nations. «Donnez-nous le pouvoir», disent-ils, «et la justice règnera; donnez-nous l'argent et nous obtiendrons le confort ainsi que le bonheur». Les êtres humains, dans le monde entier, acceptent facilement ces principes et agissent en conséquence. Plongée dans une sorte de cuite sèche ahurissante,, la société titube sur une route sans issue. Le signal d'arrêt est pourtant bien indiqué. Il dit: «Désastre».

En quoi cela concerne-t-il l'anonymat et les Alcooliques anonymes?

Nous les Alcooliques anonymes devrions le savoir, puisque chacun de nous s'est déjà retrouvé dans une pareille impasse. Animés par l'alcool et la rationalisation, plusieurs d'entre nous ont poursuivi les chimères du prestige personnel et de la richesse jusqu'au signal d'arrêt du désastre. Puis ce fut le Mouvement des A.A.

Nous avons alors changé de direction et nous nous sommes engagés sur une nouvelle avenue où les panneaux indicateurs ne mentionnaient jamais la puissance, la gloire ou la fortune. Les nouveaux signaux nous disaient: «Voici le chemin de l'équilibre mental et de la sérénité, dont le prix de passage est l'oubli de soi».

Notre manuel des Douze Étapes et des Douze Traditions déclare que «l'anonymat constitue la plus grande protection possible pour notre Fraternité». Il dit également que «la substance spirituelle de l'anonymat réside dans le sacrifice».

Retournons maintenant à ces vingt années d'expérience du Mouvement pour découvrir comment se sont élaborés les principes maintenant exprimés dans nos Onzième et Douzième Traditions.

Nous avons commencé par sacrifier l'alcool. Il le fallait, sinon il nous aurait tués. Mais nous n'aurions pu nous libérer de l'alcool sans consentir d'autres sacrifices. Il nous fallut écarter la justification personnelle, l'apitoiement et la colère. Il fallut abandonner la lutte stupide pour le prestige personnel et les gros comptes en banque. Il nous fallut assumer la responsabilité de notre situation lamentable, et cesser d'en blâmer les autres.

Est-ce que ces privations furent des sacrifices? Oui, elles le furent. Afin d'obtenir assez d'humilité et de respect de soi-même pour simplement rester en vie, nous avons dû abandonner ce que nous possédions de plus précieux, soit notre ambition et notre orgueil monstrueux.

Mais, ces changements n'étaient pas suffisants. Il fallait continuer le nettoyage et en faire bénéficier d'autres personnes. Alors, nous nous sommes engagés dans nos activités de Douzième Étape et la transmission du message des A.A. Pour y arriver, nous avons dû sacrifier temps, énergie et argent, parce que nous ne pouvions pas conserver notre richesse intérieure, sans l'offrir aux autres.

Avons-nous sollicité une rémunération quelconque des nouveaux arrivants? Leur avons-nous demandé le droit de gérer leurs vies, ou une rétribution en argent en reconnaissance pour notre beau travail? Non, nous n'avons rien exigé. Nous avons découvert que si nous demandions quoi que ce soit, notre activité de Douzième Étape perdrait toute son efficacité. Il nous a fallu renoncer à ces désirs naturels; autrement, nos candidats n'auraient atteint qu'une piètre sobriété, et la nôtre n'aurait pas été meilleure.

Nous avons compris que pour être valable l'effet de notre sacrifice devait profiter à la fois au donneur et au bénéficiaire. Nous avons donc commencé à pratiquer ce don de soi tout à fait gratuit.

Lorsque nous avons formé le premier groupe des A.A., nous avons bientôt fait plusieurs autres découvertes du même genre. Nous avons réalisé que chacun de nous devait accepter des sacrifices personnels pour le bien commun du groupe et que le groupe, en retour, devait sacrifier plusieurs de ses droits pour la sécurité et le progrès de chaque membre et de la Fraternité entière. Ces sacrifices étaient nécessaires à la survivance du Mouvement.

La substance et la forme des Douze Traditions des Alcooliques anonymes découlèrent de ces expériences et de ces réalisations. Nous avons graduellement découvert que l'unité, l'efficacité et la survie des A.A. dépendraient toujours de notre volonté constante de renoncer à nos ambitions et à nos désirs personnels. Si le sacrifice assurait la survie individuelle de l'alcoolique, il garantissait tout autant l'unité et la permanence du groupe et de toute la Fraternité des A.A.

Considérées sous cet angle et à la lumière de nos vingt années d'expérience, les Douze Traditions des A.A. se résument à une liste de sacrifices que nous devons accepter, individuellement et collectivement, pour que la Fraternité demeure vivante et pleine de santé.

Dans nos Douze Traditions, nous allons à l'encontre de presque toutes les orientations du monde extérieur. Nous nous sommes refusé le système d'un gouvernement personnel, le statut professionnel et le droit de choisir nos membres. Nous avons abandonné la manie de la prédication, de la réforme et du paternalisme. Nous refusons les contributions charitables venant de l'extérieur et avons décidé de payer nous-mêmes les frais de nos opérations. Nous coopérons avec presque tout le monde et, pourtant, nous refusons toute affiliation avec les autres organismes. Nous nous abstenons de toute discussion publique et nous évitons d'aborder ensemble les questions qui déchirent la société: la religion, la politique et la réforme sociale. Notre seul but consiste à transmettre le message des A.A. à l'alcoolique malade qui le désire.

Si nous adoptons ces attitudes, ce n'est pas que nous nous croyons nantis d'une vertu ou d'une sagesse particulière; nous agissons ainsi, parce que notre rude expérience nous en fait une obligation, pour que le Mouvement persiste malgré les affolements de notre société moderne. Nous abandonnons certains de nos droits et acceptons des sacrifices, parce que nous le devons, ou plutôt, parce que nous le voulons. Le Mouvement des A.A. est une puissance supérieure à chacun de nous; il doit continuer à vivre, pour préserver la vie de milliers de nos semblables. Voilà une réalité dont nous sommes convaincus.

Et maintenant, où se situe l'anonymat dans ce tableau? D'abord, qu'est-ce que l'anonymat? Pourquoi pensons-nous qu'il constitue la plus grande protection que les A.A. puissent jamais trouver? Pourquoi est-il le plus éloquent symbole du sacrifice personnel, la clef spirituelle de toutes nos Traditions et de notre mode de vie au complet?

Une partie de l'histoire des A.A. nous révèlera, je l'espère vivement, la réponse que nous cherchons tous. Il y a plusieurs années, un célèbre joueur de baseball cessa de boire grâce à notre Mouvement. Son retour au jeu fut si spectaculaire, qu'il lui valut une formidable ovation dans tous les journaux, une bonne partie du crédit rejaillissant sur les A.A. Sous son nom au complet et sa photo, on le présenta comme membre des A.A. à des milliers d'admirateurs. Pendant un certain temps, ces événements nous furent bénéfiques, parce que les alcooliques nous arrivèrent en grand nombre. Nous étions ravis. J'étais moi-même particulièrement agité parce que cet événement me fournissait des idées.

Je me mis bientôt à voyager, prodiguant les entrevues et les photos personnelles. À ma grande satisfaction, je réalisais que je pouvais mériter la première page, aussi bien que ce joueur de baseball. De plus, il ne pouvait suivre le rythme de sa publicité, alors que je pouvais garder le mien. Il me suffisait de continuer à voyager et à parler. Les groupes locaux et les journaux se chargeaient du reste. Tout récemment, j'ai été consterné en jetant un coup d'œil sur les reportages publiés par les journaux de l'époque. Je crois que, durant deux ou trois ans, j'ai été le plus grand briseur d'anonymat chez les A.A.

Il m'est donc impossible de blâmer les membres des A.A. qui, depuis, se sont emparés des projecteurs. J'ai été moi-même le meilleur exemple, il y a plusieurs années.

À l'époque, cette réaction semblait normale. Me sentant justifié, j'en ai profité. Quelle satisfaction j'ai ressentie à la lecture de ces articles sur deux colonnes, avec nom et photo, au sujet de «Bill, le courtier» qui sauvait les alcooliques par milliers!

Puis, ce beau ciel commença à se couvrir. Des membres sceptiques se mirent à murmurer: «Bill prend tout le gâteau. Le Dr Bob n'obtient pas sa part de publicité». Ou bien ils disaient: «S'il fallait que toute cette publicité monte à la tête de Bill et qu'il recommence à boire».

Leur attitude m'agaçait. Comment pouvaient-ils me persécuter, alors que j'accomplissais tant de bien? J'ai demandé à mes détracteurs s'ils ignoraient que nous étions en Amérique et que je possédais la liberté de parole. Est-ce que notre pays n'était pas dirigé, comme les autres, par des chefs célèbres? Le principe de l'anonymat s'appliquait certainement aux membres ordinaires, disais-je, mais les co-fondateurs devaient bénéficier de privilèges spéciaux. Le public avait le droit de savoir qui nous étions.

Chez les A.A., les assoiffés de pouvoir (les affamés de prestige, comme moi) ne tardèrent pas à emboîter le pas. Ils seraient des exceptions, eux aussi. Ils affirmèrent que l'anonymat en public ne s'adressait qu'aux timides; les braves et les courageux, comme eux, devaient se lever devant les caméras, afin de se faire connaître. Ce genre de courage aurait bientôt raison de la mauvaise réputation dont souffraient les alcooliques. Le public réaliserait immédiatement que les alcooliques rétablis peuvent devenir d'excellents citoyens. Ainsi, le nombre des briseurs d'anonymat grandissait rapidement, toujours pour le bien du Mouvement des A.A. Pourquoi un alcoolique ne serait-il pas photographié avec le Gouverneur? Est-ce que lui et le Gouverneur ne méritaient pas tous les deux cet honneur? Et c'est ainsi que nous filions à vive allure sur une route sans issue.

Un autre manquement à l'anonymat nous parut encore plus attrayant. Une de mes amies chez les A.A. désirait travailler à l'éducation du public dans le domaine de l'alcool. Dans une grande université, une faculté où l'on s'intéressait à l'alcoolisme désirait qu'elle entreprenne de dire au public que les alcooliques sont des malades et qu'on peut leur apporter beaucoup d'aide. Mon amie était un écrivain et une conférencière de grande classe. Pouvait-elle révéler au grand public qu'elle était membre des A.A.? Eh bien, pourquoi pas? En utilisant le nom des Alcooliques anonymes, elle ferait une excellente publicité pour des éducateurs en alcoolisme et pour le Mouvement des A.A. J'ai trouvé que son idée était merveilleuse et lui donnai ma bénédiction.

Le nom de notre Mouvement devenait fameux et célèbre. Grâce à son propre talent et à l'utilisation de notre nom, mon amie produisit des résultats immédiats. En un rien de temps, son nom au complet et sa photo, accompagnés d'excellents résumés de son projet éducatif et de renseignements sur les A.A., apparurent dans tous les grands journaux de l'Amérique du Nord. Le public eut une meilleure compréhension de l'alcoolisme; le mépris envers l'alcoolique diminua, et le Mouvement des A.A. accueillit de nouveaux membres. Pouvait-on condamner un tel procédé?

Oui, il le fallait. En échange pour ce bénéfice de courte durée, nous acceptions pour l'avenir un passif aux proportions considérables et menaçantes. Au même moment, un membre des A.A. inaugura la publication d'une revue pour promouvoir la prohibition. Il pensait que les Alcooliques anonymes se devaient de coopérer avec les promoteurs de cette abstinence universelle. Il révéla son appartenance au Mouvement des A.A. et utilisa librement le nom de notre Fraternité pour s'attaquer aux maux de l'alcool et à ceux qui le fabriquaient ou le buvaient. Il affirma que lui aussi était un éducateur et que son système d'éducation était le «bon». Et, s'il impliquait le Mouvement des A.A. dans une controverse publique, il était convaincu que nous devions nous engager dans ce domaine. Il se servait donc librement du nom des A.A. pour promouvoir sa cause, comme il sacrifia son anonymat personnel.

Par la suite, une association de distributeurs d'alcool suggéra à un membre des A.A. d'accepter une tâche «d'éducation». Il s'agissait de rappeler aux gens que l'abus d'alcool est nocif et que certaines personnes, comme les alcooliques, devraient s'en abstenir complètement. Que pouvait-il y avoir de répréhensible à remplir une telle charge?

Le problème, c'est que notre ami des A.A. devait renoncer à son anonymat personnel: chaque feuillet publicitaire porterait son nom au complet et son identification comme membre des Alcooliques anonymes. Évidemment, ce procédé était appelé à créer dans le public l'impression que le Mouvement des A.A. favorisait une «éducation» favorable aux vendeurs d'alcool.

Même si ces deux derniers projets ne prirent jamais d'envergure, leurs conséquences étaient graves. Ils nous ouvrirent les yeux. En se liant à une autre cause et en affichant devant le public son appartenance à notre Fraternité, tout membre des A.A. pouvait pratiquement associer le Mouvement des Alcooliques anonymes à n'importe quelle entreprise ou controverse, bonne ou mauvaise. La tentation deviendrait de plus en plus forte à mesure que la valeur de notre nom se répandrait.

Une pareille situation ne tarda pas à se présenter de nouveau. Un autre membre commença à nous impliquer dans le domaine de la publicité. Une compagnie d'assurance-vie lui avait demandé de prononcer, sur un réseau national de radio, une série de douze causeries sur les Alcooliques anonymes. Il s'agissait, évidemment, de présenter dans un emballage attrayant de la publicité pour la compagnie d'assurance, pour les Alcooliques anonymes et aussi pour lui-même.

Aux Quartiers généraux des A.A., nous avons lu les causeries en question. Ce membre utilisait environ 50 pour cent de chacune de ses causeries pour communiquer des renseignements sur les Alcooliques anonymes; le reste lui servait à promouvoir ses propres convictions religieuses. Il risquait ainsi de nous présenter au public sous une fausse image, parce que ces causeries soulèveraient des préjugés religieux contre les A.A. Nous avons rejeté les textes proposés.

Dans une lettre violente, notre ami répondit que ses causeries lui étaient «inspirées» et qu'il ne nous appartenait pas de limiter sa liberté d'expression. Même s'il devait recevoir une rémunération pour son travail, il prétendait toujours que son seul but était de promouvoir les intérêts des A.A. Et il déplorait que nous ne puissions reconnaître le mérite d'une bonne initiative. Nous pouvions tous, le Conseil des Syndics et moi-même, aller au diable. Les causeries seraient diffusées.

Le problème était délicat. En brisant son anonymat et en utilisant le nom des A.A. à des fins personnelles, notre «conférencier» pouvait s'emparer de la direction de nos relations publiques, nous créer des difficultés dans le domaine religieux et nous lancer dans le commerce de la publicité.

Il en résultait que notre Fraternité serait à la merci de tout énergumène qui, renonçant à son propre anonymat, prétendrait nous rendre de précieux services. Il serait alors loisible aux vendeurs professionnels chez les A.A. de se mettre à la recherche d'un commanditaire pour vendre n'importe quel produit, depuis les pretzels jusqu'au jus de pruneaux, en se servant du nom des A.A.

Il nous fallait absolument agir. Nous avons écrit à notre ami pour lui rappeler que les A.A. aussi jouissaient du droit à la liberté de parole. Nous ne l'attaquerions pas publiquement, mais nous pouvions lui garantir que, si l'émission était diffusée, le commanditaire recevrait de nos membres des milliers de lettres de protestation. Notre attitude mit fin au projet.

Mais on n'avait toujours pas colmaté la fissure dans la digue de l'anonymat. Des membres des A.A. commencèrent à nous impliquer en politique. Ils se mirent à dicter à des comités législatifs du gouvernement, et toujours en public, les exigences des A.A. en matière de rétablissement, d'argent et de législation.

Ainsi, en utilisant leur nom et leur photo, certains d'entre nous devinrent des groupes de pression. D'autres membres siégèrent avec des juges de la cour de police, pour décider qui, parmi les prévenus, pourrait être dirigé aux A.A. et qui serait envoyé en prison.

Puis vinrent les sanctions monétaires imposées aux briseurs d'anonymat. À cette époque, la plupart des membres étaient convaincus que nous devrions cesser de solliciter en public des contributions financières pour les activités des A.A. Mais l'entreprise éducative de mon amie, patronnée par l'université, avait progressé. Elle avait un besoin parfaitement légitime de demander de l'argent et d'en demander même beaucoup. Elle lança donc une campagne publique à cet effet. Comme elle était membre des A.A. et continuait de s'afficher comme tel, la confusion s'installa dans l'esprit des souscripteurs. Certains pensèrent que les A.A. s'occupaient d'éducation. D'autres crurent que les A.A. eux-mêmes quémandaient de l'argent, alors que nous ne voulions pas en solliciter. Ainsi, le nom des A.A. était utilisé pour obtenir des fonds au moment même où nous tentions d'expliquer aux gens que notre Fraternité ne voulait pas accepter l'argent du monde extérieur. Ce précédent marqua le début de toute une série de campagnes organisées par des A.A. pour recueillir des fonds afin de venir en aide à des fermes de rétablissement, à des entreprises de Douzième Étapes, à des maisons de pension pour alcooliques, à des clubs et à je ne sais trop quoi, mais toujours au détriment de l'anonymat.

Réalisant son erreur, mon amie, en véritable membre qu'elle était, essaya de reconquérir son anonymat. Ce fut difficile à la suite de l'impressionnante publicité qu'on lui avait faite. Il lui fallut des années. Mais elle accepta ce sacrifice et aujourd'hui je tiens à la remercier en notre nom à tous.

Puis, nous avons eu la surprise d'apprendre que nous étions impliqués dans la politique partisane, cette fois au profit d'un seul individu. Désirant se faire élire à une fonction publique, un de nos membres révéla dans sa publicité qu'il faisait partie des A.A. et que, par conséquent, il était aussi sobre qu'un juge! Il comptait, au jour du scrutin, bénéficier de la popularité dont le Mouvement jouissait dans cet État.

L'histoire la plus piquante dans le domaine du manquement à l'anonymat nous raconte comment le nom des A.A. fut employé comme argument dans une poursuite pour diffamation. Une de nos membres, dont le nom et la profession sont connus dans trois continents, découvrit une lettre qui, selon elle, attaquait sa réputation professionnelle. D'accord avec son avocat, qui était également membre des A.A., elle décida de donner suite à l'affaire. Ils prirent pour acquis que le public et les A.A. seraient furieux si les faits étaient connus. Bientôt, les journaux annoncèrent que les Alcooliques anonymes prenaient parti pour l'une de leurs membres, bien identifiée par son nom au complet, dans sa cause pour libelle diffamatoire. Puis, un commentateur de la radio répéta la même nouvelle à son auditoire d'environ douze millions de personnes. Encore une fois, nous avions la preuve que le Mouvement des A.A. pouvait servir à des fins purement personnelles. Cette fois, on le faisait à l'échelle nationale.

Les archives, à nos Quartiers généraux, renferment plusieurs dizaines d'expériences semblables concernant des bris d'anonymat. La plupart d'entre elles nous enseignent la même leçon.

Elles nous rappellent toutes que nous, les alcooliques, sommes les plus grands rationalistes du monde et que forts du prétexte que nous accomplissons de grandes choses pour les A.A., nous pouvons, en piétinant l'anonymat, reprendre notre ancienne et désastreuse poursuite du pouvoir et du prestige personnels, des honneurs publics et de l'argent, ces mêmes impulsions implacables qui nous poussaient à boire lorsque nous étions frustrés, les mêmes forces qui aujourd'hui déchirent notre monde. De plus, ces leçons nous enseignent que si un nombre spectaculaire de nos membres violaient leur anonymat, ils pourraient un jour entraîner notre Fraternité entière dans une impasse fatale.

Ainsi, nous sommes convaincus que si notre Fraternité tombe sous la gouverne de telles forces, nous périrons à l'instar de plusieurs autres sociétés dans l'histoire de l'humanité. N'allons pas prétendre que nous les alcooliques rétablis sommes meilleurs que les autres et que nos vingt années d'existence sont une garantie absolue qu'il ne nous arrivera rien de fâcheux.

Toute notre expérience, comme alcooliques et membres des A.A., concourt à nous révéler la puissance immense de ces forces susceptibles de causer notre propre destruction. Ces dures leçons nous préparent à accepter tous les sacrifices personnels nécessaires pour la préservation de notre chère Fraternité.

Voilà pourquoi nous considérons l'anonymat au niveau public comme notre principale protection contre nous-mêmes, le gardien de toutes nos Traditions et le plus grand symbole d'abnégation que nous connaissions.

Évidemment, il n'est pas nécessaire que les A.A. conservent l'anonymat auprès des membres de leur famille, de leurs amis ou de leurs voisins. Il est normal et salutaire de leur révéler notre appartenance au Mouvement. Il n'y a pas non plus de danger spécial à révéler son nom lorsqu'on s'adresse à un groupe ou à une assemblée semi-publique des A.A., à condition, bien entendu, que la presse ne révèle que les prénoms.

Mais, quand il s'agit du grand public, de la presse, de la radio, du cinéma, de la télévision, des livres et des autres média d'information, la révélation des noms et la publication des photos tombent sous la règle de l'anonymat. À ce niveau, la discrétion doit être absolue.

Aujourd'hui, nous comprenons parfaitement que l'anonymat hermétique vis-à-vis du public est aussi vital au Mouvement des A.A. que la sobriété absolue est essentielle à chacun de nos membres. Ce précepte n'est pas inspiré par la crainte, mais représente le résultat d'une sage expérience. Je suis certain que nous écouterons cette leçon et accepterons tous les sacrifices qui s'imposent. Nous l'avons en fait suivie, puisqu'aujourd'hui il ne reste plus qu'une poignée, en voie de disparition, de membres qui violent l'anonymat.

Je fais ces remarques avec toute ma conviction et toute mon assurance, parce que je connais bien la tentation du prestige et de l'argent. Je puis m'exprimer comme je le fais, parce que j'ai été moi-même un briseur d'anonymat dans le passé. Je remercie Dieu de m'avoir détourné, il y a de nombreuses années, grâce aux leçons de l'expérience et aux conseils d'amis sages, de ce chemin où j'aurais pu entraîner notre Fraternité tout entière. J'ai appris qu'un bien apparent ou temporaire peut souvent être l'ennemi mortel du mieux permanent. Lorsqu'il s'agit de l'existence du Mouvement des A.A., les demi mesures ne sont pas suffisantes.

Nous avons encore une autre raison de maintenir un anonymat absolu, une raison que nous oublions parfois. Des manquements répétés à l'anonymat pourraient endommager gravement les excellentes relations que nous entretenons aujourd'hui avec la presse et le public. Nous pourrions alors nous retrouver avec une mauvaise presse et une confiance fragile du public.

Depuis des années, tous les média d'information du monde entier ont accordé au Mouvement des A.A. une publicité enthousiaste et ininterrompue. Les éditeurs nous expliquent la raison de tous ces égards. Ils nous allouent plus de temps et d'espace, parce que le Mouvement des A.A. leur inspire une vive confiance. Et ils nous expliquent que cette confiance extraordinaire découle de notre insistance à protéger l'anonymat au niveau de la presse.

Les responsables de l'information et des relations publiques n'avaient jamais entendu parler auparavant d'un organisme qui rejette toute publicité pour ses chefs ou ses membres. Pour eux, cette attitude étrange et reposante a toujours constitué la preuve authentique que les A.A. sont sincères et que personne dans le Mouvement cherche à utiliser la Fraternité pour promouvoir des intérêts personnels. Voilà, nous disent-ils, la raison fondamentale de leur coopération, l'explication de leur fidélité à répandre le message des A.A. dans le monde entier.

Si, éventuellement, des manquements trop nombreux à l'anonymat amenaient les gens de la presse, le public en général et les alcooliques eux-mêmes à douter de notre bonne foi, nous perdrions certainement cet atout inestimable de la confiance universelle et beaucoup de nos futurs membres. Et puis, au lieu de recevoir une excellente publicité, les Alcooliques anonymes seraient moins bien servis. L'avertissement est clair. La plupart d'entre nous le comprennent déjà et j'ai confiance que nos autres membres le comprendront bientôt.

ANNEXE C

La charte de la conférence

La Charte de la Conférence des Services Généraux, que nous reproduisons dans cet annexe, est un ensemble de principes et de relations qui permettent à notre Fraternité de fonctionner comme une entité.

La Conférence elle-même n'est pas incorporée et sa Charte ne constitue pas un document légal. Ses principes sont traditionnels et son pouvoir de servir les A.A. est basé sur l'expérience et des coutumes, plutôt que sur des préceptes de loi. Cette Charte exprime une simple convention des Alcooliques anonymes et de ses Syndics, permettant à la Fraternité d'instaurer les structures de ses services mondiaux.

Les organismes de service de la Conférence, tels que le Conseil des Services généraux, Les Services mondiaux des A.A., Inc., et le *A.A. Grapevine, Inc.* sont évidemment incorporés séparément et reliés légalement entre eux. Mais ces arrangements n'ont été faits que pour permettre la gestion de fonds monétaires, la passation de contrats et une saine administration de routine.

Pour permettre à la Conférence d'atteindre son but, les syndics, directeurs et les membres du personnel qui sont directement impliqués dans les départements du Bureau des Services généraux sont membres de la Conférence, chacun remplissant une fonction particulière et détenant un vote. Ainsi, les Syndics sont membres de la Conférence et remplissent le rôle de gardiens; les directeurs et le personnel des Services mondiaux et du *A.A. Grapevine* sont membres de la Conférence et responsables des services et des publications.

Traditionnellement, les syndics du Conseil des Services généraux désignent leurs propres successeurs, nominations subordonnées à l'avis et à l'approbation de la Conférence ou d'un comité spécial.

Traditionnellement, mais non légalement, les Syndics et les Conseils des corporations de services sont liés par un vote aux deux tiers du quorum de la Conférence. Mais un vote à majorité simple de la Conférence ne constitue qu'une suggestion pour le Conseil des Services généraux.

Cette Charte peut être amendée en tout temps par un vote des trois-quarts de tous les membres de la Conférence.

La Conférence peut organiser et diriger ses Services mondiaux, mais elle ne peut commander ou gouverner la Fraternité des Alcooliques anonymes.

Telle est l'essence de la Charte de la Conférence des Services généraux des Alcooliques anonymes.

Voici maintenant la Charte elle-même.

CHARTE DE LA CONFÉRENCE DES SERVICES GÉNÉRAUX DES ALCOOLIQUES ANONYMES (ÉTATS-UNIS ET CANADA)

1. *Buts:* La Conférence des Services généraux des Alcooliques anonymes est la gardienne des services mondiaux, des Douze Étapes et des Douze Traditions des Alcooliques anonymes. La Conférence devrait être un organisme de service seulement, jamais un gouvernement pour les Alcooliques anonymes.

2. *Composition:* La Conférence (États-Unis et Canada) doit être composée des délégués régionaux, des syndics du Conseil des Services généraux, des directeurs des Services mondiaux des A.A. et du *A.A. Grapevine*, des membres du personnel du *A.A. Grapevine* et du Bureau des Services généraux.

D'autres sections de la Conférence pourront un jour être fondées en pays étrangers, soit pour des considérations de langue ou de géographie. La section des États-Unis et du Canada de la Conférence des Services généraux deviendra alors la Section sénior, reliée aux autres par des liens de consultation mutuelle et d'échanges de délégués.

Mais aucune section de la Conférence ne pourra jamais se placer en autorité par rapport à une autre. Toute action commune nécessitera le vote aux deux tiers des Sections combinées. À l'intérieur de ses frontières, chaque Conférence devra être autonome. Seuls les sujets concernant les besoins mondiaux des A.A. seront soumis à leur considération conjointe.

3. *Relation de la Conférence à la Fraternité:* La Conférence agira pour la Fraternité des A.A. dans le maintien et la direction de ses services

mondiaux et sera aussi le véhicule par lequel le Mouvement des A.A. pourra se prononcer sur toutes les questions de politique essentielle pour les A.A. et les déviations périlleuses à l'encontre des Traditions des A.A. Les délégués devraient se sentir libres de voter suivant la dictée de leur conscience et libres de décider quelles questions doivent être soumises au niveau du groupe, que ce soit pour information, discussion ou pour leur propre gouverne.

Aucune modification ne pourra cependant être apportée à l'article 12 de la Charte, aux Douze Traditions des A.A. ou aux Douze Étapes des A.A., sans le consentement écrit donné par les trois quarts des groupes des A.A., suivant les termes de la résolution adoptée par la Conférence et Convention de 1955.

4. *Relation de la Conférence avec le Conseil des Services généraux et ses services incorporés:* La Conférence remplacera les fondateurs des Alcooliques anonymes qui ont antérieurement agi comme guides et conseillers du Conseil des Services généraux et des corporations de services affiliés. La Conférence devra s'efforcer de maintenir, à cette fin, un échange valable et permanent d'opinions chez les A.A.

Pour y arriver, il doit être entendu que, à titre de tradition, le Conseil des Services généraux et ses services incorporés affiliés seront liés par le vote des deux tiers du quorum de la Conférence. Ce quorum consistera dans un nombre égal aux deux tiers de tous les membres enregistrés de la Conférence.

Un tel vote ne doit pas, cependant, compromettre les droits légaux du Conseil des Services généraux et de ses corporations de services affiliés, de vaquer aux affaires courantes et de participer aux contrats les concernant.

Il doit être aussi entendu que, nonobstant les prérogatives légales des Services généraux, en matière de tradition, le vote donné par les trois quarts de tous les membres de la Conférence peut décider de la réorganisation du Conseil des Services généraux, des directeurs, des membres du personnel des corporations de services, de la manière et au moment où une telle réorganisation est jugée essentielle.

Suivant les mêmes formalités, la Conférence peut exiger des démissions, nommer de nouveaux syndics et prendre toutes autres dispositions nécessaires, nonobstant les prérogatives légales du Conseil des Services généraux.

5. *Assemblée de région, Composition:* Les assemblées, appelées assemblées de région, sont composées des représentants aux services généraux, élus par tous les groupes des A.A. désireux de participer, dans chacune des régions des États-Unis et chacune des provinces du Canada.

Chaque état et chaque province a toujours droit à une assemblée. Mais les états et les provinces qui comptent un grand nombre de membres des A.A. et où la situation géographique pose des problèmes de communication, ont droit à des assemblées additionnelles, tel que prévu au Manuel des Services des A.A., ou à tout autre amendement s'y rapportant.

6. *Assemblées de région, But:* Les assemblées de région sont convoquées tous les deux ans pour l'élection des membres du comité régional parmi lequel seront élus les délégués à la Conférence des Services généraux des Alcooliques anonymes.

7. *Assemblées de région, Mode d'élection des membres du Comité régional et des délégués:* Autant que possible, les membres du comité sont élus par bulletins secrets et sans mise en nomination. Les délégués sont choisis parmi les membres de tels comités, à la suite d'un vote écrit des deux tiers ou tirés au sort, tel que prévu au Manuel de Services des A.A.

8. *Assemblées de région, Termes d'office pour les Représentants du Groupe aux Services généraux et les Délégués.* À moins qu'autrement pourvu par la Conférence, les termes d'office doivent être concurrents et d'une durée de deux ans chacun. Dans presque la moitié des régions, l'assemblée des élections aura lieu aux années paires; pour les autres, les élections se tiendront aux années impaires, de façon à créer une rotation pour les Panels de la Conférence, comme il est plus amplement décrit au Manuel des Services des A.A.

9. *Les Réunions de la Conférence des Services généraux:* La Conférence se réunira chaque année dans la Ville de New York, à moins qu'elle en décide autrement. Advenant une grave urgence, une réunion spéciale peut être convoquée. Il est loisible à la Conférence de donner des directives, en tout temps, par courrier ou téléphone, pour venir en aide au Conseil des Services généraux ou à ses services affiliés.

10. *Le Conseil des Services généraux, Composition, Juridiction* et *Responsabilités:* Le Conseil des Services généraux des Alcooliques anonymes doit être un fiduciaire constitué en corporation, composé d'alcooliques et de non-alcooliques qui élisent leurs propres successeurs, leur choix devant cependant être approuvé par la Conférence ou un comité spécial.

Les candidats à la charge du syndic territorial sont cependant d'abord choisis dans les régions comprises dans le territoire. Ensuite, à la Conférence des Services généraux, les électeurs, constitués des délégués provenant des régions concernées, et d'un nombre égal d'électeurs dont la moitié est fournie par le Comité de la Conférence et l'autre moitié par le Comité de Nomination des Syndics, procèdent au choix d'un candidat élu par le vote des deux tiers ou par tirage au sort. Le candidat se trouve automatiquement élu au Conseil des Services généraux en vertu d'une tradition concernant les syndics à cet effet. Quant aux Syndics des services généraux, aux États-Unis et au Canada, le Conseil doit exiger certaines qualifications relatives aux affaires ou à la profession. Nous recourons alors à la procédure suivante: chaque région de la Conférence peut choisir un seul candidat ou deux, ou plusieurs régions peuvent se concerter pour proposer conjointement un candidat unique en procédant suivant la procédure du Troisième Legs. En vue de leur éligibilité, les dossiers de tous les candidats seront étudiés par le Comité de Nomination des Syndics. À la Conférence des Services généraux, les délégués de chaque territoire tiennent un causus avant la nomination, pour réduire suivant la procédure du Troisième Legs, le nombre des candidats à un, pour chaque territoire des États-Unis et à deux pour chaque territoire du Canada. Seront mis en nomination devant les membres votants de la Conférence pour les charges de Syndics des Services généraux, un maximum de six candidats provenant des É.-U. et un maximum de quatre candidats provenant du Canada. Tous les délégués des pays concernés (É.-U. ou Canada) et tous les membres du Comité de Nomination des Syndics auront droit de vote à la Conférence. Les candidats sont alors élus au Conseil des Services généraux, les Syndics en faisant partie par tradition.

Le Conseil des Services généraux constitue le bras droit de la Conférence et fait essentiellement fonction de gardien.

Sauf pour les décisions concernant la politique, les finances ou la Tradition des A.A., décisions susceptibles d'affecter les A.A. comme entité, le Conseil des Services généraux dispose d'une entière liberté dans la conduite des affaires courantes de politique et d'administration des corporations de service des A.A. et peut former les comités appropriés aussi bien qu'élire les directeurs des entités corporatives de services subsidaires, dans la poursuite de leurs fins.

Le Conseil des Services généraux est d'abord responsable de l'intégrité politique et financière de ses services subsidaires: les Services mondiaux des A.A., Inc., le *A.A. Grapevine Inc.* et les autres corporations de services que la Conférence peut décider de constituer, mais aucune de ces dispositions ne peut affecter le droit de l'éditeur du *Grapevine* d'accepter ou de rejeter de la matière littéraire pour publication.

La Charte et les règlements du Conseil des Services généraux, ou tout amendement les concernant, doivent toujours être l'objet d'une approbation de la Conférence des Services généraux accordée par les deux tiers de tous ses membres.

Sauf en cas d'extrême urgence, ni le Conseil des Services généraux, ni aucun de ses services affiliés ne peuvent poser des actes susceptibles d'affecter profondément le Mouvement des A.A. en son entier, sans d'abord consulter la Conférence. Il est cependant entendu que c'est au Conseil à décider quelles actions ou quelles décisions requièrent l'approbation de la Conférence.

11. *La Conférence des Services généraux, Ses Procédures générales:* La Conférence doit recevoir du Conseil des Services généraux et de ses corporations de services affiliés les rapports sur leur politique et leur administration. La Conférence consultera les syndics, les directeurs et les membres du personnel, sur les matières soumises qui sont de nature à affecter le Mouvement des A.A. dans son entier, engagera des discussions, nommera les comités nécessaires et adoptera les résolutions appropriées pour conseiller et diriger le Conseil des Services généraux et ses services affiliés.

La Conférence peut aussi discuter et recommander toute résolution concernant les écarts sérieux à la Tradition des A.A. ou un usage nuisible du nom des Alcooliques anonymes.

La Conférence peut adopter tout règlement jugé nécessaire et désigner ses propres officiers et comités suivant une méthode de son choix.

À la fin de chaque session annuelle, la Conférence fera un rapport complet sur ses activités, qui sera remis à tous les délégués et aux membres du comité; un résumé en sera fait pour être transmis à tous les groupes des A.A. à travers le monde.

12. *Les garanties générales de la Conférence:* La Conférence des Services généraux devra observer, dans toutes ses activités, l'esprit des Traditions des A.A., prenant particulièrement soin de ne pas devenir le siège d'une opulence ou d'une puissance dangereuses. Elle verra à se pourvoir,

par une politique financière prudente, de fonds suffisants pour ses opérations, plus une confortable réserve; à ne permettre qu'aucun membre de la Conférence puisse être placé dans une fausse position d'autorité par rapport à un autre membre; à prendre toutes les décisions importantes à la suite de discussions et d'un vote, autant que possible, à l'unanimité; à éviter qu'une action de la Conférence tende à punir une personne ou à provoquer une controverse publique; à ne jamais agir en gouvernement, même si la Conférence peut promouvoir les intérêts des Alcooliques anonymes; à demeurer elle-même toujours démocratique en pensées et en actions, comme la Fraternité des Alcooliques anonymes que la Conférence est appelée à servir.

(Cette Charte a été adoptée à l'unanimité à la Conférence de 1955 et révisée lors des Conférences des années 1968, 1969 et 1975, 1978 et 1979).

ANNEXE D

Texte de présentation du Trophée Lasker

L'Association américaine de la Santé publique (The American Public Health Association) présente un trophée Lasker aux Alcooliques anonymes en reconnaissance de leur méthode, unique et efficace, à l'égard d'un problème vieux comme le monde, un problème social et médical: l'alcoolisme.

Depuis leur fondation, il y a seize ans, les Alcooliques anonymes ont procuré le rétablissement à plus de 120,000 buveurs chroniques, que l'on considérait autrefois comme des cas désespérés. Aujourd'hui, cette Fraternité mondiale comprend 4,000 groupes, dans 38 pays, et aide au rétablissement de 25,000 autres buveurs chaque année. En soulignant le fait que l'alcoolisme est une maladie, elle contribue à faire disparaître le mépris social qui affligeait ces malades.

Selon le nouveau principe mis de l'avant par le Mouvement des A.A., un alcoolique rétabli peut atteindre et aider un autre alcoolique mieux que quiconque. En agissant ainsi, le membre des A.A. maintient sa propre sobriété; la personne qu'il aide devient à son tour un médecin pour le prochain candidat, créant ainsi une chaîne sans fin de libération avec des patients soudés les uns aux autres par les liens de la souffrance commune, de la compréhension mutuelle et d'une action bienfaisante au service d'une grande cause.

Ce mouvement ne cherche pas à réformer le monde; il n'est pas animé par des professionnels spécialisés dans cette discipline. Il se finance grâce aux contributions volontaires de ses membres qui demeurent toujours anonymes. Dans cette Fraternité, il n'y a aucune contribution obligatoire, aucun thérapeute salarié, aucun professionnel rémunéré. Ce mouvement reçoit souvent l'encouragement et l'appui chaleureux de plusieurs associations médicales et scientifiques, témoignage remarquable en faveur d'une association dirigée entièrement par des profanes.

Un jour, les historiens reconnaîtront peut-être en ce mouvement beaucoup plus qu'une fraternité qui a remporté un succès remarquable dans la lutte contre l'alcoolisme et ses flétrissures; il est possible qu'ils découvrent dans les A.A. un mouvement d'avant-garde porteur d'un nouvel outil dans le domaine social, d'une nouvelle thérapie basée sur l'amitié qu'engendre le partage d'une souffrance commune, et d'un traitement dont l'efficacité pourra contribuer à soulager la multitude des autres misères humaines.

REGARDS SUR LE MOUVEMENT DES ALCOOLIQUES ANONYMES

ANNEXE E: a

La psychothérapie offre une nouvelle approche dans le traitement de l'alcoolisme chronique

par W.D. Silkworth, M.D.
New York, New York

(Première étude médicale jamais écrite au sujet des A.A. Reproduite au Journal-Lancet, Juillet 1939, Minneapolis, Minnesota)

Le début et le développement subséquent d'une nouvelle approche devant le problème du rétablissement permanent pour l'alcoolique chronique a déjà produit des résultats remarquables et permet d'entrevoir de grandes réussites dans l'avenir. Cette déclaration est basée sur quatre années d'observation attentive. Puisque ce développement a pris naissance au sein de ces patients alcooliques eux-mêmes et qu'il a été en grande partie conçu et promu par eux, nous nous croyons autorisés à en parler librement et objectivement.

Au cœur de cette expérience, nous retrouvons une association d'alcooliques rétablis, hommes et femmes, qui se regroupent afin de se donner une aide mutuelle. Chaque membre se sent obligé de coopérer au rétablissement des nouveaux candidats. Ces derniers, en retour, font de même avec d'autres adhérants, forgeant ainsi une chaîne sans fin et créant une remarquable source de progrès. Dans un endroit, par exemple, cette fraternité ne comptait que trois membres au mois de septembre de 1935; dix-huit mois plus tard, ces trois membres avaient réussi à en recruter sept autres. Et aujourd'hui, il sont vingt.

Mais beaucoup plus que le sens du devoir, un autre facteur assure l'enthousiasme et l'harmonie indispensables à un tel succès. Il s'agit du puissant instinct de conservation. Souvent, ces alcooliques rétablis découvrent que, s'ils veulent eux-mêmes demeurer sobres, ils doivent se consacrer au rétablissement des autres. Ce dévouement, soutenu et pénible, au service des autres alcooliques s'impose surtout dans les premiers jours de leur rétablissement, et est tout à fait bénévole. Il n'existe ni frais d'inscription, ni cotisation obligatoire dans cette fraternité qui n'est pas organisée dans le sens habituel du mot.

Il existe actuellement une centaine de ces alcooliques rétablis, hommes et femmes. Un groupement dont le centre se trouve à New York, est répandu sur la côte de l'Atlantique. Leur plus gros contingent se retrouve dans le «midwest». Cette association réunit diverses classes de la société, bien que les professionnels et les gens d'affaires prédominent présentement. Les personnes le moindrement familières avec le comportement de l'alcoolique sont étonnées d'y découvrir tant de générosité, de dévouement inlassable, d'esprit de démocratie, de tolérance et d'équilibre psychologique. Mais ces remarques ne nous expliquent pas clairement pourquoi un si grand nombre de membres dévoués réussissent à demeurer sobres et à affronter la vie de nouveau.

La raison principale réside dans le fait que chacun de ces alcooliques rétablis a vécu et continue à vivre une expérience spirituelle ou «religieuse» capitale. Cette «expérience» s'accompagne de changements importants dans la personnalité. Dans chaque réussite, on observe toujours un changement radical d'optique, d'attitudes et de façons de penser. Cette révolution s'effectue parfois avec une rapidité surprenante et dans presque tous les cas elle devient évidente au bout de quelques mois et souvent plus tôt.

L'expérience séculaire nous démontre que des alcooliques chroniques se sont rétablis grâce à la religion. Mais ces «guérisons» ont été trop sporadiques et trop insuffisantes en nombre et en importance pour les considérer comme une orientation dans le domaine de l'alcoolisme en général.

La recherche consciente d'une véritable réponse, menée par ces alcooliques rétablis, leur a permis de découvrir une approche qui s'est avérée efficace dans la moitié des cas où elle a été expérimentée. Ce résultat est encore plus remarquable quand on se rappelle que la plupart de ces patients étaient indubitablement réfractaires à toutes les autres mesures.

Voici comment on peut résumer les éléments essentiels de cette nouvelle approche, sans y ajouter d'exagérations émotives:

1. Les alcooliques rétablis insistent sur le fait, qu'ils ont d'ailleurs fort bien démontré, qu'un alcoolique peut se gagner la confiance d'un autre alcoolique à un degré et d'une manière inaccessibles aux non-alcooliques.

2. Après s'être complètement identifiés à leur «candidat» par la description de symptomes, de comportements et d'anecdotes, les membres de cette association permettent au patient de conclure que s'il est vraiment alcoolique il ne peut trouver d'espoir que dans une expérience spirituelle. Pour appuyer leurs déclarations, ils racontent leur propre histoire et citent des opinions médicales. Si le patient persiste à prétendre qu'il n'est pas un véritable alcoolique, ils lui suggèrent d'essayer de demeurer sobre par ses propres moyens. Dans la plupart des cas, cependant, le patient capitule sur le champ. Sinon, quelques autres pénibles rechutes arriveront à le convaincre.

3. Lorsque le patient reconnait son impuissance, il fait face à un dilemne. Il réalise clairement qu'il doit tenter une expérience spirituelle ou mourir par l'alcool.

4. Ce dilemme déclenche une crise dans la vie du patient. Il s'imagine prisonnier d'une situation qu'aucune force humaine ne peut dénouer. Il a été placé dans cette position par un autre alcoolique qui s'est rétabli grâce à une expérience spirituelle. Le remarquable succès, sans précédent, de ces hommes et de ces femmes s'explique par le pouvoir exceptionnel qu'un alcoolique rétabli exerce sur un alcoolique qui ne l'est pas. Ils peuvent faire naître et grandir une conviction, là où le médecin et le clergé échouent. Dans ces conditions, le patient se tourne vers la religion de son plein gré et accepte immédiatement, sans aucune restriction, une simple proposition religieuse. Alors, il est disposé à acquérir beaucoup plus qu'un ensemble de croyances religieuses; il éprouve le profond changement, à la fois mental et émotif, propre à toute expérience religieuse. (Voir Variétés de l'Expérience religieuse, par William James.) Puis, le patient retrouve son espoir et son imagination est ravivée à l'idée d'être membre d'un groupe d'alcooliques rétablis avec qui il pourra sauver les vies et les foyers de ceux qui souffrent comme il a souffert.

5. La Fraternité ne se soucie aucunement de la forme particulière que prend la démarche religieuse de l'individu, pourvu que le patient

accepte de confier sa vie et ses problèmes aux soins et à la direction de son Créateur. Le patient est libre de se représenter Dieu comme il l'entend. On n'exerce aucune pression pour le convertir à une foi ou à un crédo en particulier. Le groupe comprend une grande variété de croyances et, pourtant, l'harmonie règne. On insiste sur le fait que la fraternité est non-confessionnelle et que le membre est entièrement libre de garder ses préférences. On n'y trouve aucune trace de prosélytisme.

6. Si le patient désire continuer, on lui suggère, peu importe sa croyance, un choix d'activités parfaitement en accord avec une saine psychologie, une saine morale et une saine religion:

a. Qu'il procède à un inventaire moral de lui-même et discute confidentiellement ses découvertes avec une personne en qui il a confiance.
b. Qu'il essaie de corriger ses relations personnelles et de réparer, dans la mesure du possible, les torts qu'il a pu causer dans le passé.
c. Que, chaque jour et, si nécessaire, à chaque heure, il se confie au soin et à la garde de Dieu, le priant de lui accorder son aide.
d. Que, si possible, il assiste aux réunions hebdomadaires de la fraternité et participe à l'accueil des nouveaux arrivants.

Nous avons là l'essentiel de la méthode. La présentation peut varier considérablement, selon les perspectives individuelles, mais on retrouve toujours les mêmes éléments importants. Le pouvoir de cette approche, lorsque présentée par un alcoolique rétabli, est remarquable. Pour l'apprécier à sa juste valeur, il faut avoir observé son fonctionnement et avoir connu les patients avant et après la transformation.

À cause de la présence du facteur religieux, on pourrait s'attendre à rencontrer dans ces groupes une émotivité maladive et des préjugés. Cependant, il n'en est rien; au contraire, on constate un empressement spontané à remplacer les vieilles méthodes par des nouvelles plus efficaces. Ils découvrirent, par exemple, que le fait de contacter un alcoolique par l'entremise de sa famille ou de ses amis constitue l'approche la moins efficace, surtout si le patient consomme encore beaucoup d'alcool. Par conséquent, ces alcooliques rétablis insistent fréquemment pour que d'abord un médecin se charge du patient, lui prescrivant, si possible, un séjour à l'hôpital. Si le patient ne bénéficie pas d'une hospitalisation adéquate et de soins médicaux appropriés, il risque d'être victime de delirium tremens et de certaines autres complications. Après quelques jours d'une désintoxication complète, le médecin soulève la question d'une sobriété permanente et, si le patient se montre intéressé, il le met en contact avec un membre du groupe des alcooliques rétablis. Parvenu à ce stage, le candidat peut se contrôler et réfléchir; on peut l'approcher simplement, sans l'intervention de sa famille ou de ses amis. Plus de la moitié des membres de cette fraternité ont reçu ce traitement, et ils s'entendent tous pour affirmer que l'hospitalisation est souhaitable et, dans bien des cas, absolument nécessaire.

Que sont devenus ces hommes et ces femmes? Depuis plusieurs années, les médecins ont employé des méthodes semblables à celles que je viens de décrire. On s'efforce d'amorcer avec le patient une franche discussion pour lui permettre de se comprendre lui-même. On lui fait comprendre la nécessité de se remettre en harmonie avec son milieu. Il faut gagner sa confiance et sa coopération. On ne cherche qu'un but: l'amener à s'ouvrir librement et lui présenter une personne à qui il pourra transmettre son dilemme.

Dans un grand nombre de cas, cette association d'alcooliques rétablis atteint ses objectifs parce que ses outils, simples mais puissants, semblent mieux réussir que les autres méthodes de traitement, pour les raisons suivantes:

1. À cause de leur expérience d'alcooliques et de leur remarquable rétablissement, ils inspirent une très grande confiance à leurs candidats.

2. À cause de cette confiance initiale, de la similarité d'expérience et du terrain moral et religieux sur lequel la discussion s'engage, le patient raconte son histoire et procède à son évaluation personnelle avec une perfection et une honnêteté extrêmes.

3. À cause de son appartenance à la fraternité des alcooliques rétablis, le patient devient capable de sauver d'autres alcooliques de la destruction. D'un seul coup, le patient découvre un idéal, un passe-temps, une vocation captivante et une vie sociale au milieu des autres alcooliques rétablis et de leurs familles.

4. À cause de toutes les sources de confiance qui l'entourent, le patient peut s'en remettre aux premières personnes à qui il s'est confié, au groupe comme tel ou à la Divinité. Il est essentiel de remarquer le rôle de premier plan joué par le facteur religieux dès le début de l'expérience. Les nouveaux adhérants ont été incapables de demeurer sobres lorsqu'en acceptant le programme ils ont refusé la Divinité ou, au moins, la Puissance supérieure à eux-mêmes qu'on appelle le groupe.

L'attitude mentale de ces personnes à l'égard de l'alcool est intéressante. La plupart de ces alcooliques rétablis nous avouent qu'ils sont rarement tentés par l'alcool. Si la tentation survient, ils présentent une défense énergique et adéquate. Nous pouvons illustrer cette affrimation, en citant l'un d'eux, déjà considéré comme un cas sérieux à l'hôpital, et qui pourtant n'a jamais connu une seule rechute depuis son «expérience» d'il y a quatre ans et demi:

«*Peu de temps après mon expérience, j'ai réalisé que j'avais trouvé la réponse à mon problème. Pendant les trois années qui précédèrent le mois de décembre 1934, j'avais consommé deux et parfois trois bouteilles de gin par jour. Même durant mes courtes périodes de sobriété, je songeais souvent à l'alcool, surtout lorsque ma pensée se tournait vers ma maison où j'avais caché des bouteilles à chacun des étages. Dès ma sortie de l'hôpital, je me mis à aider d'autres alcooliques. Dans mes relations avec eux, je pensais souvent à l'alcool, allant même jusqu'à transporter une bouteille dans ma poche pour les soulager des séquelles de leurs dernières cuites. Mais, à compter de la première heure de mon expérience, je n'ai pratiquement jamais eu le désir de prendre un verre d'alcool. J'avais l'impression d'être indifférent. Je n'avais pas besoin de lutter pour rester sobre. Le problème était disparu; il avait cessé d'exister pour moi. J'ai ressenti cet état d'esprit subitement et automatiquement. Six semaines après mon départ de l'hôpital, mon épouse me demanda de prendre un objet sur une étagère dans la cuisine. Alors que je tâtonnais pour trouver l'ustensile, ma main se posa sur une bouteille à moitié pleine. À la fois surpris et reconnaissant, je réalisai que pas une seule fois durant toutes ces semaines j'avais pensé à ces bouteilles dissimulées dans ma maison. Considérant l'extraordinaire domination que l'alcool avait déjà exercée sur mon esprit, je crois à un miracle. Durant mes quatre dernières années de sobriété, je n'ai éprouvé que quelques sérieuses tentations de boire. À chacune de ces occasions, j'ai d'abord ressenti une certaine crainte, bientôt remplacée par la confiance qui me venait de ma nouvelle aptitude à évaluer la situation, à m'impliquer avec un autre alcoolique et à recourir à une courte période de prière et de méditation. Je possède maintenant une arme positive contre l'alcoolisme, pour autant que je conserve une attitude spirituelle adéquate et active. C'est ce que je fais présentement*».

Un ancien patient, maintenant sobre depuis trois ans et demi, nous fournit un autre exemple de réaction devant la tentation. Comme ce fut le cas pour la plupart de ces patients, nos méthodes psychiatriques ne pouvaient plus rien pour lui. Il nous raconte l'anecdote suivant:

«*Bien que sobre depuis plusieurs années, je traverse encore des périodes de profonde dépression et de ressentiment. J'habite sur une ferme et il m'arrive parfois de passer plusieurs semaines sans un seul contact avec le groupe des alcooliques rétablis. Durant une de mes crises, je me fâchai violemment à l'occasion d'une banale querelle de ménage. Je pris sciemment la décision de me saouler, prenant même soin d'entreposer des victuailles dans un pavillon pour invités où je comptais me retirer lorsque je reviendrais de la ville avec une caisse d'alcool. Je montai dans ma voiture et, toujours furieux, commençai à rouler dans l'allée. Comme j'arrivais à la barrière, j'arrêtai l'auto, me sentant tout à coup incapable de poursuivre mon projet. Je me suis dit: «Au moins, il faut que je sois honnête avec ma femme». Je suis retourné à la maison et annonçai que j'allais m'enivrer. Mon épouse me regarda calmement sans dire un mot. Je réalisai l'absurdité de la situation et me mis à rire. La crise venait de se terminer. Aujourd'hui, j'ai une défense efficace. Avant mon expérience spirituelle, je n'aurais jamais eu la même réaction».*

Le témoignage de cette fraternité prise dans son ensemble se résume ainsi: En grande majorité, ces hommes et ces femmes sont indifférents à l'alcool, mais lorsque survient la tentation de prendre un verre, leur réaction est saine et vigoureuse.

Cette fraternité d'alcooliques rétablis espère déployer ses activités dans toutes les parties du pays et de faire connaître ses méthodes et ses réponses à tous les alcooliques qui désirent se rétablir. Dans un premier geste, ils ont préparé un livre intitulé *Alcoholics Anonymous.* Ce volume de 400 pages explique leur méthode et raconte leur expérience, avec détails, clarté et vigueur. Dans la première partie, le texte tente de montrer à l'alcoolique l'attitude qu'il devrait acquérir et les étapes qu'il peut suivre pour assurer son rétablissement. Puis, on lui révèle les façons d'approcher les autres alcooliques et de les aider. Deux chapitres traitent des relations familiales et un autre s'adresse aux employeurs pour éclairer ceux qui gravitent autour de l'alcoolique. Puisque la majorité des membres actuels sont agnostiques, un éloquent chapitre leur est destiné. Le chapitre sur l'alcoolisme et ses phénomènes psychologiques, tel qu'ils le voient, sera d'un intérêt particulier pour les médecins.

Grâce à un contact personnel avec toutes les personnes que ce livre peut aider, ces alcooliques rétablis comptent fonder de nouveaux centres. Comme l'expérience le démontre clairement, lorsqu'une communauté compte trois ou quatre membres actifs, la croissance est inévitable, pour la simple et bonne raison que chaque membre réalise qu'il doit secourir les autres victimes de cette maladie afin de préserver sa propre sobriété.

Est-ce que le progrès du mouvement va continuer? Est-ce que tous ces rétablissements seront permanents? Personne ne le sait. Pourtant, à cet hôpital, en nous appuyant sur l'analyse de plusieurs cas, nous sommes prêts à inscrire officiellement une réponse affirmative à ces deux questions.

ANNEXE E-b

Le mécanisme thérapeutique du mouvement des alcooliques anonymes[1]

par Harry M. Tiebout, M.D.
Greenwich, Connecticut

(réimprimé avec la permission du Journal américain de Psychiatrie, numéro de janvier 1944. Il s'agit d'un premier essai du Dr Tiebout sur les Alcooliques anonymes. Trois autres de ses causeries sont énumérées à la fin du présent article.)

Alcooliques anonymes est un nom que l'on accole à une association d'alcooliques rétablis qui, par un programme thérapeutique comportant un élément essentiellement religieux, ont combattu avec succès leur alcoolisme. Cette fraternité résulte des efforts d'un homme, Monsieur X, qui en 1934 trouva une réponse à son problème d'alcool à l'occasion d'une expérience religieuse personnelle, qu'il fut capable de traduire en des termes significatifs pour les autres. Depuis, beaucoup d'alcooliques ont conquis la sobriété en utilisant cette approche.

Les activités des Alcooliques anonymes se divisent en trois volets. D'abord, les groupes se réunissent toutes les semaines pour raconter leurs expériences et discuter leurs problèmes. Puis, on encourage tous les membres à lire leur livre *Alcoholics Anonymous* qui renferme leurs principes de base et dont la lecture est essentielle pour les nouveaux adhérants. Enfin, les membres s'efforcent de secourir les autres. Cette dernière opération joue dans les deux sens, parce que non seulement aide-t-elle le débutant dans ses premiers efforts, mais elle enrichit également son initiateur qui en tire un bienfait essentiel au maintien de sa propre sobriété.

(1) Causerie prononcée lors de la quatre-vingt neuvième assemblée annuelle de l'Association américaine de psychiatrie (American Psychiatric Association), tenue à Détroit dans le Michigan, du 10 au 13 mai, 1943.

Voici des statistiques provenant du bureau de cette organisation à New York:

5 alcooliques rétablis à la fin de la première année.
15 alcooliques rétablis à la fin de la deuxième année.
40 alcooliques rétablis à la fin de la troisième année.
100 alcooliques rétablis à la fin de la quatrième année.
400 alcooliques rétablis à la fin de la cinquième année.
2,000 alcooliques rétablis à la fin de la sixième année.
8,000 alcooliques rétablis à la fin de la septième année.

Le Mouvement des Alcooliques anonymes revendique le rétablissement de 75 pour cent des adhérants qui font un essai loyal de leur programme. Associés à leur croissance prodigieuse, ces chiffres obligent au respect et demandent explication.

Tout en reconnaissant pour la Fraternité l'importance du groupe, l'enrichissement que chaque membre puise dans sa coopération avec les autres, et le climat général d'espérance et d'encouragement qui émane de chaque nouveau candidat rétabli, je considère que ces trois éléments sont bien secondaires par rapport à la force centrale de cette thérapie, qui est la religion. J'espère que cette vérité, découverte à la suite de nombreux entretiens avec Monsieur X, vous apparaîtra évidente à la fin de cette causerie.

Une patiente, dont je m'occupais depuis plusieurs mois à l'Hôpital Blythewood, favorisa mon premier contact avec ce Mouvement. Elle était, depuis plusieurs années, une alcoolique chronique. Malgré son intelligence, le rang social de sa famille et des succès précoces, elle se retrouva littéralement dans la fange, à la suite d'une série de déchéances qui la laissèrent sans le sou. Alors qu'elle désirait se rétablir plus que tout autre patient et qu'elle apportait toute sa coopération au programme de traitement, les résultats étaient lamentables. Finalement, il devint évident qu'elle possédait une structure de caractère qu'on n'arrivait pas à modifier, en dépit de ses efforts et des miens, et qui s'avérait la cause indubitable de son habitude de boire. Un jour, je reçus un exemplaire polycopié du livre *Alcoholics Anonymous.* En le parcourant, je m'aperçus qu'il contenait une description tout à fait exacte du problème caractériel de ma patiente. Afin de la secouer un peu, je lui suggérai la lecture de ce livre. À ma grande surprise, elle fut tellement impressionnée qu'elle s'organisa pour assister à une réunion des Alcooliques anonymes et devint bientôt un membre actif et efficace de cette Fraternité. Mais nous avons encore été beaucoup plus étonnés de constater comment l'assimilation de ce programme avait modifié la structure de son caractère pour permettre à cette patiente de demeurer sobre.

Je venais d'être témoin d'un événement dont il m'était impossible de douter et que je ne pouvais traiter du pure coïncidence. Je me suis alors posé la question: Que s'est-il passé? Ma réponse tenait à l'expérience religieuse ou spirituelle de ma patiente. Cependant, la réponse ne me semblait pas absolument convaincante et je dus patienter encore longtemps avant de pouvoir en saisir toute la signification.

Avant de chercher à expliquer ma compréhension progressive du facteur religieux, je dois décrire le changement qui s'était opéré dans la structure caractérielle de la patiente. En dépit des opinions contraires, on reconnait de plus en plus la présence de qualités communes chez les alcooliques, sauf chez ceux qui souffrent d'une maladie mentale. La particularité de l'alcoolique typique réside dans un narcissisme égocentrique, dominé par des sentiments de toute-puissance, et orienté vers la préservation inconditionnelle de l'intégrité intérieure de l'individu. Même si nous retrouvons ces caractéristiques dans d'autres sortes de désiquilibres, nous les rencontrons à l'état presque pur chez tous les alcooliques. Après une étude sérieuse d'un grand nombre de patients, Sillman déclara qu'il était en mesure de discerner chez les alcooliques le profil commun d'une structure caractérielle et que les meilleurs mots pour traduire l'ensemble des qualités observées chez ces patients seraient ceux «d'individualité intraitable» et de «folie des grandeurs». Selon moi, les mots étaient bien choisis. Intérieurement, l'alcoolique ne souffre d'aucun contrôle venant de l'homme ou de Dieu. Il est et doit être l'artisan de sa destinée. Et il est prêt à lutter jusqu'à la mort pour sauvegarder ce privilège.

Si nous admettons la présence plus ou moins constante de ces traits de caractère, il devient facile de comprendre la difficulté qu'éprouvent ces personnes à accepter Dieu et la religion. La religion, en exigeant que l'individu reconnaisse l'influence de Dieu, devient un défi pour la véritable nature de l'alcoolique. Mais, par contre, et c'est l'élément principal de ma causerie, si l'alcoolique peut vraiment accepter la présence d'une Puissance supérieure à lui-même, il modifie alors, au moins d'une façon temporaire et parfois d'une façon permanente, sa disposition intérieure. En effectuant ce changement sans réticence et sans ressentiment, il abandonne son comportement d'alcoolique. Alors, un phénomène étrange se produit: si l'alcoolique peut conserver cette disposition intérieure d'acceptation, il peut demeurer et, en fait, demeurera sobre pour le reste de sa vie. Selon ses amis et les membres de sa famille, il vient d'attraper la maladie de la religion! Pour les psychiatres, il est victime d'auto-hypnose ou d'un phénomène semblable. Indépendamment du changement qui s'est opéré en lui, l'alcoolique peut maintenant demeurer sobre. Telle est la prétention des Alcooliques anonymes et, personnellement, je la crois basée sur des faits.

Revenons à ma patiente et essayons de décrire son comportement après son expérience chez les Alcooliques anonymes. Dans son état antérieur, elle correspondait parfaitement à la description que nous avons donnée de la structure caractérielle de l'alcoolique. Dès qu'elle eut commencé à bénéficier de l'influence des A.A., les changements dans sa personnalité devinrent apparents. Son agressivité tomba d'une façon tangible, son impression d'être différente du reste du monde disparut et avec elle s'évanouit sa tendance à soupçonner les motifs et les attitudes d'autrui. S'envuivit une profonde sensation de paix et de calme, accompagnée d'une diminution de tension intérieure; même les traits de son visage s'adoucirent et devinrent empreints de bonté et de gentillesse. À l'intérieur, l'écorce dure était suffisamment transformée pour que ma patiente puisse jouir de la sobriété durant cinq ans.

Quelle fut la nature de cette expérience qui bouleversa ma petiente lorsqu'elle devint membre des Alcooliques anonymes? Il faut répondre qu'elle consistait en l'éveil d'une certaine force religieuse ou spirituelle. Monsieur X affirme que le succès d'un groupe avec un alcoolique dépend de l'ampleur de la conversion et du réveil spirituel de l'individu. Son expérience personnelle ressembla à un phénomène soudain et apocalyptique qui le souleva d'un bourbier de découragement pour le transporter durant quelques heures vers des sommets de joie et de bonheur extatiques. Puis, cette impression fit place à un sentiment de paix, de sérénité et de conviction profonde qu'il était délivré de l'esclavage de l'alcool. Il affirme qu'environ 10 pour cent des patients se joignent aux Alcooliques anonymes, inspirés par la force d'une expérience similaire. Les autres 90 pour cent qui demeurent sobres obtiennent le même résultat en développant lentement et de façon progressive les éléments spirituels de leur nature, grâce à leur fidélité aux différentes étapes du programme déjà mentionné. D'après l'expérience des Alcooliques anonymes, on ne peut évaluer la profondeur et la permanence du rétablissement en se basant sur la plus ou moins grande rapidité du réveil spirituel. Bien que modeste au début, le progrès religieux s'intensifie; le programme lui permet d'atteindre une dimension impressionnante.

Alors, en quoi consiste le réveil spirituel? Une fois de plus, l'expérience de Monsieur X est révélatrice. Homme rempli d'énergie, d'enthousiasme et de talents dans la trentaine, il se retrouva au fond de l'ornière à cause de l'alcool. Pendant cinq années, il lutta farouchement et sans succès pour arrêter sa dégringolade. Deux semaines avant sa dernière hospitalisation, il avait reçu la visite d'un vieux copain alcoolique qui avait trouvé la sobriété grâce aux prédications de Buchman. Monsieur X essaya, toujours sans succès, de profiter des enseignements de son ami et décida finalement qu'il deviendrait sobre en se retirant dans un centre de désintoxication très bien connu, où il pourrait se débarrasser des phantasmes de l'alcool et adapter les idées de son ami à son propre système de libération du fardeau de l'alcool. Il était désespéré, déprimé et dépourvu de toute ambition. Il était prêt à tout essayer, car il se voyait condamné à l'alternative de l'hôpital psychiatrique ou de la folie permanente. Au soir de son admission à l'hôpital, il reçut de nouveau la visite de son ami qui lui rappela les principes à l'origine de son rétablissement. Après le départ de son ami, Monsieur X se retrouva dans une dépression encore plus profonde qu'il décrit comme «une sensation d'intense mélancolie et de complète inutilité». Tout à coup, dans le désarroi de son esprit, il s'écria: «S'il y a un Dieu, qu'Il se manifeste maintenant». Cette supplication marquait le début de son expérience religieuse. Il fait remarquer, et avec raison je crois, qu'il fut incapable de se tourner vers Dieu pour obtenir un secours déjà présent, avant de se retrouver dans un état de profonde humilité.

En d'autres mots, selon l'expérience personnelle de Monsieur X, le réveil spirituel ou religieux consiste dans l'abandon de la confiance en sa propre toute-puissance. La personnalité intraitable cesse de défier et accepte l'aide, la direction et même le contrôle venant de l'extérieur. Alors que l'individu abandonne ses sentiments négatifs et agressifs envers lui-même et la vie, il se trouve comblé de réalités positives, telle que l'amour, l'amitié, la paix et la satisfaction personnelle, un état complètement à l'opposé de l'anxiété et de l'irritabilité qui l'animaient auparavant. Et l'effet le plus significatif de ce nouvel état d'esprit, c'est que l'individu ne se sent plus «condamné à boire».

L'histoire d'un autre patient, dont je vais vous parler, me permit de mieux comprendre le phénomène de la transformation spirituelle. Cet homme avait environ quarante ans. Membre d'une famille riche et le plus jeune de plusieurs enfants, il était le chouchou d'une mère névrosée et hypocondriaque. Il commença à boire vers la fin de son adolescence. D'une façon très subite, il apprit à dépendre de l'alcool, comme d'une béquille, pour affronter les situations sociales. Avec les années, cette dépendance s'amplifia. Finalement, à la suite d'une longue cuite, on l'admit à Blythewood.

Il se révéla un patient très impressionnable, admettant déjà sa tendance alcoolique et manifestant bientôt un réel intérêt pour les Alcooliques anonymes. À la suite d'un séjour d'un mois, il nous quitta convaincu qu'il maîtrisait son problème. Peu de temps après, cependant, il recommença à boire et nous revint quatre mois plus tard, après une cuite ininterrompue de quelques semaines. De nouveau, il coopéra facilement durant les entrevues, mais il était alors évident qu'il faisait face cette fois à une véritable bataille, en tout point identique à celle du premier patient dont nous avons parlé. Les traits, déjà décrits s'élevèrent comme des murailles imperméables à la thérapie.

Durant quelques semaines, alors que nous discutions de ces barrières, le patient recommença à siroter l'alcool et se retrouva finalement dans une bombe à tout casser. On le ramena à Blythewood pour lui permettre de récupérer. À l'instar de tous les alcooliques, alors qu'il dégrisait, il fut tiraillé par le remords, la culpabilité et une extraordinaire sensation d'humilité. La personnalité irréductible se trouvait battue par les excès de sa propre conduite et, dans ces dispositions, notre patient était convaincu qu'il ne prendrait jamais une autre goutte d'alcool. Au troisième jour de sa cure, cependant, il m'annonça durant une entrevue, que je devrais m'occuper de «cela». Lorsque je lui demandai la signification de «cela», il me répondit: «Ma vieille sensation est en train de me revenir; je sens que je m'éloigne de toi et de tout ce qui vient de m'arriver». L'insouciance devant son problème, la certitude agressive, l'absence complète de tout sentiment d'humilité et de culpabilité, tous les traits de caractère qu'il avait indentifiés avec l'état d'esprit qui le conduisait à boire réapparaissaient et étouffaient les sentiments, les pensées et, on dirait presque, les sensations qu'il avait éprouvées au réveil de sa cuite. Si ces impressions envahissantes s'emparaient de lui, il savait que tôt ou tard il retournerait faire la bombe. Il réalisait qu'il lui fallait à tout prix s'accrocher aux attitudes qu'il avait au lendemain de sa dernière beuverie.

Le lendemain, il débuta l'entrevue en me déclarant: «Doc, je l'ai eue». Et il se mit à me raconter son expérience de la dernière nuit. Faute d'une meilleure expression, je qualifie cette expérience de «réveil psychologique». Dans son cas, il s'agissait d'un éclair soudain qui lui avait permis de se voir comme une personne. Ce phénomène se produisit vers vingt-trois heures. Il demeura étendu sur son lit, complètement éveillé, jusqu'à quatre heures, essayant d'ajuster son nouvel éclairage et sa nouvelle compréhension à la connaissance de lui-même.

Il n'est pas facile de reconstituer les événements qui se déroulèrent durant cette période de cinq heures. Pourtant, ils constituèrent dans la vie de ce patient une expérience majeure qui lui permit de s'évaluer en tant qu'alcoolique. De plus, pour la première fois, il découvrait ce qu'il avait toujours été et, par surcroît, il comprenait le genre de personne qu'il devait devenir s'il voulait demeurer sobre. Sans s'en apercevoir, il était passé d'une perspective égocentrique et subjective à un éclairage objectif, à une compréhension réfléchie de lui-même et de sa relation à la vie.

En jetant un regard rétrospectif, il est évident que le patient avait pris conscience de son égocentrisme. Pour la première fois, il pouvait pénétrer derrière la façade de sa rationalisation et de ses réactions défensives, pour réaliser qu'il s'était toujours réservé la première place. Il ignorait complètement les autres personnes, si ce n'est dans la relation à sa propre personne. Il n'avait jamais imaginé que les autres personnes avaient droit à une vie personnelle, semblable à la sienne et pourtant différente. Il ne se voyait plus comme l'être tout-puissant autour de qui le reste du monde gravitait. Au contraire, il comprenait maintenant la réciprocité des relations humaines et réalisait qu'il n'était qu'une minuscule fraction de cet univers peuplé d'un si grand nombre d'individus. Il pouvait partager la vie avec d'autres. Il n'avait plus besoin de dominer et de combattre pour assurer sa suprématie. Il avait la liberté de se détendre et de se reposer.

Aucune parole ne pourrait décrire plus adéquatement cette nouvelle orientation que les propres remarques du patient: «Eh bien, Doc, sans le savoir, j'ai été un imposteur toute ma vie. Je me croyais intéressé au sort des autres, mais je ne l'étais aucunement. Je ne m'occupais pas de ma mère comme d'une personne malade. Je ne le voyais pas comme une personne souffrante; je pensais simplement au sort qui me serait réservé après sa mort. Les gens me désignaient comme un fils modèle, me citaient en exemple, et je les croyais. Mais la réalité était bien différente. Je cherchais simplement à la garder près de moi, parce que sa présence me rassurait. Elle ne me critiquait jamais et me donna toujours l'impression que toutes mes actions étaient correctes».

Une nouvelle lumière éclairait ses relations précédentes avec les gens. Dans ce domaine, il me fit remarquer: «Tu sais, Doc, je commence à me sentir plus près des gens. Il m'arrive parfois de songer à eux. Et je me sens plus à l'aise en leur présence. Je n'ai plus l'impression qu'ils sont en guerre contre moi, probablement parce que je ne me sens pas en guerre contre eux. Maintenant, je pense qu'ils peuvent peut-être m'aimer réellement».

Nous pourrions citer encore plusieurs autres de ses découvertes à l'égard de sa personne et de ses relations avec le monde, mais elles ne feraient que confirmer la preuve que, pour la première fois, la façon de penser de ce patient était devenue vraiment objective. Cependant, cette conquête de l'objectivité ne représente que la moitié de l'histoire. De concert avec ce changement, on pouvait observer une métamorphose frappante dans la disposition générale. Avec des paroles qui nous rappelaient celles de Monsieur X, le patient nous décrivit ses nouvelles attitudes: «Je me sens parfaitement bien, d'un bien-être que je ne connaissais pas lorsque je buvais. Je me sens différent; je suis calme, aucunement agité et je n'ai pas du tout le goût de m'exciter. Je suis heureux de rester en place et je ne crois pas que je vais m'inquiéter autant. Je suis détendu, pourtant je me sens mieux outillé que jamais pour affronter la vie». Et il ajouta: «J'éprouve un nouveau sentiment envers Dieu. Je ne m'objecte plus à l'idée d'un Régisseur suprême, maintenant que je ne cherche plus à gouverner le monde. Au fait, je me réjouis à la pensée qu'un Être suprême puisse voir à la bonne marche des événements. J'ai l'impression que mon attitude doit ressembler à cette sensation spirituelle dont les gens parlent. Peu importe sa définition, j'espère qu'elle durera parce que je n'ai jamais ressenti une si grande paix de toute ma vie».

Dans cette déclaration, le patient manifeste une différente attitude à l'égard de Dieu et il nous montre qu'il réalise qu'ayant cessé de lutter pour maintenir son individualité, il peut se détendre et savourer la vie d'une manière calme et parfaitement épanouissante. Ces sentiments, comme il le signifie, sont nettement d'une nature spirituelle et il en faisait une si juste évaluation, qu'il est demeuré sobre depuis environ un an. Le passage à l'objectivité et le changement dans la disposition générale se sont avérés les éléments dont il avait besoin pour conserver sa sobriété. Même si cette période de sobriété est relativement courte, le patient a gagné énormément d'assurance. Autrefois, lorsqu'il subissait des périodes d'abstinence, il ne cessait de penser à l'alcool. Aujourd'hui, il a la paix de l'esprit, parce qu'il connaît les moyens pour réussir à penser sobrement.

J'ai raconté cette histoire parce qu'elle nous présente un individu qui expérimenta une rapide réorientation psychologique, dont le résultat se traduit par un style et une perspective de vie aussi nouveaux que différents. On pourrait mettre en doute la permanence de cette transformation, mais on ne peut douter de la véracité de l'histoire elle-même.

Et ce qui compte encore bien davantage dans la perspective de cette causerie, c'est que le patient, à la suite de son expérience, emploie les mêmes mots pour décrire ses nouveaux sentiments que ceux utilisés par Monsieur X après son expérience religieuse et par mon autre patiente lorsque les activités des Alcooliques anonymes eurent commencé à l'influencer. Monsieur X m'affirme que, parmi les 10 pour cent qui connaissent un réveil rapide, quelques-uns le réussissent après une véritable expérience religieuse et d'autres comme résultat d'une subite transformation psychologique semblable à celle de mon patient. Les autres 90 pour cent obtiennent graduellement le même résultat, comme ce fut le cas pour la patiente dont je vous ai parlé. Indépendamment du chemin emprunté pour atteindre l'objectif, il ne semble y avoir aucun doute que tous aboutissent à ce même sentiment de paix et de sécurité qu'ils rattachent à l'aspect spirituel de la vie. Les forces composantes du narcisisme dans le caractère sont submergées, du moins pour le moment, et à leur place apparaît une personne mûre et objective, capable d'affronter la vie d'une façon positive et affirmative sans l'évasion dans l'alcool. Selon Monsieur X, tous les membres des Alcooliques qui réussissent à demeurer sobres, expérimentent tôt ou tard la même transformation dans leur personnalité. Ils doivent perdre de façon permanente les éléments propres au narcissisme; autrement les bienfaits du programme des Alcooliques anonymes ne sont que temporaires.

Permettez-moi d'ajouter deux observations additionnelles. En premier lieu, le véritable sentiment émotif et religieux se distingue très nettement de cette foi vague, hésitante, sceptique et intellectuelle que beaucoup de gens appellent un sentiment religieux. Peu importe sa conception finale de la Puissance supérieure, à moins que l'individu n'atteigne au cours de sa vie un véritable sens de la réalité et de la proximité de Dieu, sa nature égocentrique réapparaîtra avec la même puissance et l'alcool recommencera ses ravages.

Le principal effet du Mouvement des Alcooliques anonymes consistera donc à développer dans la personne un climat de spiritualité qui permettra de neutraliser les éléments égocentriques du caractère de l'alcoolique. Si, et au moment où, cet esprit se traduit dans un ensemble de nouvelles habitudes, le patient peut alors demeurer sobre. Monsieur X nous dit que cette intégration de l'esprit dans les actions s'effectue au cours des années et que, si l'on ne remarque pas un changement appréciable dans la personnalité après six mois, il est alors possible que le plan spirituel cède devant le retour en force de la personnalité alcoolique. En d'autres mots, si l'impact du Mouvement des Alcooliques anonymes ne réussit pas à modifier les composantes internes de la personnalité, l'influence du programme ne durera pas. Et, fait significatif, ce changement, qui est typique, se produit sans le secours de la psychiatrie; pourtant, comme Monsieur X l'explique, cette transformation a toutes les caractéristiques que nous, psychiatres, désirons retrouver chez nos patients améliorés. Il résume ses observations en disant: «L'alcoolique doit acquérir objectivité et maturité, autrement il ne demeure pas sobre».

En conclusion, je demeure convaincu que la valeur thérapeutique de l'approche des Alcooliques anonymes découle de son utilisation d'une force religieuse ou spirituelle pour attaquer le narcissisme fondamental de l'alcoolique. En déracinant cette composante, l'individu fait l'expérience d'un ensemble de pensées et de sentiments positifs qui le poussent dans la direction de la croissance et de la maturité. En d'autres mots, ce Mouvement s'appuie sur une force émotive, la religion, pour produire un résultat émotif, à savoir, le remplacement d'un ensemble d'émotions négatives et hostiles par des éléments positifs qui permettent à l'individu de se débarrasser de son individualisme méfiant pour commencer à vivre en paix et en harmonie avec le monde, partageant et s'impliquant en toute liberté.

Je me permets un dernier commentaire. La psychiatrie moderne se méfie des guérisons purement émotives. Le rétablissement nous semble douteux, tant que le changement ne se manifeste pas au niveau de l'esprit et de l'intellect. On insiste aujourd'hui sur l'analyse, qui s'appuie sur l'intelligence, pour dénicher les causes de l'incapacité d'atteindre le niveau de la synthèse, dans laquelle on retrouve une condition émotive complètement libérée de conflit et de tension. On présume qu'en permettant à l'analyse de découvrir et de libérer les émotions paralysantes, on favorisera l'apparition des émotions positives de synthèse. Il est alors tout aussi logique de modifier des émotions en se servant d'émotions et, une fois le changement opéré, d'amener l'esprit et l'intellect à intégrer les nouvelles émotions dans la structure de la personnalité. En un sens, c'est le phénomène qui se produit chez les Alcooliques anonymes: la religion s'attaque au narcissisme et le neutralise pour produire une émotion favorable à la synthèse. Se référant à sa propre expérience spirituelle, Monsieur X l'appelle une «grande expérience de synthèse dans laquelle tout m'apparût clair pour la première fois. J'ai eu l'impression qu'un immense nuage se dissipait et tout est devenu lumineux». Voici ce que disait me second patient: «Je sens l'unité de mon être maintenant. On dirait que tous mes éléments forment un tout; je ne me sens pas tiraillé dans toutes les directions en même temps». Et c'est à la lumière de son nouvel ensemble d'émotions que le patient fut en mesure de discuter plus efficacement la nature de ses difficultés antérieures et d'établir une ligne de conduite susceptible de le protéger contre les dangers futurs. Après son expérience de synthèse, il fut capable, pour la première fois, de se comprendre d'une façon adéquate.

Pour des psychiatres, la leçon me semble claire. Tout en admettant que notre travail porte sur les émotions, en tant que groupe à tendance intellectuelle, nous nous méfions trop des émotions. Nous sommes embarrassés et un peu honteux lorsque nous devons les montrer. Nous nous excusons toujours auprès de nos confrères, si nous soupçonnons qu'ils ont des raisons de croire que nos méthodes tiennent trop compte des émotions. Entre temps, d'autres groupes, moins conservateurs que nous, obtiennent des résultats qui nous sont refusés. Pour nous, scientifiques à l'esprit ouvert, il devient impérieux d'étudier sagement et longuement les efforts des autres dans notre champ d'activités. Nos œillères sont peut-être plus grandes que nous le croyons.

Récentes causeries du Dr Tiebout:

- Le rôle de la psychiatrie dans le domaine de l'alcoolisme, («The Role of Psychiatry in the Field of Alcoholism»), 1951.
- L'abandon versus la soumission en thérapie. («Surrender Versus Compliance in Therapy»), 1953.
- Les facteurs de l'égo dans le phénomène d'abandon chez les alcooliques. («The Ego Factors in Surrender in Alcoholism»), 1954.

ANNEXE E-c

Causerie prononcée devant la Société Médicale de l'État de New York

par Foster Kennedy, m.d.

Nous venons d'entendre un éloquent discours, très impressionnant autant par sa forme que par son contenu.[1].

Je ne doute aucunement qu'un homme qui a réussi par lui-même à se rétablir de sa passion pour l'alcool soit en bien meilleure position pour traiter l'alcoolisme qu'un médecin qui n'a jamais été affligé de cette calamité.

Peu importe la patience et la sympathie manifestées par le médecin, le patient ne manquera pas de ressentir ou d'imaginer de la condescendance à son endroit, ou de prétendre que l'un de ces prophètes de malheur est en train de l'intimider.

Ce Mouvement des Alcooliques anonymes fait intervenir deux des plus grandes sources de pouvoir connues de l'homme, la religion et cet instinct, propre à l'être humain, de s'associer à des compagnons, que Trotter appelle «l'instinct grégaire».

Mathew Arnold définit la foi religieuse comme une croyance profonde en une Puissance supérieure à nous-mêmes, Source de justice et de bienfaisance, qu'on peut découvrir à l'occasion d'une conversion spirituelle, également appelée expérience religieuse.

L'association d'une personne malade avec d'autres gens qui, l'ayant été, sont rétablis ou en voie de l'être constitue un traitement valable et fait disparaître le stigmate de paria accolé à ces personnes. La croissance prodigieuse de ce Mouvement vigoureux et bienfaisant démontre qu'il s'alimente à une profonde source intérieure. De plus, en faisant de chaque membre un missionnaire au service de l'alcoolique

(1) Allusion à la conférence prononcée par Bill. 1944.

qui souffre encore, cette Fraternité propose un objectif d'une très grande puissance émotionnelle.

Nous les médecins, je pense, avons toujours de la difficulté à trouver pour nos patients convalescents une occupation requérant une motivation émotionnelle suffisante, afin de remplacer les effets psychiques produits par le sevrage de l'alcool.

Les membres des Alcooliques anonymes ne cessent de s'améliorer, inspirés qu'ils sont par un admirable zèle et une immense sollicitude pour un autre alcoolique toujours souffrant, mais en voie de rétablissement.

À mon avis, notre profession doit reconnaître à sa juste valeur ce formidable outil thérapeutique. Autrement, nous serons condamnés pour stérilité émotionnelle et perte de cette foi qui transporte les montagnes et assure l'efficacité de la médecine.

ANNEXE E-d

Recension du livre «Alcoholics Anonymous» 1939

par le Dr Harry Emerson Fosdick
ainsi qu'une citation tirée de son autobiographie.

Ce merveilleux livre mérite la plus grande attention de quiconque s'intéresse au problème de l'alcoolisme. Que l'on soit victime, ami des victimes, médecin, ecclésiastique, psychiatre ou travailleur social, et nous sommes nombreux dans ces catégories, ce livre nous permet, plus qu'aucune autre étude portée à ma connaissance, de scruter de l'intérieur le problème vécu par l'alcoolique. Les verrières de nos cathédrales gothiques ne sont pas les seules choses dignes d'être admirées par l'intérieur. Toutes les observations faites de l'extérieur sont embrouillées et incertaines. Seul l'alcoolique libéré de l'esclavage s'avère un interprète fiable de l'expérience.

Ce livre représente l'expérience cumulé de cent hommes et femmes, victimes de l'alcoolisme, plusieurs d'entre eux étant même considérés comme irrécupérables par les experts, mais qui ont retrouvé leur liberté, ainsi que leur santé mentale et maîtrise de soi. Leurs récits, remplis d'intérêt humain, sont détaillés et circonstanciés. De nos jours, en Amérique, la maladie de l'alcoolisme se propage. L'alcool procure une évasion facile en ces temps de dépression. Un jour, alors qu'on réprimandait un officier anglais stationné en Inde pour ses libations excessives, il leva son verre en disant: «Voici le chemin le plus rapide pour sortir de l'Inde». De la même manière, beaucoup d'Américains ont cherché dans l'alcool un moyen d'oublier leurs troubes, jusqu'au jour où ils ont découvert que, libres de commencer à boire, ils n'étaient pas libres de cesser. Dans ce livre, cent hommes et femmes racontent leur expérience d'asservissement et de libération.

Il ne s'agit pas d'un livre à sensation. Il est étonnant de lucidité, de pondération et se distingue par l'absence d'emphase et de fanatisme. Il constitue un exposé sobre, prudent, tolérant et sympathique du problème de l'alcoolique et des techniques efficaces qui ont permis aux auteurs de retrouver leur liberté. Le groupe, parrainant ce livre, débuta avec deux ou trois alcooliques rétablis qui se rencontrèrent à travers leur expérience commune. Cette affinité engendra une Fraternité d'alcooliques rétablis travaillant, sans tapage et sans publicité, pour les alcooliques. Et le Mouvement se répandit de ville en ville. Ce livre raconte l'expérience pratique de ce groupe et décrit les méthodes qu'il emploie.

Au cœur de leur programme nous retrouvons la religion. Ces membres sont convaincus qu'il n'existe qu'une porte de sortie pour l'alcoolique incorrigible, soit la délivrance de son obsession par une Puissance plus grande que lui-même. Disons tout de suite que cette expérience religieuse n'est aucunement partisane ou sectaire. Agostiques, Athées, Catholiques, Juifs et Protestants décrivent également leur découverte d'une Puissance supérieure à eux-mêmes. «Qui es-tu pour affirmer que Dieu n'existe pas» se fit dire un athée du groupe, alors qu'hospitalisé pour alcoolisme il réalisait l'extrême détresse de sa condition. C'est précisément lors de l'explication de cet élément central, dont dépend le rétablissement de tous ces hommes et de toutes ces femmes, que le livre manifeste le plus de tolérance et d'ouverture d'esprit. Les Alcooliques anonymes ne sont les partisans d'aucune forme particulière de religion organisée, bien qu'ils recommandent fortement à leurs membres de s'affilier à un groupe religieux de leur choix. Quand ils parlent de religion, ils entendent une expérience qu'ils ont vécue personnellement et qui les a libérés de l'esclavage, alors que la psychiatrie et la médecine avaient échoué. Ils admettent que chaque individu doit avoir sa propre conception de Dieu, mais ils sont absolument certains de l'existence de Dieu et, en conséquence, les récits de leur victoire constituent une remarquable addition aux Variétés de l'expérience religieuse de William James.

Somme toute, le livre présente un accent d'authenticité et permet d'admirer l'intelligence et l'habilité de ses auteurs. L'humour et la modestie dont il est rempli agrémentent un texte qui aurait bien pu n'être qu'une histoire navrante et prestigieuse.

Le docteur Fosdick nous rend un nouvel hommage

Dans son autobiographie, La Vie à Cette Époque (The Living of These Days, Harper, 1956), le Dr Fosdick écrivit ces paroles généreuses:

«Le Mouvement des Alcooliques anonymes, avec son étonnante stature d'aujourd'hui, est une bénédiction du ciel pour nous les ministres de Dieu. Comment pouvons-nous comprendre un alcoolique, son incontrôlable obsession de l'alcool, son désespérant esclavage contre lequel il lutte sans succès, et son interminable série de décisions fermes mais stériles d'arrêter de boire? Quand nous lui parlons, l'alcoolique sait que nous sommes incapables de comprendre son désarroi, parce que nous n'avons jamais été dans ses souliers. Mais, quand un alcoolique rétabli, qui a connu le bas-fond et a suivi les Douze Étapes vers la liberté, s'entretient avec un alcoolique, des résultats surprenants se produisent et se sont produits dans des milliers de vies humaines.

Mois après mois, je lis dans le *Grapevine*, la revue officielle des Alcooliques anonymes, la plus émouvante collection de témoignages illustrant la possibilité d'une transformation personnelle. De plus, ces récits attestent la réalité de la religion, puisque le Mouvement des Alcooliques anonymes est profondément religieux. Cette Onzième Étape constitue un facteur essentiel de son programme: «Nous avons cherché par la prière et la méditation à améliorer notre contact conscient avec Dieu tel que nous Le concevons, Le priant seulement pour connaître Sa volonté à notre égard et pour obtenir la force de l'exécuter». Les réunions des Alcooliques anonymes sont, à ma connaissance, les seuls endroits où les Catholiques romains, les Juifs, les Protestants d'allégeances diverses et même les Agnostiques se retrouvent en harmonie sur une base religieuse. Ils ne parlent pas de théologie. Plusieurs d'entre eux avoueraient ne rien en connaître. Ce qu'ils savent, c'est que dans l'anéantissement de leur complète impuissance, ils ont rencontré une Puissance plus grande qu'eux-mêmes, auprès de qui ils ont trouvé une ressource capable de leur procurer une victoire qui leur avait semblé irréalisable. J'ai entendu un grand nombre d'arguments pour prouver l'existence de Dieu, mais quand on désire une bonne vieille évidence, basée sur l'expérience, de Dieu, de Sa puissance personnellement appropriée et de Sa réalité acceptée hors de tout doute, alors donnez-moi une bonne réunion des Alcooliques anonymes!»

ANNEXE F

Publications des Alcooliques Anonymes

distribuées par le

Service des Publications du Québec

LIVRES

Alcooliques Anonymes
Réflexions de Bill
Nous en sommes venus à croire
Vivre...sans alcool!
Le Mouvement des A.A. devient adulte

BROCHURES

Les Douze Étapes
Voici A.A.
44 Questions et Réponses
A.A. est-il pour vous?
A.A. pour la femme
A.A. et le monde du travail
Le Membre A.A. et l'Abus des drogues
Coopérons avec nos amis
Questions et Réponses sur le Parrainage
A.A. et la Profession Médicale
La Tradition A.A./son Développement
Les Douze Traditions A.A.
Alice l'a trouvée
Jos levait le coude
A.A. dans votre milieu
Problèmes autres que l'alcoolisme
Point de Vue d'un Membre sur A.A.
Les Douze Traditions Illustrées

Notre Méthode
Guide Abrégé
A.A. et la Religion
Le Manuel de Services & Les Douze Concepts
Le Groupe A.A.
Le Sens de l'Anonymat
Y a-t-il un Alcoolique dans votre vie?
Le R.S.G.
Si vous êtes un professionnel
Trop Jeune?
Vous croyez-vous différent?
Lettre à une femme alcoolique
Les Jeunes et A.A.
Il est encore temps de vivre
Un nouveau venu veut savoir

*

SERVICE DES PUBLICATIONS DU QUÉBEC
1390, rue Fleury est,
Montréal, P. QC. Canada H2C 1R5

Index

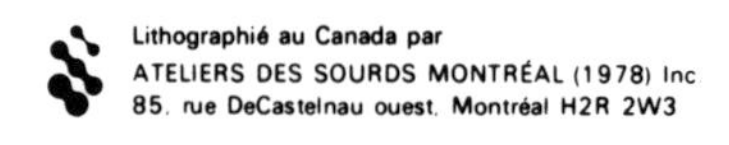
Lithographié au Canada par
ATELIERS DES SOURDS MONTRÉAL (1978) Inc
85, rue DeCastelnau ouest, Montréal H2R 2W3